一笑

盛期之風貌

臥龍生作品　帶動武俠風潮

《飛燕驚龍》開一代武俠新風

《飛燕驚龍》(1958)爲臥龍生成名作，共48回，約120萬言。此書承《風塵俠隱》之餘烈，首倡「武林九大門派」及「江湖大一統」之說，更早於香港武俠巨匠金庸撰《笑傲江湖》(1967)所稱「千秋萬世，一統」達九年以上。流風所及，臺、港武俠作家無不效尤；而所謂「武林盟主」、「江湖霸業」等新提法，竟成爲社會大眾耳熟能詳的流行術語了。

《飛燕》一書可讀性高，格局甚大。主要是寫江湖群雄爲覬覦傳說中的武林奇書《歸元秘笈》而引起一連串的明爭暗鬥；再以一部假秘笈和萬年火龜爲餌，交插敘述武林九大門派（代表正派）彼此之間的爾虞我詐，以及天龍幫（代表反方）網羅天下奇人異士而與九大門派的對立衝突。其中崑崙派弟子楊夢寰偕師妹沈霞琳行道江湖，卻如夢似幻地成爲巾幗奇人朱若蘭、趙小蝶之絕世武功技驚天龍幫，而海天一叟李滄瀾復接連敗於沈霞琳、楊夢寰之手；致令其爭霸江湖之雄心盡泯，始化解了一場武林浩劫云。

在故事佈局上，本書以「懷璧其罪」（與真、假《歸元秘笈》有關）的楊夢寰屢遭險難，卻每獲武林紅妝垂青爲書膽(明)，又以金環二郎陶玉之嫉才害能，專與楊夢寰作對(暗)爲反派人物總代表。由是一明一暗交織成章，一波未平，一波又起，極盡波譎雲詭之能事。最後天龍幫冰消瓦解，陶玉帶著偷搶來的《歸元秘笈》跳下萬丈懸崖，生死不明，卻予人留下無窮想像空間。三年後，作者再續寫《風雨燕歸來》以交代陶玉重出江湖，爲惡世間，則力不從心，當屬狗尾續貂之作。

在人物塑造方面，臥龍生寫男主角楊夢寰中看不中用，固然乏善可陳，徹底失敗；但寫其他三名女主角如「天使的化身」沈霞琳聖潔無瑕，至情至性，處處惹人憐愛；「正義的女神」朱若蘭氣質高華，冷若冰霜，凜然不可犯；「無影女」李瑤紅則刁蠻任性，甘爲情死等等，均各擅勝場。乃至寫次要人物如「賓中之主」海天一叟李滄瀾之雄才大略，豪邁氣派；玉簫仙子之放蕩不羈，爲愛痴狂；以及八臂神翁聞公泰之老奸巨猾，天龍幫軍師王寒湘之冷傲自負等，亦多有可觀。

與

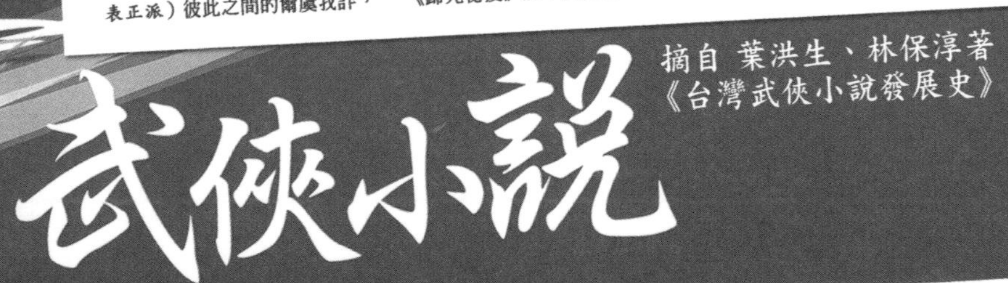

台港武侠文

流行天

臥龍

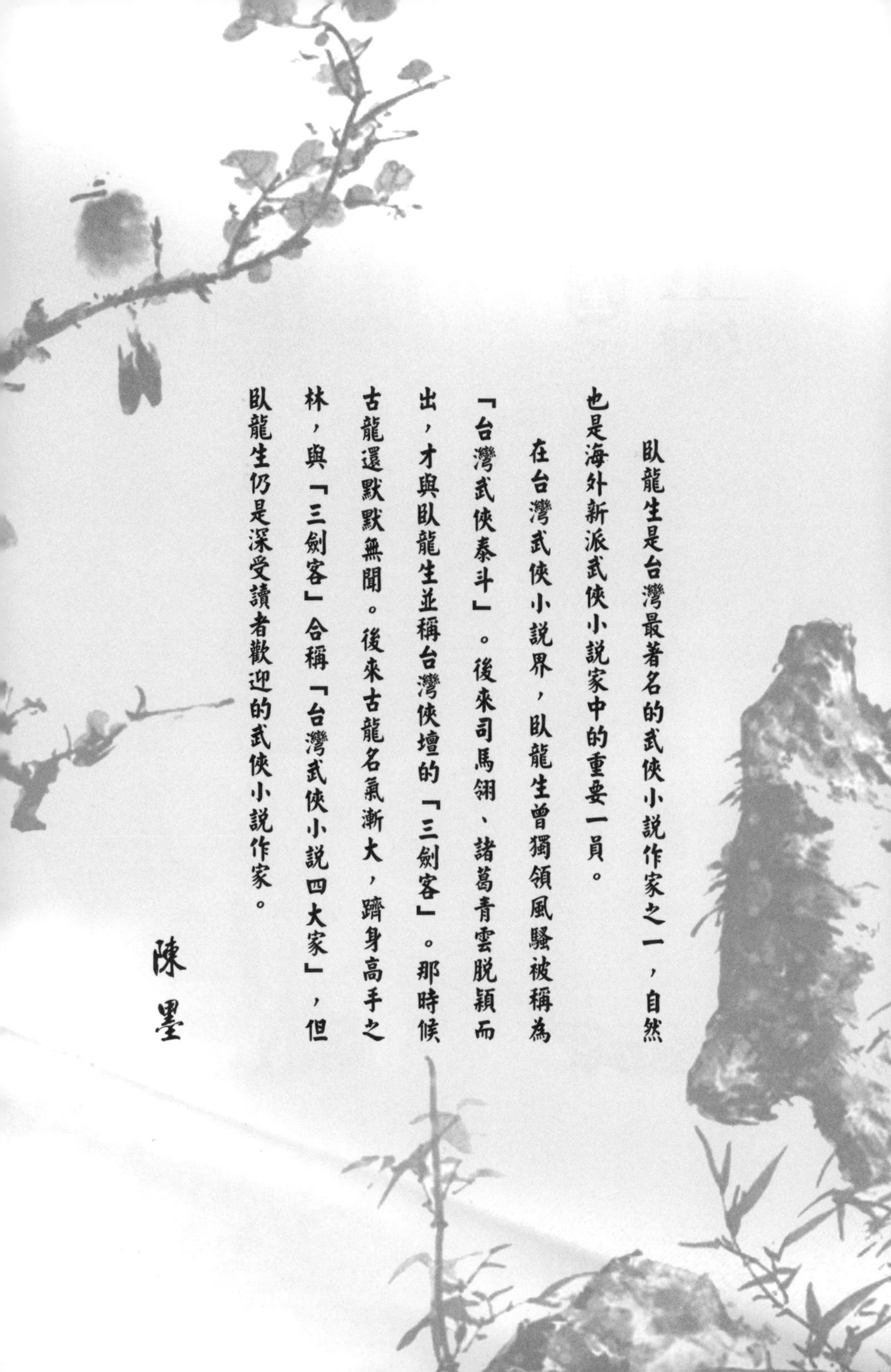

臥龍生是台灣最著名的武俠小說作家之一，自然也是海外新派武俠小說家中的重要一員。

在台灣武俠小說界，臥龍生曾獨領風騷被稱為「台灣武俠泰斗」。後來司馬翎、諸葛青雲脫穎而出，才與臥龍生並稱台灣俠壇的「三劍客」。那時候古龍還默默無聞。後來古龍名氣漸大，躋身高手之林，與「三劍客」合稱「台灣武俠小說四大家」，但臥龍生仍是深受讀者歡迎的武俠小說作家。

陳墨

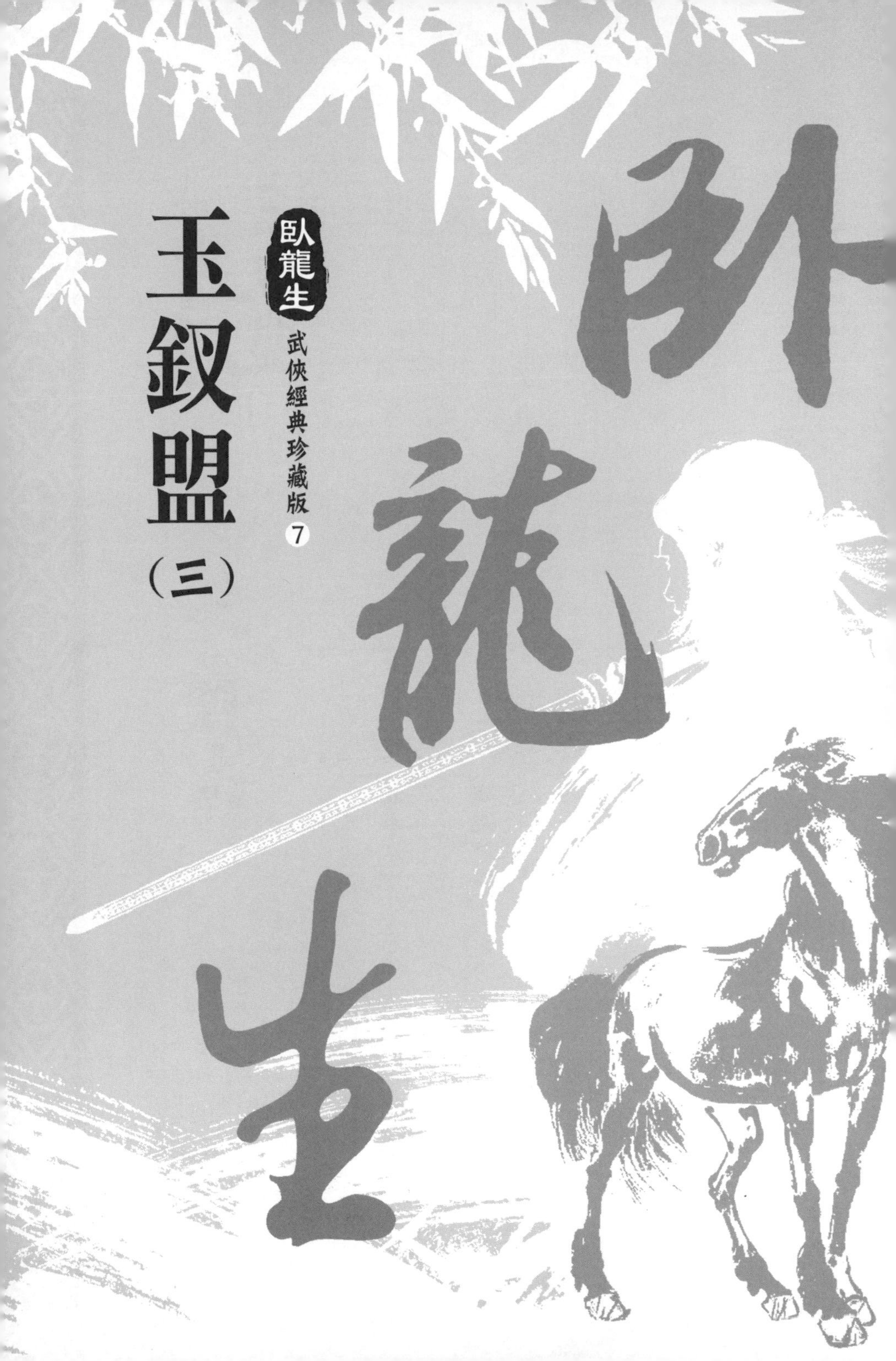
玉釵盟
（三）
臥龍生
武俠經典珍藏版
7
臥龍生

臥龍生精品集07

玉釵盟 (三)

二一　正邪江湖

只聽窗外傳來一陣朗朗的笑聲，道：「姑娘果是不凡，料事如神。」一陣微風過處，大廳上多出一個身穿長衫，頭戴儒巾，胸垂黑色長鬚的中年文士。

錦衣大漢冷笑一聲，道：「易兄果有神鬼莫測之能……」

易天行抱拳笑道：「王兄請恕兄弟擅闖貴莊之罪，兄弟要非如此，如何能見得這位姑娘之面。」

王冠中冷笑一聲，正要發作，那紫衣少女搶先笑道：「大師兄暫請息怒，是我約他來的。」

易天行滿臉和藹的笑容，拱手說道：「令師妹飛函相召，要兄弟把生擒之人送至貴莊，聽候發落，兄弟已遵命照辦……」

王冠中道：「要你送人不錯，難道還約你晤談不成。」

易天行道：「要是令師妹沒有相約在下，兄弟怎敢在夜中闖入貴莊……」

王冠中道：「依武林規矩而論，易兄擅闖我們碧蘿山莊，分明是不把兄弟放在眼中。」

易天行轉臉望了那紫衣少女一眼，微笑不答。

紫衣少女接口說道：「師兄如要問罪，但請責怪小妹。我如不飛函相請，他也不致違背江湖規矩，夜闖咱們碧蘿山莊中了。」

王冠中雙眉一皺，道：「師妹身懷白鳳令旗，有如恩師大駕蒞臨，小兄怎敢出言責怪。」

紫衣少女笑道：「既是如此，師兄暫請迴避片刻，小妹有重要話要和這位易先生說。」

王冠中怔了一怔，道：「小兄告退。」轉身下樓而去。

梅娘搖搖頭，暗自歎息一聲，忖道：「這孩子，不知道在耍的什麼花樣。」

紫衣少女目睹王冠中背影消失不見，才轉臉對那紅衣小婢道：「你也去吧！」

紅衣小婢應了一聲，轉身而去。

紫衣少女又回頭望了望梅娘，正待開口，梅娘已搶先說道：「什麼話連我也不能聽了？」

易天行接口說道：「這位老前輩不用避了吧！」

紫衣少女走到梅娘身旁，扶在她肩上笑道：「你在這只聽我談話可以，但是要答應我，別告訴大師兄，好嗎？」

梅娘皺皺眉頭，道：「什麼話不能告訴你大師兄？」

紫衣少女道：「不是不告訴他，而是晚幾天再告訴他。」

梅娘歎口氣，道：「好吧！」

紫衣少女微微一笑，才回頭望著易天行道：「你說那孤獨之墓中藏有珠寶一事，不知是真是假？」

易天行道：「此事乃中原武林中一大秘聞，知道此事之人，雖然不多，但卻千真萬確，一點不假。」

紫衣少女道：「既是中原一大秘聞，不知你如何知道？」

易天行道：「此事說來話長，一言難盡，但在下可擔保此事不是誤傳。」

紫衣少女道：「那墓中藏寶富可敵國，又有金蝶、玉蟬二件武林奇寶，你怎麼不單獨去取，爲什麼要找我？」

易天行道：「墓中機關重重，非姑娘這等絕世聰明之人，難以參解得透。」

紫衣少女瞧著易天行，微微笑道：「既是墓中機關重重，你又怎知道我能參解得透呢？」

易天行正容說道：「易天行遊俠天下，雖不精鑒人之術，但還信得過這雙老眼，尚不致昏花。自見姑娘以後，就覺得姑娘蘭心蕙質，才智超眾，聰穎絕倫，況且家學淵源，所以這墓中機關，放眼當今之世，除了姑娘之外，實在沒有他人能參解得透的了。」

紫衣少女默默聽他說了一陣，又沉思了片刻，道：「你來此既是誠心與我相商此事，我有一個問題，不知當問不當問？」

易天行笑道：「姑娘有話只管相詢，只要我知道無不以實相告。」

紫衣少女點點頭，道：「你適才所說孤獨之墓中機關重重，你是聽人傳說呢？還是已經親自勘查過的。」

易天行似是沒有料到她會猝然問到這上面，轉眼望著梅娘，乾咳了一聲。

紫衣少女道：「我是她從小帶大的，什麼事都不瞞她，你有什麼話，只管請說就是。」

易天行乾笑一下，道：「我雖沒有親身勘查過，但是依我所知跟親往勘查，相差並不太遠。」

說到此處，探手在懷中取出戮情劍匣，遞交給紫衣少女，道：「匣上的花紋，就是墓中圖案，姑娘不妨參詳一番，便知我所說不虛……」

紫衣少女接過戮情劍匣，就著台上的紗燈，仔細察看，室內是一片沉寂。

她看了約一盞熱茶工夫之久，才點頭歎道：「墓中布設，安置之巨，設計之精，真是獨具匠心，鬼斧神工，令人歎服……」

她說話之時依然目注劍匣，看了一陣，又道：「傳說金陵楊家堡的布設已是巧奪天工了，但是依我想，要是比起我們南海的布設，那就怕是差很遠了。不過，今日一看這墓中的布設，比起我們南海來，毫不遜色，有些地方更是叫人自歎弗如哩。」

易天行見她看得高興，接口道：「南海神叟學究天人，胸羅萬有，姑娘聰明蓋世又是家學淵源，自是一目瞭然……」

紫衣少女全神貫注地在審視劍匣上的花紋，並沒有答易天行的話。

忽然她秀眉輕鎖，又輕輕地「噢」了一聲，捧著劍匣向燈光移近了一點，屏息凝神地看了看，又用纖手輕輕地摸摸按按，然後似自言自語地說道：「奇怪，這匣上圖案，雖然細如毫髮，但是紋路分明，分毫不亂，怎麼這個地方竟是一片混亂呢？」

易天行聽得心中微微一震，不由張大眼睛瞧著劍匣。

紫衣少女微閉星目，默思了一陣，把劍匣放在桌上，向易天行道：「我看過了，不過上面的紋路卻有一、二處模糊不清，一時之間，我也無法理出頭緒，如果你放心，就將這劍匣暫存我這裡三天，讓我仔細的看看，如若是不放心，就請你帶去……」說著，向易天行莞爾淺笑。

易天行忙道：「姑娘怎的說出此話，不用說姑娘只留用三天，就是十天半月又何妨？姑娘請留下就是了。」

紫衣少女笑道：「你不怕我吞沒了你的戮情劍匣嗎？」

易天行道：「我如怕姑娘吞沒，也不會拿出來了。」

紫衣少女道：「就這劍匣上圖紋查看，墓中布設不僅巧奪天工，而且還似有著甚多的凶險埋伏，不知墓中機關，生機十分渺茫，眼下我能否由這劍匣圖紋之上，參解透那墓中機關，雖還難料，但咱們最好先把平分那墓中存寶之事談妥，免得屆時爭執不下。」

易天行道：「墓中存寶，難以數計，在下之意均作兩份，各取一半……」

梅娘突然插嘴對那紫衣少女說道：「孩子，咱們南海故居，珍藏名書古玩，不下千件，明珠寶玉，斗量車載，你何必爲了珠寶，去那古墓涉險？」

紫衣少女笑道：「可是金蝶、玉蟬，舉世間只有兩件。單是那金蝶、玉蟬兩件奇寶，已值得到那古墓中一行了。」

易天行道：「金蝶、玉蟬，咱們各得其一，而且由姑娘先行選擇。」

紫衣少女道：「可是兩件我都想要啊！」

易天行微微一笑道：「魚與熊掌兼得，姑娘不覺著太貪心嗎？」

紫衣少女笑道：「我要是不貪心，也不願到那古墓中去涉險了，這麼吧，金蝶、玉蟬歸我，金銀珠寶歸你，不知你意下如何？」

易天行道：「那金蝶、玉蟬，一個劇毒無比，一個專解奇毒，分由兩人各執其一，運用上亦感不妥，姑娘既是喜愛，那就一併歸姑娘所有吧。」

他微微頓了一頓，又道：「金蝶、玉蟬在下奉讓姑娘，但除金蝶、玉蟬之外，所有之物，都該盡爲在下所有了。」

紫衣少女略一沉思，笑道：「你說的可是指古玩玉器、金銀明珠……」

易天行拂鬚一笑，接道：「那古墓中藏物甚多，但以金蝶、玉蟬，最爲有名，姑娘已兩者並據，難道還不甘心麼？」

紫衣少女嬌笑一聲，道：「以我推想，那古墓之中必有較金蝶、玉蟬更爲珍貴之物。」

易天行笑道：「這個在下還未聽人說過，姑娘既出此言，想必已知何物了。」

紫衣少女道：「那座古墓，何以被稱作孤獨之墓？」

易天行道：「因那墓中所葬之人，自號孤獨老人，是以被稱孤獨之墓。」

紫衣少女道：「這就是了，如那孤獨老人把他一生之能，留在那古墓之中，是否比金蝶、玉蟬更爲珍貴呢？」

易天行吃了一驚，但他表面之上，仍然保持著鎮靜，臉上微笑依然，輕輕一捋長鬚，道：「姑娘才智確有過人之處，在下難及萬一！」

紫衣少女道：「我不過舉此一端，此外尚有甚多。」

易天行道：「願聞高論。」

紫衣少女笑道：「以孤獨二字爲名，想來他生平之中，定然寡歡，茫茫世間，沒有一個他

可親近之人……」

易天行接道：「孤獨命名，雖然暗示了他一生的寂寞，但一人生性冷僻，行徑怪異，似和他遺留在墓中藏寶無關。」

紫衣少女道：「那孤獨老人，既能造成這等精巧之墓，必是一位才智卓絕，胸博玄機的專人，以他的才智，如想把自己遺體毀去，百世不爲人知，自非困難之事，但他卻花費了極大的精力，建築了這樣一座孤獨之墓。

「那墓中機關布設的精巧，不去說它，單是這浩大工程，也非三、五年可以完成，一個人能在十年之前，預布他死後的葬身之地，其人心機之深，當非常人能及萬一。

「此人孤獨了一生，但死後卻是不甘寂寞，建造了一座機關重重的古墓，要和後輩人物一較才智，他一生之中未逢敵手，引爲畢生大憾，命名孤獨，除了暗示他寂寞之外，還隱含譏笑世人之意，放眼世間，無一人配和他相提並論，結交爲友。唉！你們中原武林中人，正該以此爲恥才對，卻還沾沾自喜，以求得墓中遺寶爲榮……」

易天行怔了一怔，歎道：「宏論高見，使在下茅塞頓開，果是逾越世人之論，聞所未聞。」

紫衣少女淡淡一笑，道：「建了這座孤獨之墓，賣弄他卓絕才智，聊慰人生苦短之歎，也還罷了，卻又故意把墓中機關布設雕刻在戮情劍匣之上。戮情劍削鐵如泥，斷玉切金，武林中人，個個見愛，借寶劍之名，暗示和後人一較才智的心意，可惜碌碌世人，有幾個能揣透他的一番心意……」

易天行拂鬚讚道：「姑娘之言，字字金玉，句句珠璣，實叫在下佩服。」

紫衣少女不理易天行頌讚之言，繼續說道：「金蝶、玉蟬埋存古墓一事，我雖不知如何傳誦在江湖之上，但想來亦不是那孤獨老人有意的安排，而且傳播深而不廣，更增加了古墓的神秘和尊崇，其實這些安排，都是誘人之餌，旨在完成和後輩中人一較才智的心願。」

易天行道：「與姑娘一席清談，勝讀十年書，古人誠不我欺。」

紫衣少女道：「其人死後，仍存有和後人一爭雄長之心，決不甘心自己的才智永遠埋沒於古墓中，以此推想，那古墓中定然留有他一身本領……」

易天行點頭說道：「姑娘之意，可是說他把一身本領著作書冊，留存在那古墓中嗎？」

紫衣少女微笑道：「我沒有說呀！他留下手著書冊也好，或是……」

話至此處，突然停口不語，過了一陣，才緩緩接道：「或是運用其他辦法也好，反正那古墓中除了珠寶和金蝶、玉蟬之外，定然還有越逾金蝶、玉蟬的珍貴之物，我如單單取得金蝶、玉蟬，豈不太吃虧了？」

易天行道：「那以姑娘之意，該當如何呢？」

紫衣少女道：「依我之意，只怕你不肯答允。」

易天行笑道：「財寶身外物，生難帶來，死不帶去，姑娘不妨先說出來，只要能夠稍稍顧全到我，在下即可答允。」

紫衣少女笑道：「也許我的主張，不太公平，不過，世間很少絕對公平的事，失之東隅，收之桑榆，以彼補此，或可扯成公平之局。」

易天行笑道：「姑娘先請說出分取墓中存寶的辦法，咱們再談其他之事，至於失之東隅，收之桑榆的因果之論，對在下雖有適用之感，對姑娘也不盡然無用。」

紫衣少女笑道：「這句話對我就不通了。」

易天行道：「姑娘每一高論，都有超越世俗的見地，在下洗耳恭聽。」

紫衣少女道：「我們南海門和中原武林道中人物，無怨無仇，縱然有不少人，偷覷我們南海門下奇書，到處存著窺盜之心，但也不致成群結隊，聯手對付我們，何況利害衝突，根本就無聯手相結之可能……」

易天行心頭一震，但表面之上，仍然維持著鎮靜的笑容，說道：「姑娘言中之意，可是說在下即將遭受中原武林道上各大門派中人的聯手圍攻，是嗎？」

紫衣少女冷冷接道：「除了我南海門可能助你抗拒中原各大門派聯手之勢以外，天下再也沒有助你之人……」

她微微一頓之後，接道：「其他之人縱有心助你，但也無力。」

易天行拂鬚大笑，道：「別說此事可能性甚小，縱然確有其事，也難使我易天行低頭服輸。」

紫衣少女道：「孤掌難鳴，你雖有出神入化的本領，也難抵擋天下武林聯手之力。」

易天行道：「中原武林道上，彼此嫌怨複雜，少林、武當等自詡正大門戶中人，極不願意和一宮、二谷、三大堡中人物往來，要他們聯手對付我，只怕很難調和的起來。只要在下略施手段，立將先引起他們自相殘殺一場。」

紫衣少女笑道：「如若我也和你爲敵，你自信能夠勝得了嗎？」

易天行道：「姑娘確是在下心目中唯一擔憂的強勁之敵，故而在下接到相召之函，趕來碧蘿山莊，並以同分墓中存寶之議，想和貴派結成聯手之盟。」

紫衣少女道：「你如誠心而來，此事並非不能，難在雙雄並立，以誰爲首。」

易天行道：「這個，不妨秋色平分，大事未成之前，不妨各盡其能？」

紫衣少女道：「各盡其能？」

易天行道：「不錯，運籌帷幄，在下聽命姑娘，決勝戰陣，調度人手，姑娘請聽在下之命，武林大勢一定，彼此立時劃分地域，各據一方，互不相犯，各爲尊首。」

紫衣少女笑道：「咱們兩人，誰也不願屈居人下，並立江湖，也決難相安無事，不是你兼併我，就是我併吞你。」

易天行道：「如若姑娘能遵守平分地域之約，在下決不會無故相犯。」

紫衣少女道：「此乃畫餅充饑之言，說也無用。咱們還是先談妥墓中存寶的分取之法，再說以後的事吧。」

易天行道：「姑娘儘管提出高見，如若在下難以同意，咱們再作論爭。」

紫衣少女道：「金蝶、玉蟬歸我，金銀珠寶歸你，其他之物，咱們再各取一半。」

易天行道：「如是其物價値不同，雙方都欲求取，豈不又生爭執？」

紫衣少女道：「那就各憑才智，打賭決定，勝者先取。」

易天行笑道：「賭有千法，咱們各有增長，姑娘雖有絕人才慧，也難樣樣都比在下精通，最好能先把題目講好，免得臨時爭執不下。」
紫衣少女笑道：「你想得倒是滿周到呀！我有兩個法子，任你選擇其一。」
易天行道：「願聞其詳。」
紫衣少女道：「第一個辦法，是咱們進了古墓之後，各依手段去搶，誰搶到就歸誰所有，另外之人，不得再爭。」
易天行道：「辦法雖是不錯，但恐難免引起爭執。不知那第二個辦法爲何？」
紫衣少女道：「第二個辦法，除了金蝶、玉蟬，金銀珠寶之外，咱們文比詞賦一句，武比手法一招，如若仍難分出勝敗，那就以猜拳決定勝負。」
易天行笑道：「這辦法倒是可行，就此一言爲定。三日後，在下再來相訪姑娘。」
紫衣少女笑道：「咱們眼下是敵是友，很難分得清楚，恕我不送了。」
易天行笑道：「亦敵亦友，非敵非友，敵友之分，全在姑娘一念之間。」
抱拳一禮，轉身行到窗口之前，忽然又回過頭來，接道：「友則天下無敵，敵則兩敗俱傷。敵友一事，還請姑娘三思，三日後，在下當踵門敬候佳音。」忽的縱身一躍，穿窗而去。
紫衣少女拿起戮情劍匣，自言自語地說道：「這劍匣上的圖紋，又可消磨我兩日光陰了。」緩步登上三樓。
梅娘追了上去，說道：「孩子，你當真要插手中原武林是非之爭嗎？」
紫衣少女一面緩步登樓，一面答道：「咱們已被捲入漩渦中了，再想抽身而退，爲時已晚。」

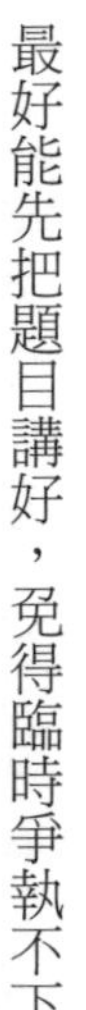

梅娘道：「眼下雖然小有糾纏，咱們可以早回南海，一走了之。」

紫衣少女笑道：「我心中煩惱得很，如不找些麻煩，排遣時光，只怕難再活得下去。」

梅娘怔了一怔，不敢再追問下去，心中暗暗忖道：這孩子一向任性，她既然決心置身是非之中，看來勸她也是無用，倒不如由她去吧！

且說徐元平背著金老二連翻越過兩座山嶺，在一處避風的山谷，停下身來，問道：「叔父可覺著身體不適嗎？」

金老二勉力忍著痛苦，微微一笑道：「平兒，我只怕難以活過明日午時了……」徐元平吃了一驚，道：「什麼……」

金老二盡力使激動的心情保持鎮靜，笑道：「孩子，你必須鎮靜，聽我把話說完，只要易天行存心要一個人死，沒有人能逃過他的毒手，你驚疼悲苦，於事無補。易天行把我解送『碧蘿山莊』之前，已經強迫我服下藥性緩慢，但卻絕毒無救的藥物，他仍不放心，又下手點了我三處要穴，縱然能解得藥物之毒，也無法使我全身行血暢通，三處要穴湧血而死……」

徐元平急急接道：「不知他點傷叔父哪三處穴道，平兒或有解救之法。」

金老二道：「別說他下手陰毒，解救不易，縱然是能解了穴道，也無法解藥物之毒……」

徐元平黯然一歎，垂首不言，而心中卻在暗暗想道：可惜相從慧空大師學藝時日過短，想他一代神僧，武功既已登峰造極，醫道定也十分精深……」

只聽金老二歎息一聲，說道：「我身受之傷，除了易天行本人之外，世間再無解救之人。」

徐元平忽然想起那紫衣少女來，暗道：那紫衣少女既能解救丁玲傷勢，又能替鐵扇銀劍于成療治身受之毒，想來對金叔父的傷毒亦可療治，怎生想個法兒，要她出手相助……他一直在想著心中之事，對金老二相問之言，渾似未聞。

金老二長長吸一口氣，提起精神接道：「我現在清醒時間，只怕已無多長，我要在死去之前，把胸中之事，全都告訴你知道……」

徐元平突然接口說道：「叔父，我倒想起一個人來，可療治叔父身受的傷毒。」

金老二滿臉不信神色，搖著頭，說道：「你說的什麼人，能療治我的毒傷？」

徐元平道：「就是『碧蘿山莊』中那紫衣少女。」

金老二淡然一笑，說道：「你父母被害之事，我還沒有對你說完，趁著我現在還很清醒之時，告訴你吧。」

他心中似是不信那紫衣少女能療治他的傷勢，對徐元平的話，置若罔聞。

徐元平急道：「平兒父母被害之事，以後再說不遲，眼下先要想法子幫叔父療治傷勢要緊。」

金老二正容說道：「我已沒有生存之望了，何苦要多費心思，難道讓我抱恨而終，把心中未完之言，帶到墓中去嗎？」

徐元平也提高聲音道：「這茫茫世界上，平兒只有叔叔一個親人，你當真忍心捨我而去嗎？」

金老二也高聲說道：「你怎麼知道那紫衣少女一定能療治好我的傷勢，又怎麼知道她會答應替我療治傷勢？」

徐元平聽得呆了一呆，暗道：這話倒是不錯，那紫衣少女縱有療治金叔父傷勢之能，但卻未必會答應替他療治傷勢……

沉吟了良久，才長長歎息一聲，說道：「不論她答不答應，平兒總要盡到最大的心力。」淒涼的身世際遇，使他對金老二生出極深的孺慕之情，愛他護他的親人長輩，一個個先後死去，好像他生就是孤苦伶仃之命，這又使他心中生出了無比的愧恨，是以，對金老二的生命，看得比什麼都重，覺得天地間萬物可捨，不論如何的委屈自己，也要療治好金老二的傷勢。

心念轉動，勇氣忽生，站起身來，說道：「走，咱們重回到『碧蘿山莊』中去！」

金老二亦不忍再責罵昔年故友留下的唯一骨血，搖頭歎息一聲，道：「孩子，如我能知求生之法，難道還願意去死不成？萬一求謀不遂，或是那紫衣少女無能療治我的傷勢，豈不誤了大事？唉！我如不把心中之事告訴你，死也難以瞑目。」

徐元平道：「咱們一面趕路，叔叔一面把心中要說的話，告訴我聽。」也不待金老二答話，伸出手去，把他揹在身上，轉過身子，正待向前奔走，忽見二丈遠外月光之下站著一個人影。

此人來得無聲無息，徐元平竟不知他何時到了身後。

凝神望去，只見那人一臉蒼白之色，髮挽道髻，背插寶劍，屹然而立，動也不動一下，宛

如一座泥塑石雕的人像。

那人面形，並不怎樣難看，但越看越不像一個活人臉。

徐元平一手抱緊背上的金老二，騰出一手來準備迎敵，口中大聲喝道：「什麼人？」

那道裝之人口齒啓動，有如彈琴一般，一個字一個字地由口中蹦了出來，道：「不用去找別人了，眼下就有療治傷勢之人。」

聲音陰冷，深夜中聽來，叫人悚然而慄。

徐元平本爲他那毫無人形的面孔嚇了一跳，但轉念一想，丁玲、丁鳳曾經常戴人皮面具，心中膽氣一壯，大聲喝道：「什麼人能療治我金叔叔的傷勢？」

那人冷冷答道：「就是區區在下。」

徐元平正在擔心那紫衣少女不肯答應時，該怎麼辦，他說能療治金老二的傷勢，不覺問道：「老前輩可是鬼王谷中的人嗎？」

那人冷笑一聲，道：「本觀主是何等人物，豈肯和鬼王谷中人物交往？」

徐元平道：「你既不是鬼王谷中人，爲什麼要戴著人皮面具？」

那人縱聲一陣大笑，道：「難道只有鬼王谷中人才有人皮面具嗎？」

徐元平怔了一怔，忖道：這話倒是不錯，並非鬼王谷中才有人皮面具……

只聽金老二微帶抖顫的聲音，起自身後道：「道長可是玄武宮的觀主，天玄道長嗎？」

那人縱聲大笑道：「本觀主已封劍十年，未離玄武宮一步，想不到江湖上還有人能認得我。」

金老二道：「道長威名遠播，大江南北武林道上，有誰不知？」

天玄道長被金老二一番話說得心花怒放，拂鬚微笑道：「就憑你這幾句話，本觀主也要替你療好傷勢……」

話至此處，微微一頓，緩步直逼過來，一面接道：「神州一君易天行極善用毒，當今武林之世，除了本觀主，只怕再無人能療治得他手調奇毒。」

徐元平從未聽過天玄道長之名，半信半疑地說道：「一個人生死大事，非同兒戲，道長如能醫得我金叔父身上之毒，在下感激不盡，如若無能療治，且莫延誤我求醫時間？」

金老二急急接道：「平兒不要胡說，天玄道長乃當今中原少數高人之一，盛名遠超二谷、三堡，豈會和你說笑！」

言下之意，已隱隱示出這天玄道長身分。

徐元平除了江湖閱歷不足，生性易於衝動之外，人本絕頂聰明，聽得金老二之言，心中暗暗忖道：難道此人就是盛傳江湖之上，一宮、二谷、三大堡中一宮首腦之人。當下一掌橫胸，躬身一禮說道：「老前輩請恕在下不知之罪……」

天玄道長臉上戴著人皮面具，無法看清楚他喜怒神情，只聽他冷笑一聲說道：「還不快把你背上中毒之人放下，說的什麼廢話？」

徐元平依言放下背上的金老二，向後退了兩步，目光卻一直盯在天玄道長身上。

這數月之中，他目睹江湖上的機變詭詐，提高警覺之心不少，暗中提聚真氣，全神監視著天玄道長，只要一發覺他有暗害金老二之心，立時出手搶救。

金老二身上三處要穴被點，行血已開始湧積，不但站立不住，臉色亦變得蒼白起來。

天玄道長緩緩蹲下身子，在金老二身上，仔細查看了一陣，說道：「眼下還難查出你所中之毒……」

徐元平急道：「你連我金叔父中的什麼毒，都瞧不出來，哪裡還能替他療治？」

天玄道長冷冷說道：「易天行一向用毒，都是把幾種絕毒的藥物調合在一起，如是只用一種毒物，何用本觀主，天下解得之人何止千百？」

徐元平沉吟道：「老前輩究竟能不能解，如是無能療救，別再耽誤我們時間了。」

天玄道長對徐元平這等輕藐自己之言，異常憤慨，怒道：「本觀主如不能救他的傷勢，只怕當今武林之中再也無人能救得他了。」

徐元平暗暗想道：你這般誇口自詡，有什麼用。

但口中卻恭恭敬敬地答道：「老前輩只要能療救好我金叔父的傷勢，在下定當重相報答……」

天玄道長冷哼一聲，突然探臂一抱，把金老二抱了起來，放腿向前奔去。

徐元平這一急非同小可，大喝一聲，縱身急追過去。

天玄道長對徐元平大喝之聲，恍似未聞，頭也不回地直向前面奔去。此人輕功之高，極是驚人，抱著金老二仍然奔行如箭，月光之下直似一道輕煙。

徐元平只覺此人輕功之高，生平少見，自己空手施出全力疾追，仍然難以追趕得上。

兩條人影在月光下奔馳有若天馬行空，衣袂飄帶起的嘯風之聲，不絕如縷。追出了四、五里遠，仍然保持著三丈多遠的距離，徐元平未能追趕上一步，天玄道長也未能再把徐元平距離拉遠。

兩人輕功腳程看來雖然一樣，但天玄道長脅下夾持著金老二，相形之下，徐元平顯然差了一截。

天玄道長雖然未回頭望過一眼，但他已從徐元平奔行時，衣袂帶起的飄風聲之中，辨出了徐元平始終追隨在自己身後三丈左右，不禁心頭大感驚駭，暗忖道：此人小小年紀，竟然有著這等超絕的輕功。當下一提丹田真氣，用出十成功力，向前奔行，速度陡然加快一成，徐元平登時被拋後了數尺。

徐元平眼看對方奔行速度突然加快了甚多，距離愈來愈遠，心頭大爲焦急，大聲喝道：「老前輩再不站住，我可要開口罵人了。」原來他心中一急，忽然想到凡是武林中有著身分地位的人物，最是怕罵，他在萬般無奈之下，只好用此法了。

果然，天玄道長聽得此言之後，停下了腳步，霍然轉過身來。

徐元平奔行之勢迅快無比，天玄道長一停腳步，他已追到身後，待天玄道長轉過身時，徐元平右手已然遞到天玄道長的胸前，直點玄機要穴。

天玄道長雙肩微微一晃，身子突然向旁側閃讓三尺。

徐元平一擊不中，第二招緊隨出手，右掌、左掌，連綿攻出。

天玄道長冷聲一笑，身子一挺，忽然向後退出三尺，讓過徐元平的掌指，說道：「百招之內，你如能打中本觀主一拳一腳，本觀主立時重返玄武宮中，再封劍十年。十年內不離宮一步。」

徐元平原本要欺身攻上，但聽天玄道長之言後，反而不肯立時出手，靜站不動，沉吟了一陣，道：「咱們無怨無仇，何必定要比試武功，萬一我在百招之中，傷到了道長，豈不平添了一樁恨事……」

天玄道長不待徐元平說完，哈哈大笑一陣，道：「你如在百招之內，傷到本觀主，我立時替他療好毒傷，然後再回玄武宮去。」

徐元平道：「這麼說來，道長是定要和在下動手了。」

天玄道長怒道：「本觀主是何等身分之人，豈肯和你白費口舌。」

徐元平想道：「這道士也很奇怪，如是存心和我比試武功，應該拳來腳往的和我打出一場勝負才對，就是相讓幾招，也不過三招兩式，哪有一讓百招之多的道理。就算你武功強勝過我，但你不能還手，我可以放手施展，十成武功，可以發揮出十二成的威力。」

心念轉動，正待答應下來，忽然心頭一顫，暗道：我徐元平堂堂男子，豈能佔人這等便宜。

立時大聲說道：「道長一定要和在下動手，不必相讓，咱們各憑武功動手就是。」

天玄道長說道：「你先打我一百招後，看看能否和我比試，咱們再動手不遲。」

徐元平應道：「那倒不必，咱們各依真功實學動手，敗者也可心服口服……」

天玄道長低頭望望脅下挾持的金老二，截住了徐元平的話道：「他身中劇毒，你再延誤時

光，只怕難以救治了。」

這幾句話，字字如刀如劍，刺入了徐元平的心中，只覺一股血氣衝了出來，大聲喝道：「我金叔父如無事也就罷了，如是有了三長兩短，道長就替他償命。」

天玄道長毫不動氣地哈哈大笑了一陣，道：「你如果想救他之命，那就快些動手吧！」

徐元平雖然不解天玄道長何以要讓他百招，但形勢緊急，無暇多問，欺身而上，一招「西天雷音」當胸直擊過去。

天玄道長看對方掌勢若點若劈地擊來，竟是生平未見之學，不禁微微一怔。

徐元平目睹天玄道長竟不避自己的掌勢，心中甚感奇怪，暗道：難道他練有護身罡氣，故意要我掌勢擊中他之後，好以內家反震之力傷我不成。心念轉動，去勢一緩。

天玄道長直待徐元平掌勢將要近身之時，才突然一吸真氣，身軀忽的向後縮退五寸，剛好把徐元平擊來掌勢讓開。

徐元平一掌未中，左腳隨著踏前半步，擊出的右掌不收，左手由下疾翻上來，一招「金索縛龍」扣拿天玄道長左腕脈門。

他左掌尚未近對方左腕，忽聽天玄道長輕輕地哼了一聲，身子陡然向後退了三步。

原來天玄道長雖然退讓開他的掌勢，心中卻大感困惑，暗暗想道：此人年紀甚輕，怎的出手招術這等怪異……

正在忖思之間，忽覺一股暗勁，撞在前胸，但感心頭一震，不自主地向後退了三步。

徐元平只道他故意向後避，也未放在心上，微一長身，如影隨形般追了上去，左手疾向天玄道長脈門上面抓去。

天玄道長吃了一個暗虧，心中又是氣惱，又是驚駭，哪還敢有一點輕敵之念，身形倒轉，似進實退，眼看他身子向前探去，哪知卻突向後滑退了四、五步。

徐元平吃了一驚，暗道：這是什麼身法，我如變招向前進襲，被他這般意外的滑退到身後，舉手一招襲來，那可是太難防備，至低限度，也要被他搶去先機。

當下一沉丹田真氣，硬把向前行去的身子穩住，一個旋身轉了過來。

天玄道長功力深厚，雖然吃了一個暗虧，但人並未受傷，略一運氣，立時復原。

徐元平忽然向後退了兩步，抱拳一揖，正容說道：「老前輩武功高強，晚輩自知難敵，但咱們無怨無仇，老前輩何苦定要和晚輩動手，勝敗之分，無關宏旨，但如因而延誤在下叔父性命，老前輩心中也……

他生平最不願意求人，如今為形勢所迫，不得不說出求人之言，但是話到口中之時，又覺得實在難以出口。

天玄道長冷冷說道：「平常之人，縱然想和本觀主動手，本觀主也不屑和他動手，我要和你動手，還是器重你了。」

徐元平略一沉吟，道：「老前輩如果定要和晚輩動手，晚輩自當捨命奉陪，但請老前輩先答應晚輩一件事情。」

天玄道長道：「什麼事？」

徐元平道：「老前輩先把在下叔父毒傷醫好，咱們再動手不遲，晚輩就是傷在老前輩手

中，死也瞑目。」

天玄道長沉吟了一陣，道：「好吧！」轉身向前走去。

徐元平緊隨在天玄道長身後，走到一處山谷之中。

天玄道長放下金老二，緩緩說道：「十年前本觀主尚未封劍，經常在江湖之上走動，武林中人替我下了八字評語，如今想來，倒是不錯……」

徐元平接道：「不知哪八個字？」

天玄道長笑道：「亦正亦邪，亦俠亦盜。」

徐元平默然不語，心中卻暗暗忖道：看你忽喜忽怒的舉動，只怕這八字下的甚是正確。

只聽天玄道長又是一陣朗朗大笑，道：「這評語是好是壞，本觀主不願求解，但我一生做事，常以自己喜怒為之，現在本觀主突然覺到……」

徐元平心頭一震，暗道：糟糕，莫不是他又突然變了掛啦。」急急接口問道：「道長又突然覺到了什麼？」

天玄道長接道：「我突然覺到你這娃兒不錯，也許咱們日後，或能成為忘年之交。」

徐元平道：「末學後進，怎配和老前輩相結為友。」

天玄道長冷笑一聲，道：「非友即敵，兩者都有可能。」

徐元平突覺一股忿怒之氣衝了上來，道：「為敵為友，來日方長，暫時不談也罷，但老前輩答允替在下叔父療治毒傷之事，似已不宜再拖延時間了。」

天玄道長探手入懷，摸出一只玉瓶，倒出來三粒白色藥丸，道：「我這九花醒神丹，功能解除百毒，縱然難解易天行調配的毒藥，至低限度，可延緩他藥性發的時間，你先要他服下，咱們動過手後，再想法子替他徹底療治。」

徐元平皺皺眉頭，接過藥丸，心中暗暗忖道：看來我和此人這場架是非打不行了。

大步走到金老二身旁，說道：「叔父請把這三粒丹丸服下。」

金老二三道經脈已被易天行打傷，再被天玄道長夾著一陣奔走，氣血運行加速，促使傷勢提前發作，此刻已是四肢癱瘓，神志半昏，但他究竟是身負武功之人，強提一口真氣，勉強支持著身子，還未躺下，望了徐元平一眼，張開口來。原來他已無能伸手接藥。

徐元平目睹金老二的神情，不禁悲從中來，兩行熱淚奪眶而出。

天玄道長冷冷說道：「還不快讓他把丹丸服下，當真要等他毒性發作嗎？」

徐元平沒好氣地答道：「他這般神情，只怕毒性早已發作了。」

天玄道長道：「他哪裡是毒性發作，易天行定然點傷了他什麼經穴，這是傷勢發作，但此刻他行血湧集，毒性容易發作，你如不讓他早些服下九花醒神丸，只怕真要引發毒性了。」

徐元平暗暗忖道：不錯，金叔父早已告訴過我，他被易天行點傷了數處經穴，我真的是急糊塗了。

當下把手中三粒九花醒神丸，投入金老二口中。

天玄道長忽然向後退出三丈多，高聲說道：「不要再驚動他，咱們在這裡動手吧！」

徐元平本想侍守一側，看看金老二服用九花醒神丸的反應，但聽天玄道長連聲催促，心中又有些惱怒起來，暗道：我承認打你不過，也就是了，那有這等苦苦迫人比武的道理。但覺心中血氣上衝，回身走了過去，抱拳一禮。

天玄道長奇道：「你這是幹什麼？」

徐元平道：「動手相搏，必有傷死，不是你死，便是我亡，這一禮相謝老前輩贈藥之情。」

他似是已被天玄道長相迫動手的情事，激起怒火，言下之意，大有以命相拚之心。

天玄道長冷笑一聲，道：「怎麼，你要和我拚命嗎？」

徐元平道：「你武功高強，功力深厚，我如不存下必死之心，怎能夠打得過你？」

天玄道長道：「好啊！武林之中，都說我剛愎自用，好勝之心太強，但你卻比本觀主尤強幾分，難道你當真存心勝我不成？」

徐元平道：「我如不存勝你之心……」

他本想說我如不存勝你之心，那咱們乾脆就別比了，話到口中之時，忽然想到金老二的生死，還掌握在天玄道長手中，倏然住口不言。

天玄道長似已窺透他的心意，變得和藹起來，微微一笑，說道：「這好勝之心，本觀主算遇上一位知己，看來咱們兩人確有甚多相同之處……」

他微一停頓之後，又道：「你儘管放心出手，大概你那一點武功，還無法傷得我，你先攻我一百招，我不還手，待這一百招打完之後，你那叔父服下的藥力，也可以散行開了，等我替他療好毒傷之後，再決定咱們是否再打一場。」

徐元平沉思了一陣，道：「只有九十七招，我剛才已經攻你三招了。」

天玄道長笑道：「好吧！就算九十七招。」

徐元平道：「我本不願接受你相讓百招之約，但我叔父性命在你掌握之中，爲了救我叔父，只好答應你了。」

天玄道長似是極希望和徐元平比試武功，居然連連點頭說道：「好吧！不論你爲什麼，只要你答應比武就行了。」

徐元平再想不出推拒之理，只好出手搶攻，欺身而進，一拳直搗。

天玄道長微微一側身，讓過拳勢，凝神而立，等待徐元平再次出手。他剛才吃過一次暗虧，這次竟是不敢再存大意之心。

徐元平一擊未中，心中暗道：反正還有九十六招，我如不把九十六招攻完，他決計不會還手。

當下欺身而進，拳腳並施，一味猛攻過去。

天玄道長雙手緊貼在兩腿之上，施展開迅快的身法，飄忽游走，莫可捉摸，徐元平雖然拳落如雨，足起似風，但一連攻了四十五招，別說打他不中，連天玄道長飄起的衣袂，也未碰過一下。

徐元平究竟還是少年性情，雖明知天玄道長不會還手，自己也存心把百招應付過去之後，讓他療治好金老二的毒傷，天玄道長如再相迫比武，那就好好打上一場；但四、五十招未能沾得天玄道長衣角，不覺之間動了怒火，突然倒躍疾退，反臂發出一掌。

天玄道長也正感不耐徐元平這等虛應故事般的打法，忽見徐元平施出奇招，知他心中已動了忿怒意，默算還有五、六十招好打，不禁精神一振。

只覺一股潛力暗勁，逼了過來，一面運氣護身，一面橫向左邊閃讓五尺。

徐元平反臂發出一掌之後，重又欺身攻上，揮拳攻來。

這次攻勢，和上次大不相同，忽指忽腳，迅辣兼具，忽拳忽掌，威勢驚人。拳如鐵錘擊巖，掌似落英繽紛，指風似剪，中挾著少林絕學一十二招擒龍手，著著變化奇奧，招招來勢難測。

天玄道長漸覺徐元平的拳掌攻勢，對自己威脅增大，幾次被險招迫得身法散亂，緊貼在腿上的雙手，幾乎抬起封架，幸得他及時驚覺未致出手。

眨眼之間，又是三十餘招過去，徐元平一面動手，一面默數攻出拳掌，再攻九招，就滿了百招之數，心中暗暗忖道：此人武功，果是非凡，看來比神丐宗濤尤高甚多，如我百招之中連他雙手都無法逼他揮動，那可是大失面子的事。

心中雖甚焦急，但卻想不出致勝之法。他雖能默誦《達摩易筋經》全文，但因經文字字含意博大，句句蓄蘊玄機，除了慧空相授他的實用法門，和經上原文相同之處，他可以用來克敵之外，空記了一腔絕世武學的真訣，但卻無法施展出手，他愈是用心去想，愈覺想不出一點名堂。

要知徐元平的武功，尚無法把真經全意貫通，偶爾觸景生情，危難機生，才能用出一、兩招驚世駭俗的武功之外，平常和人動手，甚難觸動靈機。

忖思之間，九十九招已經攻完，倏然收住掌勢，縱身而退。

天玄道長疾轉如輪的身子，也突然停了下來，笑道：「爲什麼不打了？」

徐元平道：「我百招已經攻完，自是不能再打。」

天玄道長笑道：「只有九十九招，尙有一招之差。」

徐元平突感一陣羞忿，泛上心頭，暗道：我在百招以內，連人貼在腿上的雙手，也未能逼得動用一下，還有何顏在江湖之上行走……

心中在想，口中卻接道：「既然如此，那我再攻一招。」舉手一掌拍了出去，這一掌去勢輕描淡寫，猶如兒戲一般。

原來他舉掌拍出之時，忽然又想到了金老二的安危，趕忙把掌中蓄含的真力，重又收了回來，只想湊足百招之數，讓他早些療治金老二的傷勢。只覺丹田中一股熱流直泛上來，有如洪流怒濤，不可遏止，不禁大駭。

他接納慧空大師的真元之氣，尙未完全引歸經脈，收歸己用，這一股剩集的真元之氣，平日潛伏丹田之中，被他發出的內力一送一收，忽然引發，熱流泛衝而上，一股無聲無息的暗勁，隨他那輕描淡寫的一拍之勢，衝了出來。

屹立在數尺外的天玄道長，看他隨手作勢揮動，只道他虛應故事，也未放在心上，微微一笑，還未來得及開口，突然一股暗勁，襲上身來，心中大吃一驚。

他功力精深，見聞廣博，一觸之下，立覺這股暗勁來得大不尋常，力道已然近身，閃避已是不及，如不運功把它硬擋回身，只怕又吃次暗虧，當下一提真氣，前胸微微向前一傾，暗發罡氣，準備把襲來暗勁推擋回去。

哪知一擋之下，那襲來暗勁突然增強，有如怒潮狂濤般，直撞上來。但覺心頭一震，足下馬步不穩，血翻氣動，一連向後退了五步。

對面而立的徐元平，緊接著悶哼一聲，一屁股坐在地上。

原來天玄道長運罡氣一擋，徐元平忽覺一股強勁絕倫的反震之力，彈了回來，只感全身一麻，骨節如散，雙腿忽軟，竟難再站得住，一跤跌在地上。

天玄道長退了五步之後，勉強拿樁站住，吐出了一口鮮血，才就地而坐，閉目運氣療息。足足有頓飯工夫之久，才覺浮動的氣血完全平復。抬頭看去，只見徐元平仰臉躺在地上，似已失去了知覺。

天玄道長心中本有一股憤怒之氣，但見徐元平被自己反震之力傷得更重時，心中怒氣忽消，緩緩走了過去。

清澈的月光，照在徐元平的臉上，他臉上一片鐵青之色，嘴角間，向外泛著血跡。

天玄道長蹲下身去，伸手在徐元平口鼻間輕輕一探，不禁一皺眉頭。原來徐元平已是氣若游絲。

天玄道長抬頭望望月光，長長吁了一口氣，他已面臨了一個甚難決定和選擇，是否要救活徐元平，這時他只要輕輕加上一掌，立時可把徐元平震斃掌下。金老二身受重傷，殺他滅口，更是易如反掌，深更半夜，四外無人，這手段雖然卑劣一些，但世間除他之外，再也無人知道。

徐元平這最後一掌，使天玄道長心中產生了無比的驚駭，暗暗忖道：此人這等年輕，功力和拳掌，都已有極高的成就，如再假以時日，實在難以限量……

但徐元平那驚人的一擊，也使天玄道長心中動了惜才之念。

見聞博廣，盛譽卓著的天玄道長，面對著仰臥在地上，氣若游絲的徐元平，忖思了良久，仍是想不出該如何處理。這是個異常簡單的問題，但卻是異常的困擾。

正在他猶豫難決的當兒，忽聽身後傳來了一聲輕微的笑聲，道：「前面可是天玄道兄嗎？」

天玄道長霍然一驚，但他卻仍然站在原地未動，對那呼喚之聲，恍若未聞，暗中卻已運氣戒備，防人突襲。

只聽一陣呵呵的輕笑，道：「道兄別來無恙，十年封劍期滿，兄弟還未向道兄道賀呢！」

天玄道長覺著那聲音十分熟悉，緩緩轉頭望去。

只見兩丈外月光下，站著一位儒巾儒衫，胸垂長鬚的中年文士。

天玄道長脫口說道：「易天行……」

易天行微微一笑，道：「不錯，正是兄弟，道兄幾時滿了封劍十年限期。」說著話，緩步走了過來。

天玄道長道：「貧道已離開玄武宮三個月了。」

易天行道：「可喜可喜，兄弟行將又見道兄的豪風劍影，揚於江湖之上……」

低頭望了徐元平一眼，又接口笑道：「這人可是道兄重踏江湖後，首擋鋒銳的第一人

嗎？」

天玄道長道：「此人小小年紀，武功卻是不弱，貧道封劍十年，想不到後輩中出了此等人才！」

易天行漠然地望了徐元平一眼，淡淡笑道：「道兄這次重入江湖，不知有什麼打算沒有？」

天玄道長原想易天行聽得自己頌讚徐元平武功之後，定是一派驚疑之情，哪知易天行聽而不聞，視如未見，漠然一看之後，竟然不再看徐元平第二眼，似乎根本未把這件事放在心上。

易天行冷漠的神態，使天玄道長有一種被羞辱的感覺，同時也泛起了一種漠視徐元平生死的心情，暗道：易天行這等漠視於他，想來這娃兒定非什麼有名之人，如若留下他的性命，難免他不談今宵之事，以我在武林中的聲譽，被一個無名之人打傷，是何等的丟臉之事。

一念泛動，殺機忽起，一點惜才之心，隨著蕩然無存，暗運起功力，藉著翻動徐元平身子的機會，藏指袖中，暗點了他「神封」死穴。

易天行冷眼旁觀，早把天玄道長暗下毒手的舉動，瞧在眼中，詭計得逞，心中甚感暢慰，但他外形仍是一片冷漠，說道：「道兄如若沒有打算，兄弟倒是有一件事，煩請道兄相助一二。」

天玄道長點了徐元平死穴，心中忽覺一陣輕鬆，暗道：今宵之事，大概再也不會有人知道了……」心中忽然一動，抬頭望著易天行，反問道：「易兄來的有一陣工夫了？」

易天行道：「剛來不久。」

天玄道長道：「不知易兄有什麼事想請貧道相助。」

易天行笑道：「兄弟素不和人結仇，請道兄相助之事，決非和人鬥氣比武，這方面道兄儘管放心。」

天玄道長怒道：「當今武林之世，貧道怕過哪個，哼！縱是和人比武鬥氣，也不放在心上。」

易天行道：「道兄武功，兄弟一向最為佩服，十年前恨天一嫗和道兄比武一事，兄弟至今仍有著一股不平之氣……」

天玄道長只覺臉上一熱，接道：「我這次重離玄武宮，第一樁事就是要找恨天一嫗，弄清當年比武之時，什麼人暗中下手助她。」

易天行道：「道兄以連勝四陣的疲勞之身，再鬥恨天一嫗，雖然輸了兩招，也是雖敗猶榮……」

天玄道長道：「如非暗中有人助她，我雖已連鬥四陣，但那老妖婆也難勝我……」

易天行微微一笑，接道：「恨天一嫗已破例收了衣缽傳人，想道兄定已知道此事了？」

天玄道長道：「不知收的何人？」

易天行道：「甘南上官堡堡主的掌珠，上官婉倩，道兄如要和恨天一嫗作對，又多了一個強敵。」

天玄道長冷笑一聲，道：「區區一個上官堡，豈放在本宮的心上。哼！難道我十年封劍期間，江湖上的跳樑小丑，都成了氣候不成？」

易天行看他逐步陷入自己謀算之中，心頭甚是歡慰，但仍保持一片鎮靜，淡淡一笑，道：「道兄十年封劍期間，江湖上卻已有甚大變化，二谷三堡，聲名大噪，已漸成分據江湖之局，被譽為武林中泰山北斗的少林、武當兩派，相形之下，已有些黯然失色了。」

天玄道長道：「貧道的玄武宮近年在江湖上聲譽如何？」

易天行道：「一宮之名雖未減色，但已不如道兄昔年行走江湖之時來得響亮，二谷三堡之名，大有扶搖直逼之勢。」

天玄道長突然抬腿一腳，把已遭點了死穴的徐元平踢飛起六、七尺高，摔出一丈開外。

易天行暗中留神徐元平的身體，手腳未動，知已死去，拂鬚一笑，道：「道兄的生性，仍和封劍前一般模樣，兄弟這裡告別。」抱拳一禮，轉身而去。

天玄道長輕輕地咳了一聲，望著易天行的背影逐漸在月光之下消失。他原想叫易天行回來，問問有什麼相求之事，話將出口之時，忽又想到自己身受之傷尚未痊癒，必需再運氣調息一陣，如若喚他回來，萬一有了衝突，豈不要束手待斃？

他回頭望了望徐元平橫臥的屍體，心中忽然覺著不安起來，忖道：此人並未相犯於我，是我要迫他出手，我這樣相待他，手段未免太殘酷了……

他呆呆地想了一陣，自言自語地說道：「我已點了他『神封』死穴，縱是華陀重生，扁鵲復活，也難再救活於他。唉！眼下我只有解救他叔叔的毒傷，也可稍減心中一點愧疚……」轉身急向金老二停身之處奔去。

這時，金老二傷脈發作，人已暈了過去。天玄道長不顧自己的餘傷未癒，扶起金老二來，默運真氣，連點他一十八處要穴，打通他三條經脈。

只聽金老二長長吁了一口氣，緩緩睜開雙目，打量了天玄道長一陣，問道：「我那平侄兒哪裡去了？」

天玄道長輕輕地咳了一聲，答道：「死了。」

金老二如被毒蛇突然咬了一口，霍的跳起身來，急道：「什麼？」

天玄道長冷冷說道：「你受傷經脈初通，不宜大驚小怪，快些坐下運氣調息一下，我還要清去你身受之毒。」

金老二究竟是久走江湖之人，略一忖思，激動的心情，立時鎮靜下來，依言盤膝而坐，淡然地問道：「他可是和道長比試武功時，傷在了你的手下嗎？」

天玄道長啓動雙目望了金老二一眼，又緩緩閉上，答道：「不錯，我失手傷了他的性命。」

金老二道：「那也不能責怪道長，比武過招，拳腳無眼，難免有所失誤，只怪他學藝不精。」

天玄道長霍然睜開雙目，盯在金老二臉上問道：「本觀主久在江湖上行走，閱人何止於萬，你如想在我面前耍什麼花招，那可是自尋死路……」

他微一停頓之後，又道：「我已答應了那娃兒，替你療治毒傷，現在他雖然死了，但本觀主卻不願自食承諾之言。」

金老二笑道：「道長如害怕替我療好傷勢之後，替他復仇，最好也把我殺了以絕後患。」

天玄道長目中凶光暴閃，冷冷說道：「縱然要殺你滅口，本觀主也要替你療好毒傷之後再殺。」

金老二心中微微一動，暗道：他說殺我滅口，不知何意，難道他和平兒動手之時，用了什麼卑劣手段傷害於他不成？

心念轉動，殺機暗起，但他自己如憑武功，難擋對方一擊，是以必得想個法子，暗中下手，才可報雪此恨，當下淡然一笑，默然不言。

天玄道長一面暗中戒備，一面暗中運氣調息，體力大復，霍然站起身來，說道：「我要用金針過穴之法，放過一些氣，然後才能迫出你身受之毒，估計約需一日夜的工夫，但本觀主無此閒暇，爲你療治，我用金針打通你穴脈，你可帶我一件信物，走往玄武宮中，說明經過，自有人替你治療。」

金老二笑道：「我毒傷雖然被療好，但今生今世，也別想再出你的玄武宮了。」

天玄道長冷笑道：「那總比死了好些。」

金老二心知此刻如若稍露反抗舉動，立時將送命在天玄道長掌下，當下一閉雙目，笑道：「玄武宮乃當今江湖上的勝地，縱然埋骨其中，死亦無憾。」

天玄道長不願和他多說，探手入懷，摸出三枚金針，雙手齊出，三針並中，分紮在金老二「雲門」、「氣戶」、「俞府」三穴之上。

他並不立刻拔出金針，一探手，又從懷中摸出三支針來，揮手之間，又分刺三大要穴。片刻工夫，金老二全身連中了一十二針。

天玄道長又從懷中摸了兩粒丹丸出來，讓金老二張口吞下後，說道：「我這金針過穴之法，當今武林之中，還未聞有人具此手法，你暫時靜坐別動，我去替你找匹坐騎。」話出口，人也同時凌空而起，一掠而杳。

金老二睜開眼時，已不見天玄道長人蹤。

不大工夫，忽聽蹄聲得得，天玄道長不知在哪裡牽了一匹馬回來。

金老二睜開雙目，瞧那馬背之上，並無鞍蹬，不禁一皺眉頭，道：「你要我騎馬走嗎？」

天玄道長笑道：「我把你綑在馬上趕路，決不致跌下就是。你已服用了我兩粒金丹，一日一夜中決不會感覺到睏倦，只要你記得此去玄武宮的路程，不要十二個時辰，這匹健馬，就可以把你送到玄武宮了。」

金老二道：「不用綑了，在下自信還可騎得無鞍之馬。」

天玄道長道：「你身上金針不能取下，半身癱軟難動，如不綑上，勢難坐穩。」

也不待金老二同意，伸臂把他抱了起來放在馬上，解下腰中一條絲帶，把馬韁綑在金老二手中，又把他身體縛在馬上，說道：「此行生死，看你造化，如果十二個時辰之內還未到玄武宮中，不等毒發，單是我那十二支金針所中要穴，被氣血沖偏移了位置，就可以置你於死地了。」

金老二黯然一歎，默不出聲。他不是感歎自己的生死，而是失去替徐元平報仇機會而惋惜。

天玄道長笑道：「你歎的什麼氣，此事看去雖甚凶險，但我猜想你十有八成能如期趕到玄武宮中。」舉手在馬臀之上拍了一掌，但聞那健馬長嘶一聲，放腿向前奔去。

因金老二的手和馬韁綑在一起，尚可操縱那健馬奔行的方向。馬行如飛，一口氣奔出了二十餘里。

金老二看馬首，已然見了汗水，輕輕一帶馬韁，健馬放緩了步子。

此際殘月西照，天色已是四更時分，他仰臉長長吸兩口氣，頓感英雄氣短，兒女情長，幾滴英雄淚，滾滾而下。

正自感傷莫名之際，忽然身後傳來了一個十分熟悉的聲音，道：「叔叔可知道玄武宮的路嗎？」

金老二吃了一驚，道：「你是平兒嗎？」

那熟悉的聲音又從身後傳來，道：「是啊！」

二二　峰迴路轉

金老二只覺一股熱血泛了上來，道：「平兒，咱們是在作夢嗎？」

徐元平道：「叔叔不要傷心，咱們都還好好的活著。」

金老二定定神道：「你與天玄道長比武，不是被他打死了？」

徐元平道：「我被他強猛的反擊之力，震暈了過去，四肢百脈都如癱瘓一般，難以伸動，但心中卻仍然很明白，只是連說話的力也用不出來，天玄道長大概已認為我死了，先點我死穴又踢我一腳，把我踢飛出八、九尺遠……」

金老二急道：「你沒有被他踢傷嗎？」

徐元平笑道：「我本已不能動了，但卻被他一腳踢得全身氣血通暢起來。」

金老二喜道：「有這等事？」

徐元平道：「是啊！我雖已氣血通暢，但不知傷勢是否已好，是故不敢亂動，聽他和易天行談了甚久的話，後來易天行走了，天玄道長卻轉回去替叔叔療毒，我怕他忽起殺心，傷害叔叔，想趕快運氣調息，哪知一運氣，全身傷勢竟似完全好了一般，而且精神充沛猶勝傷前……」

金老二喜道：「我活了五十餘年，從未聽到過此等之事，難道是大哥、三弟的陰魂，保護著你嗎？」

徐元平道：「我也想不通原因何在……」他微一停頓後，接道：「我一直追在天玄道長身後，看他用金針扎入叔叔穴道，看他對叔叔諸般無禮舉動，心中甚是憤怒，但又想到叔叔身受之巨毒，除他之外，無人能醫，縱然有人能醫，也沒有時間去找，後來看他替叔叔找來一騎坐馬，要你趕到玄武宮去，我便跟在叔叔身後來了。」

金老二心中忽然一動，道：「平兒，你現在什麼地方和我說話？」

徐元平道：「我在叔叔馬上……」

金老二把身體向後輕輕一靠，只覺身後空無一物，心中大感奇怪，說道：「平兒，你在什麼地方？」

徐元平道：「我在馬尾上。」

金老二怔了一怔，道：「馬尾乃柔軟之物，如何能夠騎呢？」

徐元平道：「我用雙手抓住馬尾，並沒有坐在馬尾上。」

金老二暗暗忖道：一個人身體重量，能在馬尾上，奔了數十里，不但馬兒奔行的速度不減，而且我竟然毫無所覺。再說，一個人武功再好，也不能長久的穩住丹田一口真氣……心中疑竇重重，甚是不解。

只聽徐元平笑道：「本來我想坐在馬背之上，但見叔叔背後幾處要穴，扎著幾支金針，我害怕一不小心，碰在那金針之上，不敢坐在馬背上，只好抓住馬尾了。」

金老二道：「你抓著馬尾，跑了幾十里路，就不覺得累嗎？」

徐元平道：「我當時想著抓住馬尾定然很累，哪知奔行了幾十里，竟然一點也不覺累。」

金老二十分吃力地轉動身子，回頭望去，只見徐元平雙手抓住馬尾，身體橫垂成水平面，距地大約有尺許左右。看他神態悠閒，好像橫躺在一座吊榻上頭，心中大感奇怪，笑道：「你真的一點也不覺得累嗎？」

徐元平點點頭笑道：「一點也不覺得。」

金老二道：「平兒，天玄道長用什麼方法傷了你？」

徐元平道：「他用內家反彈之力，震傷我的。」

金老二又道：「易天行看到了你沒有？」

徐元平道：「看是看到了，不過他已認爲我死了。」

金老二又緩緩轉過身去，頓時覺著心中輕鬆不少，雙手一抬，抖動馬韁，健馬登時又放快了腳步，向前奔去。

奔行的健馬，豎起尾巴，徐元平身軀登時隨著馬尾，向前移去，有如馬尾上一根稻草。

金老二浪跡江湖，行蹤遍及天下，對那揚名武林的一宮、二谷、三大堡所在之地，都瞭若指掌，徐元平仍然健在人世，使他突然生出了強烈的求生之念。

他覺著這孩子每遇上一次大難，或是和高手相搏一次，武功都精進了甚多，雪恨報仇，手刃易天行，看來並非是絕無希望之事，他覺得自己應該以豐富的江湖閱歷，去幫助他完成這件大事，然後才能死得瞑目……

一念動心，求生之欲，突然轉變得十分強烈，急欲趕到玄武宮去，療治身受之毒。

又趕出二十餘里，天色已然天亮，東方天際，幻起了一片彩霞，半輪紅日，探出地面。

金老二輕輕一收馬韁，奔行的健馬，突然停了下來。

徐元平鬆開馬尾，繞到前面，攔住馬頭，說道：「叔叔一夜奔行，想腹中必已饑餓，平兒去找些食用之物，給叔叔食用之後，再趕路吧！」

轉臉望去，只見道旁不遠處，有一座竹籬環繞的茅舍。

徐元平抱著他，直向那茅舍走去，金老二一皺眉頭說道：「平兒，我這等樣子，如若闖入民宅，勢必把人家嚇一大跳，倒不如先把我放在一處僻靜地方，你獨自去找些食用之物，咱們胡亂吃上一點，就要趕路了。」

徐元平道：「叔叔身上扎滿金針，把你一人留下，叫我如何能放得下心？」

金老二笑道：「你去不過片刻工夫，哪裡就會遇上事故？」

徐元平想了想，把金老二放在相距道路十丈外的一株大樹下，單身直向竹籬環繞的人家奔去。當他討得食用之物，重返那大樹下，金老二已然不見。

這一驚非同小可，只覺一股悲憤之氣，直衝上來，振腕把手中食用之物，投飛出手，一拳擊在那大樹之上。但聞一陣簌簌之聲，落葉紛紛，那巨樹被他一拳擊得枝搖幹動。

耳際間響起了一陣哈哈大笑，神丐宗濤雙手抱著金老二，縱身而下。

徐元平見叔父無恙，心中怒火頓消，訕訕說道：「想不到此處又和老前輩見面。」

宗濤笑道：「老叫化有意找來，並非是碰巧相遇。」

徐元平道：「老前輩找晚輩，可有什麼事？」

一向爽直的神丐宗濤，突然變得陰沉起來，沉吟了良久，道：「有一件緊要之事，特地趕來奉告。」

徐元平道：「老前輩儘管請講，只要有需用晚輩之處，在下決不推辭，不過，不論什麼事，都得壓後兩天再說，我要先趕到『玄武宮』去，找宮中老道主替我叔父治毒傷。」

神丐宗濤搖頭說道：「玄武宮戒備森嚴，宮中道士，個個都身懷上乘武功，你一人之力，只怕難以抵得群道圍攻……」

徐元平道：「我又不是去和他們打架，只求替叔叔療好毒傷。」

宗濤道：「老叫化本來找你有事，但就眼下情勢而論，不如先助你趕到『玄武宮』去，替他療好毒傷再說。」

徐元平本待拒絕，但轉念一想，此去「玄武宮」說不定要和宮中道士動手，有宗濤這等譽滿江湖，武功高強之人相助，實力增強不少。

心念一轉，一個長揖，說道：「老前輩這等隆情高誼，晚輩感激不盡。」

宗濤笑道：「事不宜遲，咱們現在就上路吧！」

徐元平望了金老二一眼，說道：「宗老前輩請相候片刻，再去討些食用之物。」

宗濤道：「不用啦！老叫化身上帶有乾糧。」

徐元平接過金老二，扶他上馬，回頭望著宗濤，問道：「我叔叔身上，滿是金針，難以坐穩，要不要把他綑在馬上？」

宗濤道：「如不綑上，如何能瞞得過玄武宮中道士？」

徐元平猶豫了一下，終於依言把金老二綑了起來，輕輕在馬背上拍了一掌，健馬立時放蹄如飛而去。

宗濤和徐元平展開輕功，緊追那健馬身後，向前奔去。

徐元平忽然覺得步履輕鬆無比，只要輕輕一抬腳步，身子立時往前衝去，不禁心中大感奇怪，暗自忖道：這是怎麼回事呢？

宗濤似是看出了徐元平舉重若輕，行雲流水般的身法，不禁問道：「小兄弟，你這是什麼身法？」

徐元平道：「我也不清楚啊！」

宗濤皺皺眉頭，只道他不願說，也不好再探問下去。

健馬奔行如飛，片刻之間，已跑去十四、五里，徐元平只覺愈跑愈是輕鬆，毫無半點吃力之感。

宗濤從懷中取得乾糧，分給兩人食用，爲了早些趕到玄武宮，幾人並未停下休息，待夕陽西下時分，已到了玄武宮外。

一座巍峨的宏大建築，屹立在廣闊的荒野，四周竹林環繞，蔓延數里方圓，把那座巍峨的「玄武宮」，環抱在竹林中。

宗濤輕輕一帶馬韁，健馬停了下來，回頭對徐元平道：「據老叫化所知，玄武宮中的道

士，平時難得出門一步，從不和外界人物來往，但對擅自闖入宮中之人決不留活口，江湖上不少人，到過玄武宮外，但卻無人知道宮中情形。到目前爲止，凡是進過玄武宮的人，還沒有一個活在世上，是以這座平凡的道觀卻變得十分陰沉……」

徐元平心中惦念金老二療傷之事，接口說道：「咱們要不要進去瞧瞧？」

宗濤笑道：「咱們如若跑了進去，宮中道士，決不會替金老二療治毒傷了。」

徐元平道：「如若咱們不去，我金叔父一個人，又毫無抗拒之能，豈不任人擺佈？」

宗濤道：「天玄道長雖然剛愎自用，介於邪正之間，但他究竟是一代武學宗師的身分，不致有背承諾，他既然要金老二來宮中療治，定有療傷之能，咱們可在外面等候，先讓他獨自進入宮中，待天色入夜之後，咱們再到宮中查看，如若他毒傷已除，咱們再藉機把他救出來，只此一法，別無可循之徑。」

徐元平道：「萬一宮中道士不替他療治傷勢，或是對他有了不敬的舉動……」

宗濤微微一笑道：「療傷定然會療，但不敬的舉動，也是一定的了，求人療傷，事所難免……」

徐元平道：「如若玄武宮中道士對我叔叔有了什麼傷害，或是把他囚禁了起來，咱們到哪裡去找？」

宗濤道：「江湖上事，無法一點風險不冒，據老叫化推想，玄武宮中道士決不會想到咱們還有後援，縱然被他們囚禁起來，也不難找到下落，可慮的是，咱們如果擅闖玄武宮，定將和天玄道長結下不解之仇，日後在江湖之上，又多了一個強敵。」

徐元平道：「事已至此，哪裡還能顧到許多，老前輩如若是害怕和天玄道長結仇，那晚輩一人入宮就是……」

宗濤道：「老叫化如怕和天玄道長結仇，也不會和你到玄武宮來了……」他微微一頓之後，又道：「眼下不宜再多拖延時間，再拖時刻，只怕對他傷勢不利。」當下舉手一拳擊在馬背之上，那健馬立時放腿如飛，直向玄武宮奔去。

徐元平只覺心情隨著那奔行的健馬，緊張起來，圓睜雙目，望著金老二的背影。馬去如飛，逐漸接近了玄武宮。

神丐宗濤輕輕一扯徐元平的衣角，說道：「快些隱起身子，那健馬已快接近了宮門，如若咱們不藏起來，勢必被他們發覺不可。」當先隱入一片草叢之中。

徐元平微一閃身，也隱入了草叢中。

那金老二騎著健馬，衝近了玄武宮邊，兩扇緊閉的大門，突然大開。五個道裝佩劍的中年大漢，一排並立，站在門口之處，擋住了去路。

但見正中一人一舉手，抓住了金老二的馬韁，冷冷喝道：「你是什麼人，膽敢擅闖玄武宮。」

金老二道：「在下承蒙天玄道長相助，施展金針過穴絕技，療救在下身受奇毒，道長身有要事，不能替在下用法逼毒，乃命我趕來玄武宮中求治。」

正中一人，仔細看了金老二身上金針，微一點頭，輕輕向旁側讓開了一步，放過了金老二，大開的宮門，立時閉上。

徐元平眼看著金老二進入宮中，心中忽然覺著不安起來，便感胸中熱血沸騰，恨不得立時拔步衝入宮去。

宗濤似已瞧出徐元平激動之情，輕輕一拉他衣袖說道：「江湖上事，無一不冒著重重凶險，你這般沉不住氣，如何能辦得大事！」

取過背後葫蘆，咕咕嘟嘟，一連喝了幾口酒，又道：「咱們先找處地方養養精神再說。」

徐元平無可奈何地跟在宗濤身後，在一處草叢中，坐了下來。

神丐宗濤舉起葫蘆，又喝了兩大口酒，笑道：「你那戮情劍得自何處？」

徐元平想不到他話題突然轉到戮情劍上，怔了一怔，道：「那戮情劍乃一位老前輩相贈在下之物，老前輩怎的會突然想起了此事？」

宗濤道：「那戮情劍，可是少林寺和尚的東西嗎？」

徐元平只聽得大感奇怪，暗道：不知他怎的知道，戮情劍乃少林寺中之物。當下說道：「這個老前輩怎的知道？」

宗濤道：「少林寺中和尚已然知道戮情劍是他們寺中之物，而且也知道落入了你的手中，派出大批門下弟子，追尋於你，要追回戮情劍。」

徐元平道：「有這等事？」

宗濤道：「而且少林寺僧侶，已查出你就在附近，已派人趕回嵩山本院，召請大批高手，看來大有不得回戮情劍，決不甘心之意。」

徐元平輕輕哼了一聲，仰天望著滿天晚霞出神，心中卻暗暗忖道：那戮情劍本是慧空大師

所有，算來也該是少林寺中之物，只是此物乃慧空私人遺贈於我，不知是否該還給少林寺中和尚。一時之間，想不出該如何答覆。

神丐宗濤看徐元平一語不發，只管默默沉思，微微一笑，旋又問道：「那戮情劍究竟是不是少林寺中之物？」

徐元平道：「雖是少林寺一位大師所有，但卻算不得少林寺中之物……」

神丐宗濤笑道：「老叫化走了大半輩子江湖，南北方言，無所不通，但對老弟這幾句話，卻是有些不盡了然了。」

徐元平道：「那戮情劍雖是少林寺中老前輩所有，但卻是他私人之物。他在圓寂之前，送了我這柄戮情寶劍，就事而論，這柄戮情寶劍，該算是那位老前輩遺贈於我之物，現下少林寺中和尚，找我討取，不知該不該還給他們。」

宗濤皺了皺眉頭道：「少林寺中僧侶，數十年甚少這等大舉出動，據老叫化所知，這次已然盡出寺中高手。看樣子，不惜大動干戈，非要討回那戮情寶劍不可……」他微微一停頓之後，又道：「少林派實力壯大，就當今江湖而論，首屈一指，小兄弟似不宜和少林派正面為敵，不如挺身而出，和他們首要人物當面相見，據理力爭，或能罷去一番干戈。」

徐元平沉吟了一陣，歎道：「晚輩並無貪得那戮情寶劍之心，不過寶劍乃是別人遺贈之物，豈能輕易送人？」

神丐家濤沉吟了良久，道：「那戮情劍仍在你身上嗎？」

徐元平探手入懷，摸出一支寒光耀目的短劍，道：「寶劍仍在此，但劍匣卻被易天行手下

奪去了。」

神丐宗濤望了那短劍一眼，笑道：「少林寺僧侶們，恐怕其志也在那戮情劍匣，你如不願和少林僧侶們正面衝突，不妨把戮情劍匣的下落，轉告少林僧侶……」

徐元平搖頭說道：「不行，交出戮情寶劍事小，但有傷那贈劍人清譽事大。此物既非我偷竊而來，少林僧侶們依什麼向我討取？」

宗濤暗暗想道：這話倒也不錯，如若奉還戮情寶劍，反將落下竊盜之名……

一時竟也想不出適當之法，輕輕歎息一聲，道：「傳言之中，此劍乃極爲不祥之物，幾個保有此劍的主人，都落得極爲淒慘的下場，不知何故，仍然有人千方百計的謀求此劍……」

話還未落，突覺一陣疾風，緊掠兩人身側而過。

神丐宗濤見多識廣，閱歷豐富，一聞風聲，霍然挺身而起，右手一招「雲龍噴霧」拍出一掌，左手急向戮情劍上抓去。

他發動雖然迅快，但來人手法似是尤高一著，但見眼前人影一閃，戮情劍早已被人搶到手中。

定神看去，只見一個全身黑衣，黑紗籠髮的老嫗，站在四、五尺外，手橫戮情劍，正低著頭仔細鑒賞。

以宗濤閱人之多，一時間，竟似也認不出那老嫗是誰，不覺呆在當地。

徐元平一挺起身，怒聲喝道：「你是什麼人？」

那老嫗神態沉著，悠閒至極，慢慢抬起頭來，隨手把戮情劍丟在地上，答道：「瞧瞧總不要緊吧！」

緩緩轉身，漫步而去，眨眼間，隱失在竹林中。

此人動作怪異，一時間把宗濤和徐元平都瞧得愣在當地。

直待那老嫗去遠之後，徐元平才忽然想到她抬頭之時，偏著半個腦袋，只記得和她目光一觸，面貌卻是絲毫記它不起。

忖思了良久，才覺著根本就沒有看清，只覺那老嫗任何舉動，看去雖然漫不經心，遲遲緩緩，其實迅快至極，似是她一轉身中有很多行動在一齊動作，叫人目不暇接。

靈機一動，忽然想到慧空相授《達摩易筋經》上兩句真訣來：寓變於慢，雖緩實快……心分二用，一搏雙擊……但覺腦際靈光連連閃動，這久思不解的兩句真訣，突然開朗於胸。

神丐宗濤目睹徐元平呆呆地站著不動，連那老嫗丟在地上的戮情劍也不望一望，心中甚感奇怪，伏身撿起寶劍，遞了過去，口中卻重重地咳了一聲。

徐元平如夢初醒，望了宗濤一眼，笑道：「老前輩可認識那老婆婆嗎？」伸手接過寶劍，藏入懷中。

宗濤搖搖頭道：「不認識。」

徐元平歎息一聲，說道：「武林之中奇人高手，當真是難以數計，那老婆婆武功之高，怕不在老前輩和易天行之下……」

宗濤奇道：「你認識她嗎？」

徐元平道：「我雖不認識，但已看出她身懷著驚人武功。」

宗濤道：「何以見得？」

心中卻暗暗說道：此言倒是不錯，單以她搶劍身法而論，輕功造詣，就不在老叫化之下。

徐元平道：「老前輩可曾留神她的衣著形貌嗎？」

宗濤道：「全身黑衣……」忽然想到未看清那老嫗形貌，輕輕地咳了一聲，道：「面相倒是沒有看清。」

徐元平道：「她和咱們相距不過數尺，而且又是對面而立，這武功高是不高？」他素不善言詞，心中雖然十分明白，一時之間，卻想不出適當措詞，形容出來。

宗濤微微一皺眉頭，沉吟不語……

徐元平也不再解說，緩緩坐了下去，閉上雙目，默想那寓變於慢，雖緩實快……心分二用，一搏雙擊……兩句真訣之中包含的武功。

落日西沉，天色逐漸暗了下來，但徐元平的心中卻是一片清明，這一刻捕捉靈機的沉思，被他悟解了《達摩易筋經》上甚多武功。

宗濤久走江湖，目光銳利，目睹徐元平眉宇忽喜忽憂的神色，知道正在用心思解著一件難題，也不去驚嚇於他。

驀的，幾隻飛鳥振翼之聲，劃破夜空，傳入耳際。

宗濤輕輕伸出右手，輕輕一扯徐元平，低聲說道：「有人來了。」當先隱入草叢之中。

徐元平還未來得及藏起身子，耳際間已響起說話之聲，道：「道長如若不信，不妨先去瞧瞧。」

只聽一人答道：「此事咱們明日再談，我先要趕回宮中瞧瞧。」聲音熟悉，分明是天玄道長。

徐元平暗暗吃了一驚，忖道：「怎麼這老道士會連夜趕了回來？」

另一個聲音說道：「道兄的玄武宮，從來不許外人涉足，兄弟不便相請破例，明日午時我在宮外等待道兄回話。」

只聽天玄道長冷漠的聲音答道：「貧道不願多生是非，我看你還是別留此地等待了。」

但聞腳步之聲，愈來愈近，相距不過數尺遠近。

徐元平暗暗提了一口真氣，運功戒備，屏息凝神，連大氣也不敢出。

只聽那剛才說話的聲音，重又響起，道：「道兄雖然無意那墓中珠寶，難道連那玉蟬、金蝶，也不屑一顧嗎？」

行走的腳步聲，突然停了下來，過了片刻，才聽天玄道長的聲音說道：「那玉蟬、金蝶，果真在那古墓中嗎？」

另一人十分莊嚴地答道：「此事千真萬確，決錯不了。」

天玄道長又沉吟了一陣，道：「好吧！容貧道先想一夜，明天再答覆你吧！」

只聽一人步履之聲，重返來路，想是那人聽得天玄道長答應之後，告別而去。

徐元平心中突然一動，暗暗想道：「我如能一舉把天玄道長擒住，以天玄道長之生死，威脅宮中道士替我叔叔療傷，豈不是一件十分容易之事……」

正當他心念轉動之際，突聽一聲淒涼的慘叫之聲，遙遙傳入耳際。

天玄道長怒聲喝道：「什麼人……」

話聲未絕，耳際巨響起一個尖冷的女子聲音，道：「是我，你想不到吧！」

天玄道長遲疑了一陣，才道：「恨天一嫗……」

那尖冷的女子接道：「不錯，你十年封劍限期已滿，咱們約期也到了。」

天玄道長突然縱聲大笑，聲音如長風搖林，驚得宿鳥群飛。

徐元平藉機站起身子，隱入一叢深茂的草中。

但聞那尖冷的女子聲音又響起，道：「你不用借笑聲招呼宮中道士，可是想要他們出來助拳嗎？」

天玄道長冷冷答道：「你來得很好，咱們這筆帳，早晚是要算的。走！這林外有一片空曠的草坪，咱們去那裡動手，今晚上不是你死，便是我亡了！」

恨天一嫗尖冷地笑了兩聲道：「你先回宮中去交代一下後事吧！我在那草坪之上等你。」

天玄道長道：「不用了。」縱身而起，足踏林梢，向外奔去。

恨天一嫗緊隨著縱身躍起，疾飛追去。

兩人去勢奇快，倏忽之間，已走得聲息全無。

神丐宗濤當先由草叢中走了出來，說道：「趁此良機，咱們到玄武宮中救人。」

徐元平本想跟去瞧瞧當代兩大頂尖高手比武清形，但聽宗濤一說，立時又想起金老二的安危，應道：「老前輩說得不錯……」

他本想說晚輩想得糊塗，引咎自責一番，但宗濤不容他下面之言出口，人已穿林而去。

徐元平急急追出竹林，兩人施展提縱身法，直向玄武宮奔去。

宗濤一面奔行，一面說道：「咱們如果動作迅快，救出金老二後，還可以看天玄道長和恨天一嫗一番龍爭虎鬥。」

說話之間，人已到玄武宮外三丈左右之處。

宗濤停下腳步，探手入懷，摸出兩條黑紗，分給徐元平一條，說道：「天玄道長除了剛愎自用之外，並無大惡，說來他和老叫化的脾氣還有些相似，咱們此番入宮，得饒人時且饒人，不要傷人太多。」

徐元平道：「晚輩初涉江湖不久，對江湖中高人性格，所知有限，但和老前輩幾度相逢，數次相處，已使晚輩心生敬慕，老前輩胸懷正義，仁風可欽，乃一代大俠氣度，天玄道長豈能與老前輩相提並論。」

神丐宗濤微微一笑，道：「好啊，你也會替人戴高帽子了，當真是士別三日，刮目相看。」說完，舉起手中黑紗，包在頭上，縱身躍起，直向玄武宮中飛去。

徐元平忽然覺著宗濤那微微一笑，笑得異常黯然，不禁心中一動，還未來得及出口相問，宗濤已振袂而起，斜斜飛入宮中，當下一振雙臂，一招「潛龍升天」直躍而起。

只覺一股真氣，由丹田直衝而上，竟自身不由主地升起三丈多高。抬頭望去，只見玄武宮內劍光閃閃，想是宗濤已和宮中道士動上了手，趕忙凝神提氣，一個旋身，疾向宮中落去。

他身軀還未落著實地，暗影中已疾躍出兩條人影，雙劍並出，分襲上下兩盤。

徐元平心中正熟記剛才悟解出來的武功，一見雙劍齊齊刺到，想也未想的左手推出一掌，右手食中二指疾向劍上夾去。

擊出左手到了中途，突然一沉，由下面向上一翻，易打爲拿，手指合處，自自然然地抓住了那道人提劍右腕，手指微微一用力，已把長劍奪入手中。

左手奪劍，右手食中二指一合之下，竟然也夾住刺來的長劍，隨著來勢向後一送，帶動那道人身軀向前一轉，飛起一腳，踢在那道人膝間。那道人悶哼一聲，仰面倒了下去。

這正是心分二用的上乘武功、手法，一瞬間分搏雙敵。

神丐宗濤正被兩個施劍道人夾擊，眼看徐元平舉手投足之間，立時把兩個打倒，不覺激起了好勝之心，暗中一提真氣，呼呼劈出兩掌。這兩掌威力強盛，有如排山倒海一般，迫得兩個道人各自向後疾退三步。

宗濤面冷心慈，不願傷人，逼開兩個道人之後，立時縱身而起，施出「八步登空」的上乘輕功身法，凌空越出三丈多遠，停在一座屋面上。

徐元平緊隨著一躍而起，趕落在屋面之上。

這時，那兩個被宗濤掌力逼退的道人已然緩過了氣，一個揮劍急躍，追了上來，一個卻從懷中摸出竹哨狂吹。一陣陣尖銳的哨聲，劃破夜空。玄武宮中的道士個個武功似都不弱，那揮劍疾追的道人，一連兩個急躍，竟也追到屋上。

徐元平手中仍然握住奪得的長劍，一見那道人追了上來，立時低喝一聲：「看劍。」手中長劍疾擲而出，直向那追來道人飛去。

那道人雙足剛剛落著屋面，徐元平擲出的長劍，已然挾著尖風撞到。來勢勁急，一閃而至，那道人來不及閃避，本能揮劍架去。

只覺那衝來長劍，來勢沉猛無比，一劍竟然未能封開，暗喝一聲：「要糟！」連人帶劍吃徐元平擲來的劍勢勁道，撞了下去。劍勢餘力不衰，疾由胸前行過，只覺右臂上一涼，鮮血急噴而出，再也提不出丹田真氣，砰然一聲，著著實實地摔在地上。

徐元平一劍撞退那追來道人，頭也未回地又疾向前面躍去。

宗濤見識博廣，一聽那道人摔在地上的聲音，低聲說道：「你傷了人了？」餘音甫落，驀聞幾聲厲叱，十幾條人影，疾奔而來，寒光閃閃，劍氣漫天，四面八方向兩人攻到。

宗濤低聲喝道：「小心拒敵。」

左手一招「挾山超海」，打出一股強猛的掌風，直向正北方向攻來的三人撞去，右掌「力屏天南」，擊向正東方行來的三人，掌力強猛絕倫，有如風雷迸發。

徐元平右手一招「神龍掉首」，拍出一掌拒擋正西之敵，左手卻疾向正南方當先一個道人長劍上面拂去。

徐元平的掌力，卻是柔中帶剛，那正西方攻來道人直待中了他掌力之後，才覺出擊來的力道，強猛異常，四人一齊被震得後退了五、六尺遠。

徐元平右掌發出的內力，震退正西方攻來的道人同時，左手已施展出十二擒龍手中的一招「北海縛龍」，奪下那當先一人手中的寶劍。

長劍入手，如虎添翼，劍勢一揮，一陣金鐵交鳴之聲，將另外兩個道人逼退開去。

十二個道人分由四個方向攻來，被兩人四掌齊出，逼退開去。

放眼看去，只見不遠大殿之上，亮起了一盞紅燈，屋下人影翻飛，劍光閃動，不下百位之多的道人，紛紛趕奔過來。

徐元平一皺眉頭，道：「對方人數眾多，咱們不能傷人，不知要打到幾時。」

玄武宮中這樣多人，也大出了宗濤的意料之外，不禁微微一怔，暗暗忖道：這話倒是不錯，如果我們手下留情，不肯傷人，這樣多人，不知要打到幾時。一時之間，真還想不出適當之言答覆。

那十二個道人聯袂一擊未中，反被兩人掌力逼退，又被奪去了一支長劍，心知遇上勁敵，當下佈成一座劍陣，阻擋住兩人去路，既不喝問對方姓名，也不出手搶攻。

徐元平眼看宮中道人蜂擁而來，房上房下，人數愈聚愈多，心中暗道：再這樣對耗下去，非長久之策，何況天玄道長就在窗外，如若他聞聲趕回，事情就更棘手……

心念轉動，一揮手中長劍說道：「老前輩，咱們先衝到大殿去看看再說。」突然揮劍，向前行去。

這時，兩人停身的屋面上，已聚集二十餘人之多，徐元平一發動，群道立時散佈開去，霎時間閃耀一片劍光。

神丐宗濤揚手擊出一掌，凌空而起，橫越群道，向屋下躍去。

他掌力雄渾，一掌拍出，逼得群道紛紛向兩側避讓。

徐元平揮劍舞出一圈銀虹，緊隨著闖入群道劍陣之中。

他自經天玄道長以玄門罡氣的強勁反震之力震傷之後，慧空大師轉納於他常存丹田的一口真元之氣，大部分流轉於經脈之中，又被天玄道長點了「神封」死穴，使那行轉經脈中的真氣，凝結於經脈之中。

如天玄道長不再動他，那凝結於經脈中的真氣，逐漸硬化，勢將成傷，時間一久，即將全身氣血凝固而死。

哪知天玄道長想把他屍骨踢飛入草叢之中，無意之間，踢中他任、督二派交接之處。這一腳不但把他凝結的真氣增活，而且促使那流轉真氣行上了十二重摟，直逼生死玄關，幾乎打通任、督二脈。

這一次重傷，使徐元平因禍得福，省了他三年靜坐苦修的時間，把存於丹田的一口真氣，盡收經脈，收歸己用，片刻時光，使他的武力、內力，精進數倍。

但聞一陣金鐵相觸的鏘鏘之聲，群道佈成的劍陣，吃他強力一擊，竟然波分浪裂，紛紛向兩側退去。

紛亂中，幾支長劍被他強勁的劍揮擊，脫手飛去。

徐元平似是亦未料到自己這揮劍一衝之力，竟然有這等強大，不禁微微一怔。

玄武宮中道士個個久經訓練，雖遇上生平未見的強敵，但仍然心神不亂，就在徐元平微一怔神的瞬間，散而復合，又佈成一座劍陣。

但見房下劍光閃閃，宗濤已被群道包圍，擋住了衝擊之勢。

徐元平微微一皺眉頭，暗道：今日之局，已成欲罷不能之勢，如若再顧慮傷人之事，難以放手猛攻，只怕難突群道之圍。

心念一轉，豪氣忽生，沉聲喝道：「擋我者死！」

揮劍疾行而上，但見一道寒光，直射入群道劍陣之中。

群道吃了一次苦頭，哪裡還敢大意，避開銳鋒，分從兩側襲擊，十數道閃動的劍光，分由兩側攻到。

徐元平長劍迴掄，劃出了一圈銀虹，一陣金鐵交鳴之聲，封架開群道長劍，左手突然由護身劍光中疾伸而出，探手一抓，抓住了一個道人右腕，順手一帶，把那道人拉近身側，右手長劍反手一招「雲霧金光」，擋架開身後、側背攻來的四支長劍，那道人乘機縱身一躍，直向屋下跳去。

徐元平只覺那道人下墜之勢十分強大，當下一沉丹田真氣，雙腳穩如磐石，用力向上一帶。

但聞一陣裂瓦斷木之聲，那下墜的道人，雖然被他一把提了上來，但那屋面卻被他踏破了一個大洞，身子直向屋下陷去。

八柄寒光閃閃的長劍，分由四面襲到。

徐元平匆急間，右手長劍一點屋面，微一借力，左手仍緊扣那道人手腕，用力向上一抬。

八柄疾襲而來的長劍，眼看閃閃的寒光直向那道人身上落去，迫得不得不疾把長劍收回。

徐元平借勢一提丹田真氣，人又登上屋面。

轉臉望去，那被擒道人已是面色鐵青，氣若游絲，心中忽生不忍之感，一鬆手，放了那被擒道人，急撲而下。

這時，神丐宗濤已被玄武宮道人重重包圍。

玄武宮中道士們久習的合搏之術，發揮了甚大的威力，穿梭游走，緊密配合，組成了一座劍陣，竟然把宗濤困住，難越雷池一步。

徐元平瞧了宗濤被困之處，全力掄動長劍，幻出一片劍光，硬向那劍林中衝去。只聽金鐵交鳴之聲大震，不絕於耳，那密佈的劍陣，竟被他擊開了一條缺口。

宗濤目睹徐元平豪風神勇，不禁暗讚一聲，精神一振，猛力發出兩掌，把正西之敵，逼退兩步。

徐元平掃開襲來的五支長劍，道：「晚輩開路，老前輩斷後，咱們衝到那大殿上瞧瞧去。」

宗濤暗暗忖道：玄武宮中道人如此之多，武功又都不錯，他們輪流休息，分隊輪攻，就是武功強過老叫化的高人，也難這等長久的支撐下去，必得想法子不可……

聽得徐元平說衝到大殿中去瞧瞧，忽然觸動靈機，高聲應道：「好啊！」

徐元平大喝一聲，全力運劍，直向正北方向衝去。

他出手劍勢，含蘊了雄渾無比的內力，群道手中之劍，一和他劍勢相接，不是被震得脫手飛出，就是直逼開去，銳不可當，追得群道劍陣散亂，紛紛向兩側退讓。

宗濤連掌相擊，發出掌風，忽強忽弱，阻擋側背和緊追之敵。

片刻間，兩人已衝出群道劍陣，聯袂並飛，疾如雷奔電閃，片刻之間，已到了大殿下面。

徐元平略一打量大殿形勢，兩臂一振，平空拔起，當先飛落到大殿之上。

宗濤疾發一掌，逼退了當先追到的兩個道人，雙腳一頓，縱躍而起，半空中一個倒翻，也躍落大殿之上。

殿脊上盤膝坐著一個身著道袍的老人，手中高舉著一盞紅燈。

此人手中雖無兵刃，但神態卻沉著得很，微閉的雙目，連睜也未睜動一下。

徐元平暗暗忖道：這人似是全不把生死大事放在心上，如此豪氣，倒是少見。不覺引起好奇之心，仔細瞧了他兩眼。

只見他長垂白鬚，在夜風中飄浮，結髻的頭髮，也已白如霜雪，滿臉皺紋；雖然坐著，仍可見他背脊微駝。

徐元平一揮手中長劍，低聲說道：「老前輩……」

那道人緩緩睜開眼來，瞧了徐元平和宗濤一眼，道：「兩位面垂黑紗，難道是有什麼見不得人的苦衷嗎？」

徐元平聽他言詞犀利，不禁微微一怔，道：「在下和貴宮中人為敵，不願以真面目相見，何況貴宮之主天玄道長，也戴著人皮面具，難道他也有見不得人的地方？」

那老道哈哈一笑，道：「喧賓奪主，不答貧道之言，也還罷了，倒還反問起貧道來了！」

徐元平道：「在下無暇和你這等耗費口舌，我尊你年長，才叫你一聲老前輩，其實咱們彼此爲敵，在下大可不必和你言語之上客氣。」

那老道人笑道：「你手中現有長劍，既然彼此爲敵，何不殺了貧道？」

徐元平道：「你這等年紀，在下甚難忍心下手……」

那老道人突然縱聲大笑道：「你倒是滿好的心腸啊！留你們兩人一個完屍吧！」

徐元平怒道：「什麼？」

那老道人兩手突然一鬆，高舉的紅燈，疾向徐元平身上倒去。

徐元平暗道：這老人連手中一盞燈也拿不住了……

心念初動，突覺兩足向下一沉，身子直向下面陷去，暗叫一聲：「不好！」正待提氣上躍，一股強猛的暗勁，當頭罩了下來。

耳際間響起了那老道人大笑聲道：「密室中佈置嚴禁，機關重重，兩位最好別妄生……」下面已聽不清楚。

徐元平只覺眼前一片漆黑，身子如墜下千丈絕谿一般，直向下面落去。伸手抓去，但覺四周壁石光滑如削，無一點可以借力之處。直沉落四、五丈深，耳際間，響起了淙淙水聲。但感身子一涼，落入一深水潭之中，水深過丈，冰寒透骨，兩人下墜之勢，又極迅快，直沒人頂，足著實地，才站穩了身子。

徐元平急取下臉上蒙的黑布，雙足用力一點，浮出了水面。

抬頭看去，只見神丐宗濤坐在一浮出水面的大石上，正取過背後的葫蘆，拔開塞子，準備喝酒。

原來他江湖經驗豐富，身子跌下屋面之後，立時拉去蒙面黑紗，待身子接近水面時，發覺突出一塊石頭，當下一提真氣，橫裡一躍，飛落那突出水面的石頭上。

徐元平雙手用力一划，游近巨石，爬了上去，望了宗濤一眼，心中暗暗忖道：此人酒癮當真是大，陷身絕地，生死難測，他還有心情喝酒。

宗濤舉起手中紅漆葫蘆，咕咕嘟嘟一口氣喝了七、八口酒，笑道：「此地陰寒無比，喝上幾口酒，可以驅除寒意。」

徐元平滿肚悶氣，也不理他，目光流動，打量四面形勢。

這是一座一丈見方的水潭，四面都是石壁，上面一片漆黑，不見天光，除了正中一塊浮出水面兩尺左右的石頭之外，四周都是寒冰一般的潭水。

神丐宗濤微微一笑道：「你見過水牢嗎？」

徐元平搖搖頭道：「沒有。」

宗濤哈哈大笑道：「今天你可開了眼界啦！且這座水牢建築之堅，只怕當今之世中，首屈一指……」

徐元平沒有好氣地答道：「宗老前輩，你心裡很快樂呀！」

宗濤大笑道：「老叫化年過花甲，死了也不算夭壽啊！」

徐元平忽然覺著人家全為相助自己而來，這般對人，實是不該，輕輕歎息一聲，道：「這區區一座水牢，未必就能把咱們困死此地……」

宗濤笑道：「以老叫化的看法，咱們生出這水牢的機會，百難有一。」

徐元平道：「哼！我在那孤獨之墓中所遇的凶險，比這水牢險百倍，還不一樣生脫而出？」

宗濤訝然問道：「你進去過孤獨之墓？」

徐元平道：「我在墓中被困了有數日之久，未能一見天日，那墓中機關重重，殺機步步，這水牢難及萬一……」他微微一頓之後，又道：「我想這水牢之中，定有放水的機關，只要咱們想法把水放去，就有辦法脫出此困。」

宗濤大笑道：「縱然放去牢中之水，也無法出那粗似兒臂的鐵柵。」

徐元平道：「我身懷戮情劍削鐵如泥，破堅壁鐵柵有如摧枯拉朽。」

宗濤合上酒塞道：「不錯，咱們找找那放水的機關吧！」

只聽一個冷冷的聲音，從石壁一角中透傳出來，說道：「可惜這控水機關裝在牢外，兩位還是死了這條心吧！」

宗濤縱聲大笑道：「縱然牢水不放，但十日半月也未必能凍死我們兩個。」

那冰冷聲音又從一側傳出道：「想置兩位死地，只需放下上面石閘，把你們逼入水中，活活悶死！」

宗濤道：「在下能在長江大河中沉伏三日三夜，生食魚蝦充饑，豈怕你這座區區水牢？」

那人似已被宗濤激怒，冷笑一聲，道：「兩位如若不信這水中布設奇巧，不妨一試。哼！我們沒有工夫和你兩個鬥口。」

宗濤大聲說道：「你如不信在下水裡工夫，放下石閘試試！」

他一連大喝數聲，不再聞那人答話。

徐元平低聲說道：「老前輩當真能在水中沉伏三日夜，生食魚蝦？」

宗濤笑道：「你能不能？」

徐元平道：「晚輩不識水性。」

宗濤取過葫蘆又喝一口酒，道：「老叫化麼，也從未習過水裡工夫。」

徐元平道：「如那人被老前輩言語激怒，當真放下石閘，咱們豈不要活活被悶死水中？」

宗濤搖頭笑道：「老叫化出言激他，就是要看他們是否存有立時殺咱們之心，他剛才既然不放水閘，看來咱們還得在這水牢中蹲上幾日再死！」

徐元平道：「他爲什麼不立刻想法殺了咱們呢？」

宗濤道：「這個，原因很多，一時也說它不清，你儘管放心好了，咱們至少還有一日半天好活……」忽然歎息一聲道：「可惜老叫化葫蘆中酒不多，只怕難再撐過一日時間。」

徐元平聽他盡說些不著邊際之言，毫無脫出水牢的打算，當下不再理他，閉目靜坐，運氣調息。

不知過了多少時間，醒來時只見宗濤手中抓著一條形如鱗魚的東西，不禁一皺眉頭，問道：「老前輩你手抓的是什麼？」

宗濤道：「水蛇。」

徐元平道：「抓水蛇幹什麼？」

宗濤道：「如果他十天、八天不殺咱們，咱們也餓不死了，牛鼻子想把咱們凍餓到全身無力之時，生擒咱們，卻不料千算一失，這水牢之中，有一個水蛇穴，據老叫化子剛才所見，三、二十條總是有的，咱們省吃儉用，吃上個十天、八天，不致有慮。」

徐元平生平之中從未吃過蛇肉，不覺聽得一怔，道：「怎麼？蛇肉也可以吃嗎？」

宗濤笑道：「既嫩又香，好吃至極，足可和狗肉媲美。」

徐元平輕輕歎息一聲，道：「就算能吃，這水牢之中，沒有爐火，難道咱們生吃不成？」

宗濤笑道：「老叫化共會一百二十八種做蛇之法，不用爐照樣可以做出嫩美可口的佳餚，唉！可惜的是老叫化酒葫蘆剩酒不多了。」

徐元平道：「咱們如果把一大穴水蛇吃完，仍然不能出此水牢，又怎麼辦？」

宗濤道：「那就等著餓死算了。」

徐元平忽然覺著此人絲毫沒有陷身危境的憂苦、焦慮，初時感到他有些太過輕狂，但仔細一想，卻又感到他這等豪邁絕倫、大豪大勇的氣度，實非常人能及。身陷絕地，九死一生，仍然談笑自若，全不把生死大事放在心上，一如平常神情，這等鎮靜的工夫，是何等博深，不覺之間，也激起豪邁之氣，微微一笑道：「老前輩，咱們在這水牢之中，太過寂寞了……」

宗濤道：「叫化子有蛇，住上三、五年，也不會生出寂寞之感。」

徐元平接道：「玩長蟲晚輩無能奉陪，但晚輩心中卻有一個消磨這漫長時光的辦法。」

宗濤笑道：「你喜歡的事，老叫化未必愛玩，先說出來給我聽聽再說。」

徐元平道：「晚輩心中熟記了幾段武功真訣，可惜無法貫通，此刻咱們陷身絕境，如果能拋開生死之事，心神最易寧靜，晚輩想把默記胸中的幾段真訣，提出來和老前輩研討研討。」

宗濤笑道：「既是武功真訣，想必是甚難求得的絕學，你和老叫化子研討，豈不是洩露胸中之密？」

徐元平微微一笑，心中卻暗暗忖道：此人仁心俠骨，武功愈是高強，對人間好處愈大，我借研討真訣，傳他武功，不好現露痕跡，亦可相報他一番相待深情。當下低聲吟誦道：「寓變於緩，雖慢實快……」

宗濤武功精博，聽得心中一動，只覺這兩句平平常常的話，竟然說出了蘊藏自己心中甚久的疑難，不知不覺間，精神為之一振，手指一鬆，抓在手中的一條水蛇，趁機脫出手掌而去。

徐先平微微一笑，道：「這兩句真訣之中，不知蘊藏的什麼武功？」

宗濤歎道：「淡淡兩句話，平平常常八個字，但卻包羅武學中極上乘的真諦，但在未聽這兩句八字之前，老叫化竟是想它不出。」

徐元平道：「這兩句真訣，是否可適用於所有武功之上？」

宗濤沉思了一陣，道：「武功不到一定的限度，只怕難以體會出真訣之上的涵義，老叫化把畢生精力用於溝通武功之上，但卻常為一種無形的力量困阻難通；但自一聞高論，恍然大悟，半生來究思不達，遲滯不前之因，乃不知寓變於緩之中……」

徐元平自目睹恨天一嫗之後，啓動靈機，把悶在心中的兩句真訣，思解透徹，但他見聞甚少，習練時間亦短，聽宗濤一番話後，反覺有甚多不解之處，接口問道：「老前輩聞一如十，想已瞭然兩句真訣全意，不知可否相示於晚輩一聞？」

宗濤笑道：「一個人雖然潛能無際，但體能究屬有限，武功到了體能極限之後，想求寸進亦是難如登天……」

徐元平道：「宏論卓見，使晚輩茅塞頓開。」

宗濤微微一笑，接道：「武功到了一定的限度之後，如再求更上一層，勢必要另闢蹊徑，求發潛能，打破體能極限，但潛能只可為用，視之無形，至此境界，必需求變……」

話至此處，倏然停止，沉思了片刻，接道：「武功一道，原本求快，但快到體能極限之後，就無法再快，但如把武功之巧、力，寓變於行動之中，看去雖甚緩慢，其實一發之中已兼具迅快，只是變化已多，看去較慢而已……」

徐元平微微一笑道：「多謝老前輩指教，晚輩已經明白了。」

兩人在水牢之中，相互研討武功，徐元平把胸中默記的《達摩易筋經》文中許多真訣，口述出來，宗濤以廣博的見聞，相助求解，疲累之時，就閉目靜坐調息，牢中不見天光，也不知過去了多少時間。

起初兩人還覺出水牢之中太過陰冷，常有難耐酷寒之感，數日之後，竟然不再覺有寒意。原來徐元平口述了洗髓易筋的上乘內功修習心法，兩人不知不覺中，竟然開始練習起來。要知兩人都已有極深的內功基礎，一通竅要，進境奇速，數日夜中，內功大進，水牢中的酷寒，已難相侵。

這日，宗濤調息醒來，伸手向水中摸去，一手抓空，心知牢中的水蛇，已被兩人吃空，默想在水牢中的時間大約已有二十餘日之久，想此後吃食無著，不覺一歎。

徐元平正在運氣調息，聽得宗濤歎息，突然睜開雙目，問道：「老前輩爲何歎氣？」

宗濤道：「老叫化沒有長蟲玩了，今後咱們空著肚子練武功啦！」

徐元平暗想道：這些時日之中，生吃蛇肉度日，苟延殘喘，生不如死，如非陶醉在武學之中，只怕急也要急瘋了，此後吃食無著，勢難再拖下去，與其等到餓得武功盡失，束手被擒，倒不如趁現在尚有拒敵之力，設法破牢而出，死裡求生。

心念轉動，當下說道：「咱們如若不進飲食，不知能餓多久？」

宗濤沉吟了一陣，道：「大概難以撐過半月時光。」

徐元平道：「咱們與其坐以待斃，不如盡半月之力，試破牢壁而出，或有一線生機。」

宗濤笑道：「四面石壁，不知多厚，咱們武功再強一些，也難破此堅壁。」

徐元平笑道：「老前輩忘了晚輩懷中的戮情劍嗎？」

宗濤笑道：「不錯，先把你懷中寶劍取出試試，看看能否破此石壁。」

徐元平探手入懷，摸出白紗包裹的戮情寶劍，去了白紗，陰暗的水牢中，頓時閃起一道寒芒。當下舉劍向突石上刺去。

只聽一陣輕輕的波波之聲，寶刃破壁直入，沒及劍柄。

宗濤訝然說道：「無怪此劍被武林人物視作奇寶，原來這等鋒利，有此寶刃，咱們生脫此牢之機，大了不少。」

當下站起身來，縱身一躍，飛落石壁旁邊，施展壁虎功，背脊貼在石壁上面，一面游走，一面不停用手在壁上敲打。

徐元平知他在選擇動手破壁之處，也不多問。

宗濤在石壁之上游走約一盞熱茶功夫，忽然停了下來，靜靜貼於石壁正面不動。

徐元平心中甚感奇怪，正待出言相詢，忽聽一個冷冷的聲音，傳入其中，說道：「奇怪呀，那老叫化子哪裡去了。」

徐元平心中一動，趕忙把戮情劍壓在身下，斜斜倒臥在突石之上。

另一個聲音又道：「剛才那砰砰之聲，不知是何原因。」

徐元平斜臥在浮石之上，微閉著雙目，靜聽兩人談話，心中卻默默地算計著那傳話過來的位置所在，先從兩人清晰的聲音之中，判斷定有通風傳音的空隙……

正忖思間，突覺眼前一亮。

徐元平心知因這水牢之中，過於黑暗，無法看清牢中景物，守牢之人，才用特製的孔明燈照射探看，心道：那燈射入之處，石壁決然不會太厚，倒是一處可破之壁……，正自心念轉動，燈光突然隱去，心中大感奇怪，忽然挺身坐起。

但聞宗濤大笑道：「事情有了變化啦！」縱身飛落在浮石之上。

徐元平道：「什麼變化？」

宗濤道：「這就難說了，不是很好，就是很壞。」

二三　玄武宮中

忽覺牢中之水急遽而減，轉眼之間已落下數尺，隱隱聞排水聲。那排水之口，似是甚大，片刻牢中積水，已被排完，一陣軋軋之聲，天光微現，一座石門逐漸大開，四個佩劍道主，魚貫而入。

當先一個道人，抬起頭來，說道：「兩位請下來吧！」

宗濤縱身而下，大笑說道：「放去牢水，啓門而入，不怕老叫化衝出去嗎？」

那道人面容莊肅地說道：「本觀觀主請兩位大殿相見。」當先轉身，出了牢門。

這意外的變化，連久歷江湖的宗濤，也有些茫然不解，回頭望了徐元平一眼，緊跟在那道人身後出了牢門。

牢門外是一座斜度甚小的石階，共一百二十八級，想來這座水牢建築工程定然十分浩大。出口處，緊依大殿後面，滿院修竹，幾畦栽花，景物異常清幽，一溪潺潺清流，橫越花畦，繞到一座人工堆砌的假山後面，徐元平仰天望著幾片浮動的白雲，長長吁了一口氣。

那帶路道人走得很慢，但卻始終未回頭望過宗濤等一次。

繞過了一片花畦，到了大殿正門，那道人雙手高舉過頂，高聲說道：「水牢中人犯帶來。」

宗濤大聲笑道：「小牛鼻子，好大的口氣，連你那師父，天玄道長，也不敢這般稱老叫化子。」大步衝上石階。

那道人伸手欲擋，卻被徐元平疾探而出的左手抓住了右腕，向後一拉，緊隨宗濤衝上了石階，抬頭望去，不禁一呆。

只見大殿正中，站著面容莊肅的天玄道長，他這時已取下了人皮面具，面如滿月，長鬚垂胸，道袍飄飄，一派仙風道骨，只是眉宇間泛現出一絲淡淡的憂愁。

在他左面站著蓬髮垢面的小叫化子，和劍眉朗目的閃電手查玉。右面並立著鬼谷二嬌，丁玲仍然是一身黑衣，丁鳳依舊白衫白裙，二女姿色如昔，一樣地嬌若春花。

那小叫化子最先奔了過來，叫道：「師父……」

下面的話還未出口，宗濤卻揮揮手，接口道：「你先別問老叫化，我得先問問你這是怎麼回事？」

查玉一抱拳，接口笑道：「晚輩們得知宗老前輩蒙難水牢，特地趕來相救……」

宗濤搖搖頭，接道：「事情這樣簡單嗎？少給老叫化掉花槍吧？」

查玉微微一笑，奔了過來，握著徐元平的右手，叫道：「徐兄丰采依舊，怎麼會傳出你去世之言。」

徐元平目光一瞥天玄道長，只見他滿臉莊肅之容，已變成訝然之色，淡然一笑，答道：

「兄弟兩世為人，自難怪傳言失實。」

丁鳳展顏一笑，說道：「姐姐，我說他不會死吧！你看他現在還不是好好的活著？」

天玄道長目光凝注在徐元平臉上，冷冷問道：「你當真是那夜和本觀主動手的人嗎？」

徐元平笑道：「咱們打了一百招，我被你內家反彈之力震傷後，又被你點了『神封』死穴。」

天玄道長點點頭，道：「本觀主一向敢作敢當，不用重複多提了。」

徐元平笑道：「但我卻沒有找你報仇之心。」

天玄道長冷哼了一聲，道：「縱然你存心報仇，只怕也難以如願。」

徐元平淡淡一笑道：「不過，有一件事，晚輩卻是無法忍受……」話至此處，突然轉變得聲色俱厲地接道：「在下金叔父的毒傷好了沒有？」

天玄道長道：「只要本觀主答應了替他療毒，再重些也能醫好……」忽的覺著自己這等答覆之言，似被對方威勢所攝，立時提高了聲音：「我點了你『神封』死穴，你怎麼還能到我玄武宮來？」

徐元平聽他說金老二毒傷已癒，心中大感輕鬆，微微一笑，道：「那要感謝老前輩踢我那一腳了，你那一腳踢中我任、督二派交接之處，真氣銜接，自解了『神封』死穴。」

天玄道長哼了一聲，道：「有這等事？」

徐元平笑道：「如不是你那一腳，踢得恰到好處，我早已屍骨無存了。」

天玄道長輕輕歎息，回頭吩咐身後站立的一個道童，道：「你去請那金老二來。」言詞之

間，忽然轉變得十分客氣。

那道童輕輕應了一聲，轉身急奔而去。

丁鳳忍了又忍，但終於忍不住，奔了過去，對徐元平道：「你沒有看到我們嗎？」

徐元平道：「看到了……」

丁鳳道：「看到了爲什麼不和我們打招呼呢？」

徐元平只覺臉上一熱，趕忙抱拳說道：「兩位姑娘好。」

丁鳳忽然舉袖掩住鼻子，道：「你幾年沒有換過衣服了。」

徐元平道：「大概有一個多月了吧！」

原來他在那陰濕水牢之中，住了近月之久，衣服早已生霉，臭味甚大。

丁玲聽妹妹老是說些不關緊要之事，不覺一皺柳眉，嬌聲叱道：「野丫頭，十六、七歲了，還是沒規沒矩，哼！也不怕人家笑話，快些給我回來。」

丁鳳在眾目睽睽之下，被姐姐斥責，不禁生出羞意，暈上雙頰，垂下頭去，緩步退到姐姐身側。

天玄道長望了徐元平一眼，問道：「本觀主有一事心中不明，你們在水牢中，用何物充饑，難道事先有備，帶了乾糧不成？」

神丐宗濤哈哈一笑，道：「你在那水牢之中，早已備下美味，難道自已就不知道嗎？」

天玄道長知他素來不說謊，不禁一愣，道：「備了什麼美味？」

神丐宗濤大笑道：「牛鼻子千算一失，你想不到那水牢中繁生著一窩水蛇，天不絕老叫化

子，那一窩水蛇做了老叫化子一月食糧！」

天玄道長怔了一怔，道：「那水牢中陰寒逼人，你們縱然帶有引火之物，也難用上一日工夫，必被陰寒的冷氣浸濕，難道你生食蛇肉不成？」

宗濤道：「老叫化會一百二十八種吃蛇之法，單是生食蛇肉，也有一十二種食法，諒你牛鼻子也沒有見過……」

忽然徐元平哇的一聲，吐出一口酸水。

他在那水牢中勉強生食蛇肉，延續著體力不致消失，那時心中只求得以延續生命，在宗濤哄說之下，吃了下去，如今聽得宗濤一提，只覺胃腸翻騰，恨不得一齊吐了出來，但他腸胃未有食物，哇哇惡嘔，卻是吐不出東西。

丁鳳星目轉動，瞧了徐元平一眼，臉上滿是憐惜之情，但在眾目睽睽之下，不便過去慰藉於他。

宗濤卻是縱聲而笑，大談水牢中吃蛇之事，花樣層出不絕，連說一十二種生食蛇肉之法，而且每種吃法，都有著一個甚是動聽的名字。

他愈說得興高采烈，徐元平愈是嘔得厲害，只聽宗濤長笑之聲和徐元平的哇哇嘔吐之聲混在一起，形成一種極不協調的樂章。

丁鳳目睹徐元平愈吐愈是厲害，心中大是惜憐，忍不住高聲說道：「老叫化子，別說啦，生食蛇肉有什麼值得高興之處，哼！難聽死了！」

丁玲吃了一驚，想喝阻時，已來不及，暗道：糟糕，不知天高地厚的鬼丫頭，宗濤是何等

人物，你豈能叫老叫化子……哪知事情大出了丁玲意料之外，宗濤不但毫無怒意，反而微微一笑，住口不言。

天玄道長回頭望了丁鳳一眼，道：「你這丫頭膽氣不小，可願拜在貧道門下？」他說得神色莊肅，顯然不是玩笑之言。

全殿中人，都不禁微微一怔，目光一瞥投注在丁鳳身上，看她如何答覆。

這是千載難遇的機緣……丁鳳呆呆地站著不動，神情間緊張異常，但卻默然不語。

只聽天玄道長冷笑一聲，道：「你可是怕你那鬼王爹爹不同意，哼！如若他敢不同意，本觀主當盡出玄武宮中精銳，把他辛辛苦苦建立的鬼王谷，燒他個寸草不留。」

丁鳳道：「我們谷中都是巖石砌成的房子，再大的火也燒不了。」

天玄道長道：「火不能燒，我就翻地三尺，間室不留……」

丁鳳接道：「我們谷中戒備森嚴，不等你深入谷中腹地，定被發覺行蹤……」

天玄道長道：「發覺了又怎麼樣？」

丁鳳道：「我們鬼王谷的迷魂藥物天下馳名，凡是入谷之人，無一能逃得出去……」

天玄道長截住了丁鳳的話道：「我哪有時間和你鬥口，你究竟是否願拜在我的門下？」

丁鳳沉吟了一陣，道：「我心中雖願意，但也得告訴爹爹之後才能決定。」

天玄道長道：「我收你爲徒，傳你武功，與你爹爹何干？」

丁玲轉過臉去，低聲對丁鳳道：「妹妹你答應下吧！我立時趕回谷去，告訴爹爹，我想爹爹一定不會反對。」

丁鳳知道姐姐一向料事如神，她既然說爹爹不反對，心中就深信不疑，微微一笑，轉臉仰望著天玄道長，問道：「一宮、二谷、三大堡，素來齊名江湖，你和我爹爹武功不相上下，有什麼好的武功傳我？」她胸無城府，心直口快，想到了什麼，隨口就說了出來。

天玄道長倒是未料到她會有此一問，不禁微微一怔，道：「你爹爹所知所學，豈能比得本觀主，就單以武功而論，也難和本觀主相提並論……」

神丐宗濤突然插口道：「你們鬼王谷中的武功，如何能和牛鼻子的劍術相比，你儘管放心拜師，你那鬼王爹爹知道了，高興還來不及，哪裡還會怪罪於你？」

天玄道長拂髯笑道：「不知宗兄是否相信貧道之言，三年內我能把她調教成當代武林第一流的頂尖高手，足可和眼下幾個江湖上的高手一較長短，就以宗兄而論，三年後也未必能再勝過她！」

宗濤笑道：「這個麼，老叫化只信一半。」

天玄道長奇道：「要信就信，不信咱們就等過三年試試，怎麼只信一半？」他微微一頓之後，又道：「宗兄可是覺著貧道武功、劍術高出宗兄有限，故而不肯相信是嗎？」

宗濤道：「論輕功、劍術，老叫化子自知不如……」

天玄道長道：「何止輕功、劍術，貧道的玄門罡氣之學，天下也不做第二人想。」

徐元平暗暗忖道：此人當真是自傲的可以，自己誇讚自己的武功，竟是這等滔滔不絕。

但聞宗濤大笑道：「你在三年中能把那小鬼女調教成第一流中高手，老叫化深信不疑，而且老叫化還可斷言，你如全心全意去培養她，十年內青出於藍……」

天玄道長黯然一歎，道：「宗兄果有過人之能，洞觀細微，一芥不遺……」

宗濤微微一笑道：「誇獎，誇獎！」

丁鳳聽兩人談得怦然心動，回頭望了姐姐一眼，轉向老道問道：「你收徒弟，只肯收我一個人嗎？能不能連我姐姐一起收到門下？」

天玄道長望了丁玲一眼，說道：「如論天資聰明，你不如你姐姐甚多，不過本觀主絕藝不傳二人。」

丁玲微笑道：「觀主肯把我妹妹收到門下，我也一樣感激……」忽聽步履聲響，那道裝童子帶著金老二走入大殿。

徐元平急急奔了過去，叫道：「叔叔，你毒傷痊癒了嗎？」

金老二點頭笑道：「我很好，這一月時光，你在什麼地方？」

徐元平笑道：「我在水牢中過了二十五天，但叔叔毒傷痊癒，這點苦總算沒有白受。」

金老二不知是高興過度，還是忽然間想起了什麼傷心之事，兩行淚珠，滾下面頰，笑道：「孩子，苦了你啦！」

大步走了過去，先對宗濤抱拳一揖，然後又對天玄道長施了一禮說道：「多謝觀主除我身受劇毒之恩。」

天玄道長似忽然開心起來，拂髯笑道：「數十年來，求我療毒以後，生出玄武宮的，你可算第一個人！」

金老二道：「觀主盛情在下終身不忘。」

天玄道長道：「不必了。」

徐元平回頭瞧了宗濤一眼，道：「宗老前輩，還有什麼事？」

宗濤道：「我和牛鼻子老道，從未說過這麼多話，咱們也該走了。」

丁鳳櫻唇啓動，正想說話，天玄道長已搶先說道：「老叫化不要急，咱們話還沒有說完。」

宗濤道：「咱們還有什麼話說？」

天玄道長道：「你剛才說的話前後矛盾，尚未解說清楚如何能走？」

宗濤笑道：「一月之前，你說小鬼三年後能勝老叫化子，老叫化深信不疑，但此時非被時，老叫化已非一月前可比了！」

天玄道長略一沉思，怒道：「你滿口胡說八道，這一月時光，你在我水牢之中度過，難道還有什麼奇遇不成？」

宗濤笑道：「這個請恕老叫化歉難奉告，你如不信老叫化之言，三年後咱們試試，那時只怕你牛鼻子也不是老叫化的敵手了。」

原來他在水牢之中，和徐元平相互研究《達摩易筋經》上武功，短短二十五日，武功精進極多。

天玄道長知他素來說一不二，既說歉難奉告，多問也是無用，當下舉手一揮，道：「你們擅自闖入我玄武宮來，格於本觀戒條，貧道不能相送，除非你們參拜本宮祖師遺像，許爲記名弟子……」

宗濤笑道：「做叫化無拘無束，何等自在，豈肯改頭換面，皈依三清教下……」

天玄道長接道：「貧道早已料你一定不肯，大殿外七重門戶，都已擺好劍陣，諸位怎麼來，還請怎麼出去。」

徐元平道：「這是什麼戒條？如此不通情理，你擺下七重劍陣，難道我們就怕了不成？」心中憤怒，不自覺地流現於神情之間，只見他劍眉微動，兩目中神光閃閃。

宗濤一看徐元平的神態不對，怕他出言頂撞，鬧成僵局，趕忙接口說道：「七重劍陣，非同小可，不論老叫化是否能夠闖過，只怕難免有所傷亡。」

天玄道長笑道：「你們手下留神一些，也就是了，快些走吧！」

宗濤知他確實格於宮中戒規，並非有意相難，拱手一笑，道：「老叫化就此拜別了。」雙肩一晃，人已出了大殿。

閃電手查玉抱拳對天玄道長一揖，道：「晚輩也要告辭了。」

天玄道長揮手一笑，道：「你們都該走啦！」

丁玲拉著丁鳳右手，無限依戀地說道：「妹妹安心留此學習武功，過些時我再來看你！」

丁鳳黯然說道：「姐姐武功尚未全復，路上要多多保重，小妹不能隨侍身側，照顧你了。」

丁玲婉然一笑道：「不妨事，我一離開此觀，就直回鬼王谷去。」

丁鳳星目側顧了天玄道長一眼，看他面無慍意，低聲求道：「師父，我想送姐姐一程。」

天玄道長道：「只准送出大殿。」

丁鳳道：「弟子遵命。」牽著丁玲玉手，緩步向殿外走去。

那小叫化和金老二緊隨丁氏姐妹，徐元平走在最後。

出了大殿，小叫化和查玉立時加快了腳步，急追宗濤，丁玲、丁鳳卻握手對立，依依不捨。徐元平暗裡歎息一聲，大步由兩人身側而過。

丁鳳忽然高聲喊道：「徐相公……」

徐元平回身走去，說道：「姑娘有何教示？」

丁鳳淒涼一笑，道：「你對我這般客氣了，數月不見，咱們好像陌生了不少。」

徐元平眨眨眼睛，笑道：「二位姑娘相待徐元平諸般好處，在下終身難忘。」

丁鳳幽幽說道：「但願你過些時和姐姐同來看我。」

徐元平沉吟一陣，道：「玄武宮素不許外人擅入，我如來看姑娘，只怕難敵宮中的道人攔阻……」

他心地純直，覺著如要答應了來看丁鳳，不論如何險難，也要依約而來，但想到玄武宮的重重警戒，來時難免一場拚搏，單單爲了探望丁鳳，和宮中道人動手，豈可貿然應允。

丁鳳嫣然一笑，道：「你如果真的肯來看我，我就到宮門外面接你。」

徐元平道：「我身負大仇，今後行蹤難定，縱然答應了來此看你，也不知何年何月才來……」

丁鳳道：「不論你何年何月來，我都將耐心等待！」

丁玲輕輕歎息一聲，接道：「妹妹，徐相公要事纏身，你怎能這般的強人所難……」

丁鳳微微一怔，道：「姐姐說得不錯……」

丁玲接道：「天玄道長乃當今武林中一代人傑，肯自願收你爲徒，可算千載難求良機，你要善爲珍重這段時光，下番苦心，莫負恩師之望。」

丁鳳道：「姐姐之言，我當深銘肺腑，恕我不遠送了。」

徐元平突然一揚雙眉，接道：「一年後，徐元平如尚活在人世，當會舊地重遊，相探姑娘。」抱拳一揖，轉身大步而去。

丁玲掙脫了丁鳳緊握的右手，笑道：「妹妹快請回到大殿去吧！」

丁鳳點頭微笑，緩緩轉過身去，漫步踱入殿門。

丁玲加快腳步，追了上去，轉過殿角，只見神丐宗濤等，正在等她。

徐元平低聲說道：「姑娘請走中間，宗老前輩領先，在下斷後。」

丁玲不謙辭，急趕兩步，隨在金老二身後。

宗濤回頭笑道：「闖陣之時，切勿出手傷人。」

大步當先衝去。這是緊依大殿的第一重門戶，八個中年道人各執長劍，並肩而立，攔住去路。

宗濤左掌一揚，大聲道：「小心啦！老叫化要出手了。」

餘音未絕，掌力已發，一股強猛的掌風，直撞過去。八個道人忽然齊齊向旁邊閃開，動作純熟，身形一錯而過。

就這一瞬工夫，宗濤使出上乘輕功，搶到門口，雙掌「分花拂柳」分向左右拍出。

八個道人的長劍也同時揮灑出一片精芒，封住了出路。

宗濤拍出掌力強猛，八個道人劍勢未及宗濤，人已先被震退。

那幾個道人各自向後退了兩步，手中長劍已無法再封住出路，宗濤大步出門而去。查玉走在宗濤後面，早已暗中蓄勢戒備。

哪知意外的是，八個道人竟未再出手攔住宗濤身後之人，查玉、金老二、丁玲、徐元平都平安而去。

幾人都已連出了六重門戶，闖過六座劍陣，那些道人們似都是虛應故事，揮劍攔阻宗濤幾招，只要宗濤闖過去，隨後之人，都平安而出，再無人出手攔阻。

這等容容易易地出了六重門戶，連宗濤心中也動了懷疑，暗暗忖道：這牛鼻子老道爲人一向冷傲，雖是有意放我們出觀，也不會這等輕輕鬆鬆地就放了我們。忖思之間，已到了最後一重門戶。

這是玄武宮的大門，出了這道門戶，幾人就算離開了玄武宮。抬頭望去，只見劍光閃動，數十個執劍道人，團團守在一起，一見宗濤等，立時散佈開來。

這一座劍陣，聲勢大不相同，散佈開足足三丈方圓。

徐元平側身探頭向前一看，不覺失聲一叫。

只見兩個白髯老道，盤膝坐在劍陣之中，每人面前放著一面紅旗，一支特製的長劍，估計那兩支長劍，足足有五尺以上。

徐元平低聲說道：「宗老前輩，你看那兩位盤坐在劍陣中的老道長，可有一位是誘咱們入水牢的道人嗎？」

宗濤笑道：「我還道牛鼻子真的對咱們另眼看待，擺擺攔截的樣子，哪知他卻把全宮中精銳，盡都集結在最後一重門的劍陣之中，剛才六重劍陣，倒不是和咱們客氣，那些人都是三、四流的人物，如果真要和咱們動手，只怕立時拆穿，當場出醜。」

徐元平道：「以老前輩的說法，這座劍陣，只怕要得真才實學方能闖過去了。」

宗濤道：「天玄牛鼻子縱然沒有真的存心把咱們攔在宮中，羞辱咱們一陣，至低限度，要給咱們一點顏色看看。」

徐元平憂慮地說道：「如果他們盡集全宮精銳，咱們不能出手傷人，先已吃了大虧，何況我金叔父所中毒傷初癒，丁姑娘病體未復……」

宗濤忽然轉過身來，接道：「最可怕的還是那兩個白髮蓬亂，盤膝而坐的老道人，那夜咱們被誘陷入水牢之時，老叫化曾經接了他一記掌力，彼此雖未接實，但就老叫化感受而言，其掌力的雄渾，似不在老叫化之下，一個已夠麻煩，怎的又加了一個出來，這一仗不好打，咱們得先商量商量。」

查玉、金老二、丁玲等，聽神丐宗濤說得這等嚴重，都知事非小可，以宗濤的身分，決不致隨隨便便地稱讚敵人，都不禁把目光向那盤膝坐在劍陣中，兩個白髮老道看去。

丁玲爲人，心細如髮，看那兩個人特製的長劍，心中忽然動了懷疑，暗道：用劍之人，大都要以輕靈爲主，這兩個道人用的寶劍，不僅特別長大，重量似亦故意加重了甚多，不知是何

用。她素慎言行，雖然看出蹊蹺，但未想出其中之意，不願隨便說話。

徐元平目光流動，環掃了佈成的劍陣一眼，心中亦不禁微生驚駭。

只見那佈成劍陣道人，個個垂首閉目而立，沒有一個抬頭望過幾人一眼。這等凝神內視，正是上乘劍術出手的準備。

宗濤默數那佈成劍陣的人數，除了兩個盤膝而坐白髯老道之外，共有三十六人，暗合三十六天理之數，但加了那兩個道人之後，這陣式，似是又有點不對。

徐元平忽然叫道：「宗老前輩，晚輩倒想出一個辦法，不知是否適用？」

宗濤道：「什麼辦法？」

徐元平道：「晚輩一個人先衝入陣中試試，如若能夠闖得過去最好，闖不過去，老前輩等也可藉機會看看這劍陣的變化。」

宗濤沉吟了一陣，道：「這辦法雖然不錯，但此陣顯然是玄武宮中精萃所聚，除了個人的功力之外，尚要加上這劍陣的變化，不如讓老叫化子試闖一下看看。」

徐元平道：「老前輩見識博廣，留此陣外，觀察劍陣變化，如若要老前輩闖陣，那就失去試問劍陣的意義了。」

查玉一挺胸說道：「在下陪徐兄一起入陣如何？」

神丐宗濤笑道：「你們查家堡以奇門變化馳名江湖，想來對這劍陣變化，早已瞭然於胸了。」

查玉笑道：「晚輩看是看出了一點門道，但因陣中多了兩個人，怕變化上有所不同……」

丁玲突然插嘴說道：「晚輩有一點淺見，只不知對是不對？」

徐元平接道：「丁姑娘向來料事如神，在下……」

丁玲道：「那兩個老道士都是殘廢，只不知是缺一條腿，還是缺兩條腿。」

此言一出，宗濤、查玉，連那鬼精靈的小叫化子，都為之一怔。

宗濤道：「這個你怎麼知道。」

丁玲道：「我初見兩人坐著不動，心中就有點懷疑，如若兩人是主持這劍陣的主腦，只要站定方位，帶動劍陣，就可主裁變化，要那兩面紅旗有何作用？還有兩柄又重又笨的長劍，和這種以變化靈快的劍陣，實在有些格格不入！如是天玄道長相信這兩個道人的武功，足以阻擋住咱們去路，似是大可不必再排這樣一座劍陣出來。」

忽見那兩個閉目而坐的老道，突然睜開眼來，四目中神光閃動，一齊投到丁玲身上。大概兩人已聽得她評論之言。

丁玲故意提高了聲音，道：「兩個老道長因為行動不便，所以特製了兩柄又長又重的寶劍施用，至於那兩面紅旗是用來指揮這劍陣變化之用。」

徐元平道：「姑娘料事如見，一點不錯，那晚上我和宗老前輩被誘陷水牢之中，也是一盞紅燈所為。」

丁玲瞧了查玉一眼，笑道：「有查少堡主相助，徐相公進陣，不論武功應變，都可對付，相輔為用，萬無一失，不知宗老前輩意下如何？」

宗濤笑道：「好啊！你已給分派好了，還給老叫化臉上貼的什麼金？」

丁玲笑道：「晚輩只能出出主意，取捨之權，還要聽老前輩的裁決。」

宗濤笑道：「你想的處處都比老叫化的周到，就以你的意思辦吧！」

徐元平側臉望了查玉一眼，道：「查兄，咱們進陣去吧！」

丁玲道：「你們入陣時，要帶著兵刃。」

查玉目光環掃了一周，笑道：「可惜咱們這些人中，沒有一個帶有兵刃。」

徐元平道：「不要緊，咱們入陣之後，再從那些道人手中搶吧！」大步直向陣中走去。查玉緊隨徐元平身後而行。

徐元平走向劍陣，身子一側迅如電掣般，直向陣中衝去。

那些道人們雖然閉著雙目，但是感應卻極靈敏，徐元平縱身向陣中一衝，陣勢立時發動，只見人影閃動，四支長劍，分由四個方向刺到。

徐元平一沉丹田真氣，向前疾衝的身子，突然沉落實地，身子向後一仰，全身倒臥在地面，長劍距他不過寸許光景。

這一招平平常常的鐵板橋工夫，但徐元平用來迅快異常，看去也大不相同。四支長劍一齊落空，徐元平迅快地挺身而起，雙手齊出，疾向兩個道人手腕之上抓去，想奪過兩支長劍。

但對方劍陣已然發動，但見所有的道人，都開始穿行游走，相互交錯而過，人影搖動，劍光閃閃，組成了嚴密的連鎖攻勢。

徐元平兩手剛剛觸到兩個道人的寬大袍袖之上，斜裡疾刺來四支長劍，分襲雙腕。

劍陣的連鎖呼應，逼得徐元平不得不先求自保，雙臂疾收，橫身向一側空隙中跨了兩步。

雙腳剛剛站穩，又是四支長劍攻到，徐元平一提氣，又向左面空隙中跨了兩步。就這樣一連被那連鎖的劍勢，逼得移動了四、五次位置。他忽然發覺了自己每次都是移向左面位置，而且每次刺向自己都是四支長劍。分神看去，只見自己被逼至劍陣中間，相距那兩個盤膝而坐的白髯白髮道人，只不過四、五尺遠近了。

查玉遠停在陣外觀望，似是這劍陣發動之後，沒有入陣的空隙。

丁玲雖然比妹妹矜持甚多，但見徐元平已被逼入劍陣中心，即將和兩個白髮白髯的道人接觸，芳心之中大為焦急，急急催促查玉道：「你還不快些進入陣中，站在這裡等什麼？」

查玉給丁玲一催，不得不冒險向陣中衝去，大喝一聲，先打出一記百步神拳，一股疾勁的拳風，應手而出。

移動的劍陣，吃查玉全力運掌一擊，登時有一個方位微現混亂。查玉藉機一躍入陣。

查玉的武功，雖不如徐元平，但他卻知這陣勢的生剋變化，佔了不少便宜。

這些道人都是玄武宮中一代精英之選，人人武功，都有著甚好的基礎，查玉雖然知道這陣勢生剋的變化，但卻無法抵拒群道緊密連接衝擊的巨大壓力，亦被節節逼入劍陣中心。

查玉的入陣，使徐元平承受的壓力減去了不少。

回目望去，見查玉已被群道連環劍勢的急襲，逼得有些手忙腳亂，應接不暇，立時大喝一聲，疾發兩掌，衝了過去。

曠絕千載的奇遇，使他武功的進境突破了時限，短短數月中，成就驚人，這兩掌全力發出，威勢非同小可，激盪的潛力暗勁，有如巨浪排山一般。

嚴密的連鎖劍陣，登時被他雄渾的掌力衝亂，兩個首擋銳鋒的道人吃他掌力一震之下，直向後面飛去，手中的長劍，也脫手落地。

徐元平似是未料到自己的掌力，已到了這等驚人的地步，不禁微微一怔。

查玉藉機衝入圍困，一探手撿起了地上兩支寶劍，高聲說道：「徐兄，接著！」振腕投了過來。

徐元平接住長劍，查玉已躍落到他的身側。

散亂的劍陣，也在這一刹工夫之中恢復了原狀，兩個失劍道人迅快地退到了後面，源源不絕的劍勢，紛紛刺到。

查玉一劍在手，膽氣大壯，笑對徐元平道：「徐兄，咱們先硬接幾劍，試試這些道人的真功實力，再設法破這劍陣……」

揮劍一架，封開兩支疾襲過來的長劍。

徐元平道：「兄弟不知這劍陣的變化，破陣之事，還得查兄指點……」長劍左揮右掃，震開了三支襲來的劍勢。

兩人不再閃避，貼背而立，揮劍硬接群道連綿不絕的輪攻。

這一來就可以看出兩人武功的高下了，徐元平不但身軀文風不動，而且出手劍勢又重又穩，凡是和徐元平長劍相觸的道人，不是長劍被震得直盪開去，就是被他劍上蓄蘊的強勁之力，連人帶劍一齊震退。

查玉卻被那些道人們連綿不絕的攻勢，衝撞得步履不穩，如非和徐元平貼背而立，借徐元

平的身軀阻擋之力相助，只怕早已難支持下去了。

這時，那兩個盤膝閉目而坐的道人，都已經睜開了眼睛，看群道連番猛攻，難以奏效，右面一人立時取過放在地上的紅旗搖了兩搖。紅旗一動，群道輪番的猛攻，突然停了下來。

只聽左面那白髮道人，輕輕咳了一聲，說道：「兩位能在劍陣之中，支持了這麼長時間，十分難得，現在只要兩位能再衝過貧道師兄弟兩人攔截，我們立時大開宮門送客。」說完，也取過地上紅旗，隨後揮了兩揮。

那排列整齊的劍陣立時散去，三十六個道人，雁翅般分排在白髯白髮兩道人的身邊。

宗濤哈哈大笑道：「我還道你們兩個老牛鼻子，要借那劍陣的威力相助，攔阻老叫化子等去路……」

右面老道人冷笑一聲，接道：「單是貧道師兄弟兩人之力，只怕你們也難以闖得過去。」

徐元平看兩個道人蒼老之態，猜側其年齡定然比天玄道長大出甚多，難道這兩人是天玄道長的長輩不成？……愈想愈覺不錯，不禁暗自忖道：天玄道長的武功，已是那等高強，他的尊長之輩，定然是比他又高出甚多了，看來今日要想闖過，只怕不是易事……

只聽丁玲嬌脆的聲音傳入耳際：「不知兩位老前輩，是天玄道長的什麼人？」

原來她心中也起了懷疑，見兩人白髮蒼蒼，年紀老邁，誤認為天玄道長的長輩。

兩個白髯白髮的老道，一聽到天玄道長之名，立時滿臉莊嚴，恭恭敬敬地答道：「天玄道長乃貧道恩師。」

丁玲怔了一怔，笑道：「二位師兄好啊！」

左邊道人冷然答道：「年輕輕的小姑娘，怎的這等出言無狀？」

丁玲正容說道：「我妹妹拜在天玄道長門下，論起輩份，我不該向兩位叫師兄嗎？」

兩位老道人怔了一怔，道：「當真有此等事嗎？」

丁玲道：「你不會數數我們的人嗎？」

只見排列在兩個白髮白髯道人身側的三十六個道人，齊齊把目光投注到丁玲身上。每人臉上都露出訝然神色。

兩個白髯白髮的老道，互相望了一眼，說道：「既然如此，師妹請過！」肩頭晃動，原坐姿勢不變，突然向旁邊閃開三尺。

但見那排列兩側的三十六個道人，齊齊垂下寶劍，對丁玲躬身作禮，口稱師叔。

這樣多人，最小的也要比丁玲大二十歲，鄭重其事，恭恭敬敬地叫她一聲師叔，饒是她見多識廣，也不禁有些羞紅泛頰，呆了一呆，才還了群道一禮，又轉身對兩個老道人一禮，說道：「兩位法號如何稱呼？」

左面道人答道：「小兄還恩。」

右面道人接道：「小兄快仇。」

丁玲輕輕一皺眉頭，暗道：好怪的名字，這是什麼法號？口中卻笑著說道：「原來還恩、快仇兩位師兄，小妹有件不情之求，不知兩位可否賞給小妹一個面子？」

還恩道：「師妹有話請說！」

快仇道：「小兄力所能及，無不答應。」

丁玲微微一笑道：「小妹想請兩位師兄讓開去路，放我等出去。」

還恩皺皺眉頭，道：「這個……」

快仇接道：「你這個什麼？小師妹初次向咱們開口，就是拚受師父一頓責罵，也不能失她面子。」

還恩哈哈一笑，道：「師弟說得不錯……」舉手一揮接道：「送你們師叔出宮。」

只見那分列兩側的三十六個道人，齊齊合掌說道：「弟子等恭送師叔。」

丁玲欠身還了群道一禮，側臉望著兩位白鬍白髮道人說道：「多謝兩位師兄。」大步直向宮外走去。

徐元平等隨在丁玲身後，出了宮門，果是無人出手攔截。

遙聞宮中傳出來還恩、快仇兩人的聲音道：「師妹多多保重，有人欺侮你時，只管到玄武宮來。」

神丐宗濤哈哈大笑道：「老叫化走了數十年江湖，還未見到過這等怪事！」

丁玲微微一笑，道：「我也沒遇上過……」

徐元平道：「這兩位老道長年紀雖已老邁，卻還有赤子之心。」

查玉道：「我瞧兩人有些渾人之氣……」

丁玲忽然輕輕歎息一聲，道：「啊！我明白啦！」

宗濤道：「你明白了什麼？」

丁玲笑道：「宗老前輩見聞博廣，判事之能，強勝晚輩甚多，可知道他們爲什麼放咱們出來嗎？」

宗濤道：「老叫化要能想到也不會問你了，哼！小鬼女，花樣真多！」

丁玲故意長長歎息一聲，道：「箇中之情，一言難盡，我肚子快要餓死了，哪裡有氣力說，等一會兒再談吧！」

神丐宗濤和徐元平在水牢中生食蛇肉度日，腹中早已大鬧恐慌，剛才爲了對付那劍陣，忘去了饑餓之事，如今聽得丁玲一提，立覺饑腸轆轆，甚難忍耐。

宗濤長長歎一口氣，道：「你這一提，老叫化倒覺饑腸難忍。」

徐元平雖未說什麼，但卻不禁皺皺眉頭，嚥了一口口水。

丁玲舉起左手，理理鬢邊散髮，右手卻從懷中摸出一包乾牛肉來，說道：「唉！可惜我這包乾牛肉不多了，大約只夠我一個人吃。」拿起一塊，放在口中，吃得沙沙直響。

宗濤輕輕地咳了一聲，道：「小鬼女，你妹妹拜在天玄道長門下，將來成就只怕要比你強多了。」

丁玲嚥下一口牛肉，說道：「是啊！我的命苦，沒人憐惜，那有什麼法子？」

宗濤道：「老叫化記得一招武功，乃我金牌門中九招絕學之一，最適宜女子習練，而且易學，不要多用時間……」

丁玲拿出一塊乾牛肉，笑道：「老前輩如若答應傳我，我就給你一塊牛肉。」

宗濤笑道：「老叫化要是不想吃肉，也不會告訴你了。」

接過牛肉放入口中，大嚼起來。

徐元平側過臉來，望了丁玲手中的牛肉一眼，又匆匆別過頭去。

宗濤嚥下牛肉說道：「小鬼女，一塊乾牛肉，傳一招武功，老叫化吃虧太大了吧？」

丁玲笑道：「你如答應再傳我一招，我就一下給你兩塊！」

宗濤道：「好吧！就再傳你一招吧！」

丁玲撿了兩塊小的乾牛肉，遞了過去。

查玉輕輕歎了口氣，道：「可惜在下忘記帶點乾牛肉了。」

宗濤瞧了那兩塊乾牛肉一眼，道：「小鬼女，這兩塊加在一起也比剛才那一塊大不了許多，人人都講你詭計多端，看來傳言不錯。」

丁玲笑道：「老前輩自己想要，關我什麼事？」

宗濤一口把兩塊牛肉吞下，說道：「再傳你一招，幾塊牛肉？」

丁玲道：「給你十塊，還餘十五塊……」

宗濤道：「好吧！就是十塊，快拿過來。」

丁玲撿了十塊牛肉，交給宗濤後，嬌聲說道：「徐相公接住！」

玉腕一抖，把手中餘下的乾牛肉，直向徐元平投了過去。

徐元平左手一伸，接住了乾牛肉，說道：「丁姑娘腹中亦甚饑餓，在下怎好食用？」

丁玲格格大笑道：「我哪裡餓，我是故意騙他武功的。」

宗濤縱聲大笑道：「你認為老叫化子當真上了你的當嗎？」

丁玲道：「老前輩有意成全？」

宗濤道：「那也不是，老叫化想吃乾牛肉也是真的，老叫化吃了一十三塊牛肉，傳了三招武功，雖然吃虧些，但卻不欠你什麼，日後在江湖上，也免得留人話柄。」

徐元平正在大嚼牛肉，聽得宗濤之言，不禁心中一動，接道：「丁姑娘，我吃了十五塊乾牛肉，就傳你五招武功吧？」

丁玲突然流現出淒愴神色，默然一歎，道：「徐相公好意心領了，我縱然盡得你們兩人絕學，也是無用。」

徐元平奇道：「爲什麼宗老前輩傳你武功，你就欣然，而在下……」

丁玲搖頭說道：「你忘了我內傷未癒嗎？近日之中，我已覺著內腑有了變化，但我一直欺瞞著妹妹，不讓她知道。咱們走到官道上，就要分手，我要盡早回鬼王谷去，再在外面停留數日，只怕無法生還故居了。」

徐元平沉吟了一陣，道：「在下答應姑娘，要設法給你療好內傷，此言一日未能實現，就有效一日。姑娘如能信得過我，暫請晚返鬼王谷幾日，容我再盡心力。」

丁玲笑道：「我和妹妹離家時日已久，很多事都要得稟告家父，萬一死在外面，豈不抱恨終生？」

徐元平默然不言，心中卻暗暗想道：療她內傷，勢非相求那紫衣少女不可，我已強忍羞辱，求她救我叔父一次，難道還要再求她一次不成？但我已答應丁玲替她療好傷勢，如今傷勢未癒，又勢難毀棄諾言，袖手不問……

查玉突然插口說道：「丁姑娘，咱們由金陵一路行來，相處時日不短，我怎麼一點也看不出你負有內傷？」

丁玲道：「如你早看出我負有內傷，咱們一路上也不能相安無事了。」

查玉冷冷說道：「原來丁姑娘還對在下存有戒心。」

丁玲道：「江湖凶險，步步殺機，我對誰也不能相信。」

宗濤接口笑道：「不錯啊！老叫化也不相信你們趕來玄武宮，是幫忙小叫化救我！」

丁玲抬頭望望天上浮動的白雲，避不作答，恍如未聞其言。

查玉似想接口，但見他口齒啓動，輕輕地咳了一聲，卻未言語。

宗濤回頭望望那小叫化子，說道：「人家不願說話，你也變成啞子了？」

小叫化道：「弟子在趕往玄武宮途中，遇得了查少堡主，和兩位姑娘……」

宗濤皺皺眉頭，道：「你怎麼知道老叫化被人家困在玄武宮中了？」

小叫化道：「弟子……弟子……」

宗濤怒道：「我看你越來越不成材，連話也說不清楚了？」

小叫化道：「弟子是聽神州一君易天行說出師父失陷玄武宮！」

徐元平道：「易天行……」

小叫化道：「易天行還告訴小叫化，要我轉告家師，是否需他出手相助？如若有用他之處，他決不推辭！」

宗濤冷笑一聲，道：「好一片虛情假意，老叫化如是不知道他的爲人，倒是要被他一番虛

情所動！」

徐元平道：「我們被困在水牢中，如非天玄道長同意，只怕見面也不可能，易天行如何能夠救得？」

金老二接道：「平兒！你未免太小覷易天行了？他只要答應出手相助，決不會無的放矢……」

宗濤道：「天玄道長雖然劍術絕世，但如和易天行一爭長短，決然不是敵手，老叫化也信他能把咱們救出水牢！」

徐元平心中雖是極不同意兩人之見，但卻沒有出言反駁。

那小叫化側臉望了徐元平兩眼，欲言又止。

宗濤卻似突然想起了一件事情，回頭問查玉道：「你見過你爹爹沒有？」

查玉微微一笑，道：「見過了，如果不是家父趕到金陵，只怕晚輩和兩位丁姑娘，現在還被困在楊家堡中！」言下面露喜色，似是十分得意。

丁玲道：「查老堡主相救我們姐妹，我們姐妹十分感激……」

查玉笑道：「感激大可不必，貴谷和敝堡一向交誼深厚，禮應略效微勞。」

丁玲道：「如果楊文堯不肯釋放，憑令尊一人之力，只怕也難救我們出堡，我對此事……」

查玉大笑道：「兵法曰：『不戰而屈之兵，上策。』家父單憑三寸之舌，說服楊文堯，使咱們安然脫險，豈不比一場動刀惡鬥，好上百倍？」

丁玲笑道：「就事論事，就只怕不會這樣簡單，所以我對此事存疑甚多……」

查玉微微一笑接道：「不知丁姑娘懷疑何事？」

丁玲道：「咱們離開楊家堡時，只和令尊匆匆見過一面，楊文堯立時起身逐客，單單留下你們父子見面，此等大背常情的舉動，自非無因。」

查玉笑道：「兄弟倒是忘記告訴丁姑娘了，令叔父丁老前輩，和兄弟一起被困楊家堡花園之中……」

丁玲聽得微微一怔，道：「是我三叔父嗎？」

查玉道：「不錯……」

丁玲道：「我怎麼沒有見到他呢？」

查玉道：「姑娘問得太急，在下只有一張嘴，如何能說得及。」

丁玲暗暗罵了一聲：死不要臉！口中卻微笑道：「那麼，查少堡主請慢慢說吧！」側轉嬌軀，欠身一禮。

查玉重重地咳了兩聲，道：「那花園荷花池旁鐵網之下，一共困了三人，除了兄弟之外，就是令叔丁炎山丁老前輩，還有一位，只怕諸位也難相信。」

宗濤冷哼一聲，道：「在我老人家面前，也賣關子，我看你是活得不耐煩了。」

查玉側臉望著宗濤笑道：「家父曾告誡晚輩，以後見到宗老前輩要多多拜領教益，要不是家父相囑，晚輩也不會陪著他們冒險到玄武宮來了……」

宗濤知他說的是實話，不好再出言斥責，連連地咳嗽幾聲，應付過去。

查玉思忖了一陣，接道：「還有一位是千毒谷中的冷公霄……」

宗濤笑道：「楊文堯膽子不小啊！憑他一個楊家堡，竟敢和鬼王、千毒二谷，還加上個查家堡作對。」

丁玲心急著想知丁炎山的下落，怕宗濤把話岔遠，趕忙接口說道：「我三叔和冷公霄哪裡去了？怎麼我們離開楊家堡，只見到令尊一人？」

查玉道：「箇中詳情，我雖不盡瞭然，但想來令叔父和冷公霄已被楊……」突然住口不言，重重咳了一聲……

宗濤冷冷說道：「又犯了老毛病了！」

查玉啪的一聲，吐出一口痰來，接道：「晚輩這幾天有點傷風，說話不大便利，丁老前輩和冷公霄都先晚輩離開了那被困鐵網，行蹤何處，晚輩就不清楚了。」

宗濤冷笑道：「你不說，老叫化也能猜得出來，幾個人臭味相投，利害衝突之時，不惜拚個你死我活，但如利害一致時，又會盡棄前嫌，相互爲謀，丁老三、冷老二，不計楊文堯被困之辱，查子清也不追究愛子被圍之羞，有志一同，聯手結盟，還會做出什麼好事？哼！近日之內，江湖必有大變。」

丁玲微微一笑，道：「好啊！老前輩一口氣罵了我們鬼王、千毒兩谷，查家、楊家二堡……」

宗濤接道：「老叫化想罵誰就罵誰？你這小鬼女有哪點不服氣？」

丁玲笑道：「服氣，服氣！老前輩罵是罵過了，但不知是否想出來，江湖會有些什麼大

變？」

她似是有意讓宗濤和徐元平等，爲她驚人的智慧留下深刻的印象，故意賣弄她判事的才華。

宗濤怔了一怔，說道：「這個老叫化也能想到，豈不成了神仙？」

丁玲笑道：「不用神仙，人也照樣可以想到！」

宗濤皺皺眉頭，道：「今日和你這小鬼女半日相處，使老叫化深覺到鬼谷二嬌之名，並非虛傳，你既能猜得出來，老叫化倒是得請教請教。」言詞之中，似已對丁玲大爲讚賞。

查玉側臉望了丁玲一眼，笑道：「丁姑娘素有才女之稱，定有驚人高論，在下也洗耳恭聽。」

他面現洋洋自得之意，顯然他早已知悉個中隱秘，至低限度，也知道一點端倪。

丁玲眼珠已轉了兩轉，笑道：「看查兄得意神情，定已知悉箇中之秘……」

查玉搖頭笑道：「這個嗎？兄弟一點也不清楚。」

丁玲笑道：「貴堡和楊家堡雖無交往，但彼此尚無嫌怨，而我鬼王谷交誼深厚，來往較多……」

查玉接道：「查家堡、鬼王谷唇齒相依……」

丁玲道：「所以令尊有所謀圖之時，常和家父相商，但貴堡和千毒谷卻是水火不容，結怨甚深。」

查玉忽然警覺，暗道：這鬼丫頭逗我說話，別著了她的道兒，說溜了嘴，讓她找出破綻。

當下微微一笑，不再接口。

丁玲看他不肯接口，心中暗自急道：他不肯開口說話，我如何能找出他的破綻，看來今日這次大話，非要出醜不可了……

心中雖自暗生焦急，但神色仍甚鎮靜地說道：「令尊和楊文堯暗相謀計，要我三叔和冷公霄先行涉險……」偷眼一瞧查玉，果見他臉色激變，趕忙說道：「令尊和楊文堯好坐收漁利，這法子雖然不錯，可惜謀慮不周，一著失錯，落得個滿盤皆輸了。」

查玉微微一怔，道：「哪裡謀……」忽然覺出失言，趕忙往口。

丁玲微微一笑，道：「我是說，楊文堯不該放我們姐妹和查少堡主一齊出來，這點他只怕沒有想到？」

查玉奇道：「爲什麼？」

丁玲臉色一整，莊嚴地說道：「楊文堯外表和藹，內心卻是陰險……」

查玉被丁玲言詞挑撥得再也忍耐不下，接道：「利害相關，他難道還敢暗算家父不成？」

丁玲道：「查少堡主只見眼前一時利害，缺乏深謀遠慮，令尊和我叔叔，以及那冷公霄等都非平常之人，決不會爲小利動心，楊文堯能使他們甘心受命，自是極大的利益誘惑，楊文堯決不甘心把巨大的利益，平均分你四份。最上之策，就是把令尊和家叔利用之後，再予誅害……」

查玉怔了怔，道：「姑娘這話倒是不錯。」

丁玲道：「決錯不了。爲令尊安危計，查少堡主應該早做預謀……」

她輕輕歎息一聲，道：「本來令尊和家叔及那冷公霄，都是閱歷極豐之人，憑楊文堯那心計，也未必能夠算計他們；但一個有心，一個無意，在重利相誘之下，只怕他們鬼迷心竅，失了平日的機智，而且所有謀劃行動，均操楊文堯之手，令尊和家叔有如盲人騎在瞎馬之上，一切都聽人擺佈了。」

查玉臉色大變道：「姑娘一語提醒在下，我得趕去知會家父一聲。」

忽聽金老二啊了一聲，道：「楊文堯定然帶他們趕往孤獨之墓去了……」他緩緩揚起斷臂，說道：「我這條手臂就送在楊文堯的謀算之下，如非我見機得快，遇上平兒，早已橫屍在孤獨之墓中了。」

查玉更是焦急，目注丁玲道：「家父和丁老前輩安危相關，此事姑娘總不能袖手不管吧？」

宗濤哈哈大笑，道：「好啊！先讓他們自相殘殺一場，老叫化可以坐收漁人之利。」

金老二道：「那戮情劍匣已落入神州一君易天行的手中，只怕他也有了行動。」

宗濤笑聲更是嘹亮，說道：「那是最好也不過，加上個易天行，這場戰鬥就更熱鬧了！」

徐元平忽然回頭望了查玉一眼，道：「查兄，令尊可是往孤獨之墓中去嗎？」

查玉緩緩點頭道：「時間倉促，家父只用我們查家堡暗語，告訴我和楊文堯結伴去取一批寶物，想來定是去孤獨之墓了！」

徐元平道：「那墓中珠寶翠玉多不勝數，如是心有貪念之人，難免不為它動心。」

宗濤雙目神光一閃，問道：「你既見過那墓中珠寶翠玉，難道就不動心嗎？」

徐元平微微一笑，道：「珠寶翠玉雖然人見人愛，但那總是身外之物，有它不多，無它不少，何況物原有主，豈可隨便取得……」

丁玲微微一笑，道：「楊文堯素有收集珠寶玉器之癖，金陵楊家堡富可敵國，那孤獨之墓珠寶翠玉愈多，家叔和查老堡主的性命，也愈是危險了。」

查玉轉目望著徐元平道：「徐兄既然到過那孤獨之墓，不知可否指示兄弟一條去路？」

徐元平微微一皺眉頭道：「墓中機關重重，查兄縱然趕到，也是難以擅入一步……」

宗濤大笑道：「老叫化雖無取財之意，但卻想去趕場熱鬧……」

他突然收斂笑容，接道：「少林寺已查出戮情劍重現江湖之上，盡出寺中高手，訪查此劍下落，數十年來，江湖上都說那戮情劍乃最爲不祥之物，凡懷此劍之人，不論武功何等高強，都難逃死亡一途，看來這傳言倒是不錯了，此物重現江湖不過數月工夫，已引起中原武林混亂之局。」

徐元平默然一笑，道：「唉！要是我早把此劍交還慧因大師，也許不致引出這場風波了。」

金老二接口說道：「少林寺和尙旨在追取那戮情劍匣，寶劍本身，倒還不是他們主要追尋之物，現在劍匣既已落入了易天行的手中，你大可不必再爲他擔待風險，不如趕往孤獨之墓，找到元通大師，當面說明此事。」

徐元平沉吟一陣，道：「此事容我想想再說……」

他雖然不贊同金老二的辦法，但卻又不願使他難堪，只好藉詞推托過去。

金老二臉色忽然一變，道：「平兒，那慧空圓寂之前，可有什麼事托你辦嗎？」

徐元平淒涼一笑，道：「沒有，他雖然傳了我武功，但我們卻無師徒名份……」

宗濤道：「你這兩句話連老叫化也糊塗了，師倫大道，豈可忤逆？他既然傳了你的武功……」

徐元平急急接道：「老前輩有所不知，他傳我的武功，連那柄戮情劍，都是打賭輸給我的！」

宗濤哦了一聲，望著丁玲道：「老叫化還有一事不明，你們如何會跑到了楊家堡，又怎麼和天玄碰在一起？玄武宮素來不許閒人進去，你們怎麼會和那牛鼻子攀上了交情？」

他見徐元平急得面紅耳赤，怕他一時衝動，口沒遮攔，盡洩胸中之密，趕忙扳轉話題。

丁玲瞧了徐元平一眼，才笑對宗濤說道：「此事說來話長……」

宗濤搖頭接道：「刪繁從簡，愈短愈好。」

丁玲似在籌想措詞，沉吟了一陣，道：「我和妹妹歸途遭擒，被楊文堯押解金陵，半月後又被放了出來……」

徐元平插嘴問道：「楊文堯爲什麼把你們押送楊家堡？豈不是自惹麻煩？」

丁玲道：「他認爲我和妹妹發覺了他的隱秘，其實他不過自己多疑……」她微微一頓後，接道：「我們被不明不白的關入楊家堡水牢……」

徐元平奇道：「楊家堡也有水牢？」

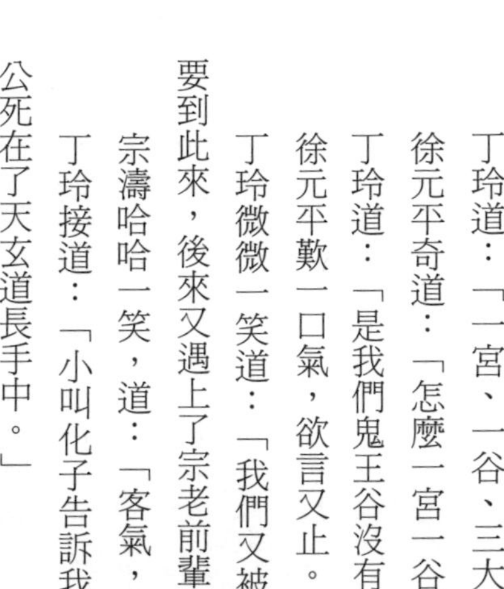

丁玲道：「一宮、一谷、三大堡中大概都有水牢的設置。」

徐元平奇道：「怎麼一宮一谷呢？難道千毒谷中沒有水牢？」

丁玲道：「是我們鬼王谷沒有水牢，不過有火牢，坐來比水牢還要苦了！」

徐元平歎一口氣，欲言又止。

丁玲微微一笑道：「我們又被糊糊塗塗放了出來，以我之意，要趕回鬼王谷去，妹妹卻偏要到此來，後來又遇上了宗老前輩的高足……」

宗濤哈哈一笑，道：「客氣，客氣，小叫化子。」

丁玲接道：「小叫化子告訴我們兩件大事：一件是宗老前輩陷身在玄武宮中；一件是徐相公死在了天玄道長手中。」

宗濤突然一皺眉，道：「怪呀！這玄武宮中之謎，如何會洩了出去？」

丁玲望了徐元平一眼，輕輕歎一口氣，接道：「妹妹聽到此訊，堅持要來玄武宮一行，幫助小叫化相救宗老前輩……」

宗濤笑道：「你們可是當真存心來救老叫化嗎？只怕是言不由衷吧？」

丁玲嫣然一笑，道：「我妹妹不知從哪來的感應，她堅信徐相公不會死，非要找天玄道長問問明白不可……」

宗濤望了查玉一眼，道：「你可也是幫助小叫化來救老叫化子嗎？」

查玉道：「晚輩一來相助搭救宗老前輩，二來想證實一下徐兄生死之事。」

宗濤仰天打個哈哈，道：「玄武宮是何等凶險之處，就憑你們幾個娃娃也敢來老虎口中拔

牙，膽子倒不小呀！小叫化子冒死而來還有得可說，三位明知萬無一生，卻也甘願趕來相救老叫化，實叫老叫化難以置信！」

丁玲道：「這有什麼稀奇！一個人不把生死之事放在心上，還有什麼好怕？」

宗濤怔了一怔，道：「這話倒是不錯……」

查玉微微一笑，接道：「可是徐兄死訊，激起了兩位姑娘效死之心？」

丁玲淡然一笑，接道：「是不是你管不著，最好少說風涼話，免得延誤時間，誤了令尊的性命。」

宗濤忽然哈哈大笑道：「以後你們在途中遇上了身受重傷的天玄道長，幫助他療好傷勢，牛鼻子感恩圖報，破例帶你們進了玄武宮。」

丁玲笑道：「老前輩言來有如親目所見，猜得一點不錯……」

她轉臉望了查玉一眼，道：「我們這一行人中，都沒有見過天玄道長，還是從那一身裝束中，猜出來他的身分。他傷勢甚重，人事不省，當時我們如要殺他，實是不費吹灰之力……」

徐元平道：「殺一個奄奄一息，毫無抗拒能力之人，豈是大丈夫的行徑？」

丁玲道：「江湖上如都像你徐相公這等光明磊落，武林中也不會有很多是非了。」

宗濤道：「那你們爲什麼不殺他？」

丁玲道：「我們一共四個人，但對處理天玄道長，卻有著三種不同的意見，令高足主張挾持他趕往玄武宮走馬換將；查少堡主卻主張殺了他，再設法搭救老前輩；我妹妹卻力排兩人之議，主張幫他療好傷勢……」

查玉口齒啓動，欲言又止。

丁玲冷笑一聲，道：「你怎麼不說呀？你不說我也猜得出你要說什麼！哼！有我在，你最好少賣弄口舌！」

查玉原來想說：你妹妹要救天玄，還不是想從天玄道長口中探聽徐元平的生死之事，哪裡是真想救人？話到口邊之時，忽然覺著這幾句話有些不對，慌忙住口不說，對丁玲刺激之言，也充耳不聞，一笑置之。

丁玲繼續說道：「我們幾人爭執了甚久，結果依了我妹妹之言，幫助天玄道長醫好傷勢，以後之事，老前輩是親眼所見，那就不用說了。」

二四　南海奇書

幾人邊走邊談，不覺間已走出七、八里路，到了一處岔道所在。

丁玲轉身對宗濤躬身一禮，說道：「老前輩請多保重，晚輩就此告別了。」

宗濤還未來得及答話，徐元平已搶先答道：「丁姑娘要到哪裡去？」

丁玲道：「我要回鬼王谷去……」

徐元平道：「你內傷未癒，如何能獨自行動？」

丁玲道：「我傷勢雖重，但在一、兩個月之內，還死不了，埋骨桑梓，總比要死在外面好些。徐相公日後有暇，能到玄武宮去，看望我妹妹一次，也不枉她對你一番懷念之情。」默然一笑，轉身向南而去。

徐元平縱身三躍，攔住了丁玲去路，說道：「姑娘身負內傷，如何單身上路？」

神丐宗濤突然接口說道：「天玄牛鼻子，乃當今武林療治毒傷的聖手，咱們再到玄武宮去要他替你療治傷勢就是。」

丁玲搖頭笑道：「我中了三陽氣功，內腹真氣凝結成傷，南海門下那鬼丫頭，給我藥物之時，已料到我難以按她所囑養息，金針過穴，把我凝結的傷勢，逼入內腑，我未能按時服藥養

息，致內傷轉成痼疾，不瞞幾位說，我早已難再和人動手，天玄道長曾經看出了我負有內傷，他把我叫到一側，替我把脈之後，告訴我還有三月好活，而且在這三個月之中，還要心情歡愉，要不然壽命要少一半，幾位好意丁玲拜領了……」

宗濤道：「這麼說來，天玄牛鼻子也束手無策了。」

丁玲點頭笑道：「他親口告訴我，早回鬼王谷，還可埋身桑梓。」

宗濤歎息一聲，道：「無怪那牛鼻子肯收小鬼女做徒弟，而不肯收你。」

丁玲道：「那也不是，我妹妹心地善良，一派天真，待人誠心誠意，不善虛假，而且她練我們本門內功基礎不深，容易改變，我已病入膏肓，收了我也不能傳他絕世武功。」

徐元平仰臉望天，神情沉痛地道：「姑娘如不是照顧在下療傷，如何會和綠衣麗人相遇，追根究柢禍由我起，我如不能想法子療治姑娘內傷，不但變成了言而無信之人，且將有負一番相救之恩。」

丁玲想不到他對自己竟這般的情意深重，只覺心頭一甜，接道：「這如何能夠怪你，只怪我過去作孽太多，身遭天譴，能聽你這番話，我已經心滿意足……」

她緩緩把目光移注到宗濤等臉上，羞赧一笑，道：「我已是快死的人了，難免言詞失檢。」

宗濤笑道：「江湖上都說鬼谷二嬌，面和心冷，手段毒辣，殺人盡在輕顰淺笑之中，今日一看，傳言倒是未必……」

忽聽一陣急促的馬蹄之聲，傳了過來，一個遙遙的聲音說道：「師父，你老人家在這裡，害得弟子一陣好找。」

宗濤轉眼望去，只見何行舟快馬加鞭，如飛而來。

他仍然穿著一身華麗的衣服，神色間驚喜交集，但那匹長程健馬，卻跑得滿身大汗。

宗濤皺皺眉頭，道：「你跑來幹什麼？」

何行舟一躍下馬，說道：「弟子今日如果還找不到師父，那就……」目光移注到徐元平臉上，突然一呆，接道：「你還沒有死嗎？」

徐元平淡然一笑道：「怎麼？你很希望我早些死？」

何行舟喃喃一聲，道：「奇怪呀！這是怎麼回事呢？」

查玉冷笑一聲，接道：「你這人毛病不小，大驚小怪的幹什麼？」

何行舟想起過去在「碧蘿山莊」之中，也是遇上這幾個人，不但被戲耍得不亦樂乎，而且還幾乎丟了性命，如非有金牌在身，借宗濤之力，擋了一陣，只怕現在已屍骨化灰，不覺心中一寒，回頭對宗濤深深一揖，道：「弟子奉了金牌令諭，找尋師父，限期歸報，今日是最後一日限期，如果再遇不上師父，勢非受責不可。」

宗濤道：「你找我有什麼事？」

何行舟道：「師父和師叔相訂之約……」

宗濤臉色一整，說道：「你回去吧！除非你師叔願先把金牌交回，老叫化決不再和她晤面。」

何行舟先是冷笑一聲，但立時又換成一副笑臉，說道：「金牌令諭乃咱們金牌門中無上權威之令，難道師父也要違抗嗎？」

丁玲突然插口說道：「金牌令諭能管到宗老前輩，難道還能管得到我們不成？」

何行舟呆了一呆，縱身躍上馬背，一抖韁繩，那健馬衝出去二丈多遠，然後又勒馬轉過身子，高聲說道：「師叔命弟子轉達金牌令諭，限師父十日之內，趕往碧蘿山莊，如有違背，以欺師滅祖大罪論處！」

說完話，也不待宗濤答話，帶轉馬頭，放馬疾奔而去。

查玉側臉望了宗濤一眼，道：「徐兄，咱們下次再遇上此人時，非得把他結果了不可。」

哪知宗濤恍似未聞其言，神情冷寂，呆呆站著，他在考慮著一件極大的難題……暗中觀察宗濤神情，看他有些什麼反應。

徐元平輕輕歎息一聲，道：「看來人生在世，誰也難免煩惱，以宗老前輩的豪放，也有著無法解決之苦。唉！只是每個人的際遇不同，煩惱也就各異了。」

丁玲側臉對宗濤道：「宗老前輩，咱們早些走吧！」

宗濤輕輕啊了一聲，道：「走吧！」當先向前走去。

大家心中都似是有著極沉重心事，一時間默默無言。

走約四、五里路，宗濤突然停了下來，回過頭來說道：「你們先到孤獨之墓去，老叫化去辦件私事，隨後就到。」

徐元平道：「老前輩可是要和你那師妹見面嗎？」

宗濤搖搖頭，還未來得及答話，忽聽一聲高昂的佛號，一群身披袈裟，肩負禪杖的和尚，陡然間從路旁一片雜樹林中轉了出來，攔住去路。

當先一個身披黃色袈裟的和尚，單掌立胸，欠身說道：「諸位施主，不知哪個姓徐？」

徐元平微微一怔，挺身而出，道：「在下姓徐，諸位師父可是少林寺中的嗎？」

那當先的和尚道：「不錯，貧僧正是嵩山少林本院而來，施主大號可是元平二字嗎？」

徐元平目光如電，掃掠群僧而過，只覺這些人面目陌生，無一個相識之人，緩緩點頭道：「徐元平正是在下，有勞諸位大師父跋涉相尋了。」言下之意，他是知道少林僧侶們，正是為他而來。

那身披黃色袈裟和尚，似是想不到徐元平這等言詞坦蕩，不禁微微一怔，道：「徐施主快人快語，貧俗等甚是感佩，但不知施主有何打算？」

徐元平奇道：「這要問你們了，你們跋涉風塵，苦苦相尋在下，不知是何打算？」

那和尚微微一笑，道：「徐施主既然敢挺身而出，為何又不敢承認其事？」

徐元平道：「什麼事？」

那和尚修養甚好，仍然心平氣和地說道：「徐施主曾經取了我少林一件鎮山之寶，不知是交還貧僧帶回呢？還是同去一見我們掌門方丈？」

徐元平道：「在下不知取了貴寺什麼鎮山之寶？」

那和尚微現懼色，道：「施主是當真不知呢？還是故意相問？」

徐元平道：「自然當真不知。」

那和尚突然提高了聲音，道：「戮情劍！」

徐元平冷笑一聲，道：「戮情劍乃在下所有之物！不知和貴寺何干？」

那黃衣和尚怒道：「明明是我們少林慧空先師所有，怎麼成了你的東西，難道還想訛詐不成？」

徐元平笑道：「不錯，戮情劍雖是慧空大師之物，但他打賭輸給在下，貴寺之中，只有一人可以向在下討回！」

那黃衣和尚笑道：「不知是敝寺中哪位大師？」

徐元平朗朗一笑，豪壯地說道：「慧空大師！」

身著黃色袈裟的和尚一時之間，未能想出他話中含意，不假思索地答道：「可惜敝寺中慧空大師，已經圓寂皈依我佛了。」

徐元平道：「那戮情劍乃慧空大師輸給在下，除了他復生之外，貴寺中再無人能向在下討回那支戮情劍了。」

那黃衣和尚怒道：「這麼說來，小施主是有意同敝寺爲難了？」

金老二道：「平兒，不必代人受過，把事情真相告訴他們吧！」

徐元平回頭望了金老二一眼，搖搖頭，堅決地對那黃衣和尚說道：「請大師上覆貴寺方丈，那戮情劍已是在下之物，如想討回，只有先把在下……」

那黃衣和尚一頓手中禪杖，接道：「貧僧受命而來，小施主如不肯把戮情劍交付貧僧帶回，只有委屈大駕，隨貧僧等，去見敝寺方丈，小施主有什麼話，對敝寺方丈說吧！」

徐元平冷笑一聲，道：「在下既沒有竊取貴寺之物，去見貴寺方丈，豈不成了笑話。」

黃衣僧人道：「施主既不肯去，說不得貧僧等只好動手相請。」

徐元平大步向前走了三步，說道：「諸位大師儘管出手！」

那黃衣和尚看徐元平赤手空拳，也放下手中禪杖，大步而出。

只聽身後一聲阿彌陀佛，一個身著淺藍僧袍和尚，大步而出，低聲說道：「師叔暫請住手，弟子有話稟告。」

那黃衣和尚怔了一怔，道：「你有什麼話說？」

藍衣僧人道：「掌門方丈之命，只要咱們找出徐施主的下落，並未要咱們押解他去見掌門方丈，弟子之意，不如和這位徐施主訂下後會之約……」

那黃衣和尚微一沉吟，合掌對徐元平道：「小施主豪風俠膽，自非怕事之人，貧僧千里跋涉，追尋小施主的行蹤，既能相遇，總算有緣，但望小施主訂下後會之約，貧僧也好回報敝寺方丈，屆時親向施主討劍。」

徐元平皺皺眉頭，沉吟了半晌，道：「好吧！十日之後，咱們在孤獨之墓相見。」

黃衣和尚合掌答道：「施主言重九鼎，貧僧就此告別。」探手拉起地上禪杖，率領群僧，急奔而去。

宗濤目注群僧急急而去的背影，笑道：「好啊，加上少林群僧，孤獨之墓這場好戲，就更熱鬧了。」

丁玲忽然微微一笑，道：「宗老前輩不用再去找令師妹了……」

宗濤道：「什麼？」

丁玲道：「何行舟騙你的。」

宗濤道：「小鬼女胡說八道的什麼？」

丁玲笑道：「老前輩一向看不起我們鬼王谷中的人，對我們姐妹倆更無好感；晚輩對老前輩俠行卻是久已仰慕，如有所知，無不奉告。何行舟如若真要老前輩十日之內趕往碧蘿山莊，就不會把咱們的行蹤，告訴少林寺中和尚，就晚輩推論，令師妹可能就在附近。他急急而去，分明要兼程趕往稟告咱們行蹤，心中卻又擔心咱們行動迅速，追趕不及，故意洩露咱們行蹤，先讓少林寺僧侶他們攔擋一陣，以爭取時間。老前輩如若不信晚輩之言，不妨在此稍候一陣，一個時辰之內，何行舟定然會帶人追來。」

徐元平道：「不知姑娘何以能斷言咱們行蹤，是何行舟故意洩露於少林寺僧侶。」

丁玲笑道：「徐相公請仔細看看四周形勢，當可同意小女之見。這片雜林緊依道旁，少林寺中和尚如向咱們迎面而來，遙遙可見，如說他們早已在林中休息，決不會一開口就問哪位姓徐。依此而論，必是何行舟先行追上這些和尚，洩露了咱們行蹤，那些和尚才沿抄捷徑，趕到此地而來。」

查玉笑道：「丁姑娘推斷不錯。」

丁玲回目望了宗濤一眼笑道：「宗老前輩如果願和他們相見，不妨就在此地稍候片刻，如果不願和他們相見，盡可加快腳程遠走。」

正說之間，徐元平忽然歎息一聲，道：「姑娘所料不差，他們已經追上來了。」

轉臉望去，只見正東方四匹快馬風馳電掣而來，那快馬之後，風塵滾滾中，隱隱可見幾條人影，放腿緊追。

人比馬快，不大工夫，那馬後人影逾越馬前，直向幾人停身之處奔了過來。

宗濤歎口氣，道：「小鬼女果是才智過人，老叫化今天算佩服你了。」

丁玲笑道：「好說，宗老前輩過獎了。」

幾句話完，那兩條人影，已然到了三丈左右，正是駝、矮二叟。

兩人一齊收住了腳步，四隻眼神卻盯注在徐元平的臉上，神色間滿是驚奇。

徐元平被兩人瞧得不耐，冷冷說道：「你們瞧什麼？」

駝、矮二叟還未來得及回答，四匹健馬已經衝到。

第一匹馬上坐著「碧蘿山莊」的莊主王冠中，第二匹馬上坐的何行舟，另外兩匹馬上坐著兩個黑色勁服，佩帶兵刃的大漢。

王冠中也把目光投到徐元平臉上，瞧了一陣，笑道：「原來閣下還在人世？」

徐元平正要發作，忽然想起丁氏姐妹初見自己時的神情，也和這些人一般模樣，不禁暗自一笑，道：「托福，托福。」

王冠中忽然輕輕歎息一聲，目光緩緩由宗濤、丁玲臉上掃過，說道：「諸位準備到哪裡去？」

宗濤一皺眉頭，道：「這個你也要管嗎？」

王冠中道：「兄弟想和這位徐兄弟單獨談幾句話，不知諸位意下如何？」

徐元平笑道：「別說談幾句話，就是動手相搏幾招也無不可！」

王冠中大笑道：「徐兄豪氣干雲，武功高強，在下一向佩服。不過，王某並未存有和你動手之心。」一帶馬頭，向前飛馳而去。

徐元平縱身急追，眨眼間兩人已遠離群豪數十丈外。

王冠中忽然一點馬蹬，身子由馬背騰空而起，半空一個大轉身，頭下腳上，直對徐元平撲去。

徐元平一吸丹田真氣，向前疾衝的身子，突然停了下來，左掌護胸，右掌蓄勢待敵。

王冠中將近徐元平時，忽的一挺身子，輕飄飄地落在徐元平身前三尺之處，笑道：「江湖傳言，閣下已死在天玄道長掌下，不知此事真相如何？」

徐元平笑道：「傳言一點不錯，但事情卻半真半假。」

王冠中道：「恕在下難解閣下言中之意。」

徐元平道：「我如死在天玄道長手中，現在哪裡還能和你說話，但其事確然是有，不過我沒有被他打死而已。」

王冠中道：「是被掌力震暈了過去？」

徐元平道：「也可以這麼說吧！」

王冠中神情嚴肅地說道：「但你這一場假死，卻引起了江湖上一場風波……」

徐元平奇道：「此話怎講？」

王冠中道：「徐兄死訊傳到碧蘿山莊之時，在下師妹還未深信，她說徐兄不是早夭之相……」

徐元平哦了一聲，道：「你可是說那紫衣少女？」

王冠中道：「不錯，徐兄看她人品如何？」

徐元平怔了一怔道：「這個，在下很難評論。」

王冠中歎息一聲，道：「但徐兄行蹤忽隱，死訊就愈傳愈盛，在下師妹由全然不信，到半信半疑，兄弟暗差鐵騎，訪查旬日，終於找到了徐兄的屍體。」

徐元平道：「我好好活著，怎麼找到了我的屍體？」

王冠中輕輕歎息一聲道：「荒草叢中有一具腐爛的屍體，年齡和衣著都和你完全一樣，而且那屍體就在你傳言中喪命之處。」

徐元平道：「有這等事？」

王冠中抬頭望著天空中飄浮的一朵白雲，神情黯然地說道：「唉！如我當時能多加思考，或不致造成大錯，可悲的是那時我竟然也有些心神紊亂，竟錯把腐屍當你……」

徐元平道：「咱們毫無交往，更談不上什麼情義。那屍體縱然是我，王兄亦大可不必為在下之死感傷。」

王冠中道：「不錯，如果不是為我師妹，兄弟也不會盡挑碧蘿山莊中精明健僕，查訪你的下落！」

徐元平奇道：「你師妹怎麼樣了？」

王冠中道：「在下聽得此訊之後，連夜把那具腐屍運回，準備仔細辨認，是否真是徐兄？哪知那具屍體面目已遭破壞，無法辨認，而且身上已發出腐臭之味……」

徐元平忽覺胸中熱血上衝，深深歎息一聲，道：「王兄這般關心兄弟生死，不知是何用意？」

他問話言詞，雖然十分強硬，但神情激動，目光中滿是感激之情。

王冠中繼續說道：「不知何人，把我運回屍體之事，告訴了我師妹，她竟然闖入了陳屍房中……」

徐元平哦了一聲，黯然垂下頭去。

王冠中道：「我師妹容色絕世，徐兄已經見過，不用兄弟再說，但她的天賦才華，徐兄恐還不知，不是在下誇讚於她，可算得前無古人，後無來者，絕世才貌，使她具有了強傲尊高的性格，做人行事，也和常人大不相同……」

說到此處，突然神色淒傷，兩行熱淚，奪眶而出。

徐元平奇道：「王兄怎麼了？」

王冠中拂拭一下臉上的淚痕，縱聲長笑，聲如龍吟，直沖霄漢。

徐元平聽那笑聲，充滿著無比的悲傷，他是滿腔悲憤憂苦，要借那笑聲發洩出來。

徐元平呆呆地站著，他已從王冠中傷痛的神情中，預感發生了驚人的變故，心中惶惶難安。

王冠中收住了長笑之聲，接道：「我師妹看到那屍體之後，只淡淡問道：『那屍體可是徐元平嗎？』」

徐元平道：「王兄如何答她？」

王冠中道：「她自制工夫，已到了爐火純青之境，心中雖已柔腸寸斷，肝膽俱碎，但表面之上，卻是異常鎮靜。我看她神色如常，也未想到會有事故，隨口答道『大概不會錯了』，哪知道這隨口一語，竟成了我終身悔恨之大錯……」

徐元平一時之間，想不出王冠中話中含意，搖搖頭道：「怎麼成了你的悔恨大錯……」

王冠中道：「她當時又追問了一句，我就該有所覺悟才對，哪知仍然執迷不醒……」

他說到痛恨之處，突然舉起手來，乒乒乒乒在自己臉上打了數記耳光。

這幾掌打得甚重，不但臉上指痕宛然，而且嘴角間鮮血汩汩而出。

徐元平道：「王兄不必這等自責，縱然你錯認了那具屍體，也是無關緊要之事……」

王冠中悲憤地說道：「其實那屍體是否徐兄，我心中毫無把握，不知何故，當時竟衝口而出，她當時臉色突然一變，我已覺出有些不對，誰知她竟淡然一笑說道，『死了就死了，這人又和咱們南海門毫無關係，快去拿具棺木把他收殮起來埋了算啦，瞧來瞧去幹什麼呢……』」

徐元平道：「是啊，在下死與不死，都和貴莊毫無關係，她說得一點不錯。」

王冠中道：「她說話之時，神情已變得十分輕鬆，叫我無法猜測她心中之事，而且說完後，就轉身而去，更是叫人無從捉摸，我當時還暗自好笑，自作聰明，派的什麼人去找你屍體，想不到她卻早已暗中想好了主意……」

徐元平聽得有些糊塗起來，說道：「究竟是怎麼回事，我越聽越不明白了。」

王冠中仰臉長長吐出一口悶氣，道：「我師妹乃人間絕才，爲人做事，自非常人能夠想到。」

徐元平忽然轉過身去，說道：「說來說去，盡是你們南海門中的事，在下已無興致再聽下去……」縱身一躍，人已至三丈開外。

王冠中大聲叫道：「她把我們南海門下至寶紫玉釵放……」

徐元平遙遙嚷道：「你們南海門下至寶，和我無關。」

連著幾個飛縱，躍回到宗濤等停身之處，說道：「咱們快些走啦。」當先放腿而去。

駝、矮二叟等未得王冠中出手攔阻之命，一時之間，不知如何才好，看著幾人聯袂飛躍而去。

這等高手，個個身負上乘輕功，時機稍縱即逝，王冠中又被徐元平絕袂而去的舉動，氣得呆在當地，待他神智恢復，下令追趕之時，徐元平等早已走得沒了影兒。

且說宗濤等疾行如飛，跑約十餘丈時，丁玲已是滿頭汗水，嬌喘說道：「你們先走吧，我已經跑不動了。」

宗濤哈哈一笑道：「老叫化帶你走吧！」

丁玲道：「不行，我要回鬼王谷，咱們不一條路。」

宗濤道：「老叫化年登古稀，一身蛇腥之氣，大概不會有人說我們閒話吧！」抱起丁玲，絕塵疾行。

丁玲伏在宗濤肩頭，嬌聲笑道：「老前輩一向敵視我們鬼王谷之人，不知今日何以對晚輩這等愛護起來？」

宗濤笑道：「小鬼女不似傳言中的那等奸詐……」

丁玲道：「誇獎，誇獎，晚輩能得老前輩這等稱讚，死也無憾了。」

宗濤道：「鬼丫頭少灌迷湯，老叫化不吃這個。」

丁玲道：「可惜我已不能再活好久了，如果不是身有內傷，定要認你作師，拜在你們金牌門下。」

宗濤道：「不行，你縱然想拜，老叫化卻未必願收。」

丁玲笑道：「你已答應傳我武功，縱然沒有師徒名分，但已有師徒之實了。」

兩人談話之間，已然奔出了十幾里路，金老二毒傷初癒，斷臂舊創，亦未全復，經過這一陣迅如電掣的奔行，人已有些支持不住，滿頭大汗，滾滾而下。

徐元平回頭望去，已不見王冠中一行追蹤之人，立時放緩了腳步，笑道：「宗老前輩，咱們停下來休息一下吧！」

宗濤目光轉動，打量了四周景物一眼，說道：「走！咱們到那棵大樹下去坐坐。」

幾人走到大樹之下，坐了下去，金老二立時閉上雙目，運氣調息。

查玉和小叫化也有些微微喘息，徐元平和宗濤卻是面色如常，毫無感覺。

丁玲忽然回頭望了徐元平一眼，笑道：「那錦衣大漢和你談的什麼？你怎麼回頭就走，聽

也不願再聽下去？」

徐元平道：「他盡談他們南海門中之事……」

丁玲笑道：「只怕未必，難道就沒有提過那紫衣少女嗎？」

徐元平道：「提過了，不知何人在我受傷之處，放了一具屍體，那屍體和我穿著的衣服一樣，他們就把屍體認作我的真身。」

丁玲柳眉輕輕一皺，道：「奇怪呀！他們找你屍體作甚？」

徐元平道：「這我就不清楚了。」

丁玲道：「不知那具屍體，現在何處？」

徐元平道：「好像埋了啦……」

忽然想起臨行之際，王冠中高聲叫喊之言：她把我們南海門下至寶紫玉釵放……下面之言被自己回答之言打斷，當時並無任何感覺，現在想來，此言實非尋常，心有所念，不自覺地失聲叫道：「紫玉釵……」

丁玲道：「什麼紫玉釵……」

徐元平搖搖頭道：「紫玉釵是他們南海門下至寶……」

丁玲氣得眨眨眼睛說：「你有點神不守舍，紫玉釵和你何關？」

徐元平仰臉望天，沉吟了良久，答道：「這我就不知道了……」

丁玲雖然聰明絕頂，但這等無頭無腦的一句紫玉釵，一時之間也想不出是何含意，不禁低聲複誦道：「紫玉釵、紫玉釵，南海門戶至寶……」

忽聽徐元平急聲說道：「幾位在這裡等我一會兒，我得找他問個清楚。」縱身一躍，人已到三丈開外。

丁玲高聲叫道：「不用去啦！」

徐元平回頭問道：「爲什麼？」

丁玲道：「人家早去遠了，你如去追他們，還不如等我想上一陣，或可猜出話中含意。」

徐元平已知她判事之能，當下又緩步走了回來。

只見丁玲舉起手來，理理鬢邊散髮，自言自語地說道：「紫玉釵，顧名思義，定然是女人用的金銀一類之物。」

查玉微微一笑，接道：「那定是一支寶釵了。」

丁玲知他有意諷刺，也不反駁，仍然緩緩接道：「不錯，一支寶釵，不解的是，一支玉釵能值幾何？怎能稱作南海門下至寶……」

她微微一沉吟，急急接道：「徐相公，不知那人如何和你提起了紫玉釵，上下之言，銜接一起，或可有助參悟。」

徐元平想了一陣，道：「他說那紫衣少女把他南海至寶紫玉釵放……」

丁玲道：「放到哪裡？」

徐元平道：「下面的話被我打斷了。」

丁玲啊一聲，道：「可是放到那棺木之中？」

徐元平怔了一怔，道：「這個大概對吧！她曾要人找具棺木，收斂那具屍體。」

丁玲婉然一笑，道：「不錯啦！她把她們南海門下至寶紫玉釵，放入了收殮那具屍體的棺中。」

徐元平道：「放入棺木之中，有何作用？」

丁玲淡淡一笑道：「她誤把那具屍體，認作是你，才把紫玉釵放入棺木之中，那紫玉釵既稱南海門下至寶，想來定然有它的妙用，再不然就是以釵代人，常伴君側。唉！那姑娘用情很癡了！」

徐元平聽她說得入情入理，不禁呆了一呆，皺了皺眉頭，道：「當真會有這等事嗎？」

丁玲道：「但願我猜的不對。」

徐元平默然垂下頭去，倚在樹上，那紫衣少女絕世的姿色，如花的笑容，悠悠地展現腦際……

秋風陣陣，林木蕭蕭，夕陽殘照，歸鴉噪鳴，遼闊的原野上一片肅殺景象。

沉默了足足有一盞熱茶工夫之久，查玉再難忍耐，低聲對宗濤說道：「宗老前輩，此地相距孤獨之墓不知道還有多少路程？」

徐元平忽然一挺身子，接道：「沒有多遠了，咱們走吧！」當先向前走去。

宗濤、丁玲等相繼隨在他身後而行，丁玲暗中留意查看，只見徐元平眉宇間滿是憂鬱之情，不禁暗中一歎，忖道：這樣看起來，他對那紫衣少女似已用情甚深了，可憐妹妹一片癡心，哪知心中情郎，卻已情有別鍾了。

她要存心看個究竟，也不再提告別之事。

查玉是心繫父親安危，宗濤和金老二也都希望早些趕到孤獨之墓，看看情形，一路上奔行甚速，夜晚之後，仍然兼程趕路，曦光初露時光，已到了那荒涼的孤獨之墓。

徐元平伸手指著百丈外一處亂墳起伏、古柏環繞之處，說道：「那就是孤獨之墓了。」

查玉凝神望去，不見一個人影，側耳靜聽，也不聞打鬧之聲，心中甚感奇怪，說道：「怎麼不見一個人呢？」

丁玲道：「只怕咱們來晚了，已經死的死、傷的傷，曲終人散了。」

查玉怔了一怔，道：「我替幾位開道，先去瞧瞧。」縱躍如飛而去。

金老二皺眉頭道：「就算他們真的已經拚出了勝負，也必有可尋跡象，咱們去瞧瞧吧！」加快了腳步趕去。

幾人走過那環繞古柏，但見起伏荒墳上片片白霜，找不出一點可資追尋的痕跡。

查玉心念父親安危，比別人更是用心仔細，他繞行墓地一周之後，垂頭喪氣地走了過來，說道：「宗老前輩見聞廣博，不知是否已瞧出一點跡象……」

丁玲冷冷說道：「不論哪一方勝，也不會在這裡留下屍體。」

她微微一頓又接道：「縱然無人收埋，也早被野狼吃了。」

查玉臉色微變，但他仍然裝作鎮靜之態說道：「在下的看法，只怕咱們早來了一步，如是此地當真經過相搏，必將留下暗器、兵刃之類。」

丁玲道：「滿地枯草，白霜掩遮，你如不仔細撥開草叢尋找，哪裡會找得出來？」

丁玲本是有意捉弄於他，但查玉心念父親安危，早已亂了方寸，聽丁玲說得甚有道理，果然折了一根柏枝，撥開草叢尋找。

這墓地之中，荒草及膝，秋末冬初季節，濃霜如雪，查玉用樹枝撥動枯草，濃霜濺飛，沾了一身，片刻之間，衣履盡濕。

丁玲看他找得十分起勁，忍不住嗤的一聲，笑了出來。

查玉回頭望去，看丁玲羅袖掩口，雙肩聳動，笑得花枝亂顫，心中恍然大悟，她乃有意捉弄自己，不禁心頭火起，大步走了回來，怒道：「你這是什麼意思？」

丁玲臉色一整，說道：「怎麼？你自己要聽我話，怪的哪個？」

查玉道：「此時此地，丁姑娘還有心捉弄我，難道令叔的生死，你就毫不關心嗎？」

丁玲道：「誰說我不關心了！你自己不能鎮靜，就不想想如若他們真已到這孤獨之墓內，相遇火併，總有一方獲勝，勝方入墓尋寶，這墓外定有守望之人，如若已尋得寶物而去，這纍纍青塚，哪還能這等完整無恙？」

查玉雖有被捉弄的憤怒，但丁玲這一分析，無疑已說明楊文堯等還未來到此地，放了一樁沉重的心事，一喜一怒，兩相抵消，輕輕地咳了一聲，默然不語。

查玉打量了四周一眼，說道：「如果這孤獨之墓中，真有存寶，倒是大可不必去尋什麼原圖，一樣可以取得出來。」

宗濤道：「好啊！長江後浪推前浪，一代新人勝舊人，你們都比老叫化強多了，用什麼方法，不用原圖可取出墓中存寶，老叫化聽聽高論。」

查玉道：「此事說來簡單得很，只要僱用大批年富力強的工人，日夜趕工，挖地三尺，不愁取不出墓中存寶。」

徐元平道：「這墓中建築牢固，而且機關重重，這等作法，那不知要斷送多少無辜的性命。」

查玉微一沉思道：「重賞之下，必有勇夫，他們貪圖重金而來，死了也怨不得別人。」

徐元平暗暗一歎，默然無語。

金老二道：「查少堡主想得雖是不錯，但卻不知這墓中驚人的浩大工程，如無原圖，縱然僱用上千人工，也無法破除堅壁，何況那墓中機關，布設精巧無比，只要沒有破壞操縱那墓中機關的樞紐，它一直運轉不息……」

忽聽丁玲嚷了一聲，說道：「快些隱起身子。」

她說得十分慌急，眾人來不及抬頭觀看，立時各自向一處藏身之處奔去，丁玲卻隨在徐元平身後，隱在一處淺草叢中。

這是一座突起的青塚，周圍的荒草，高可及人，徐元平和丁玲隱入了草叢之中，藏好身子之後，徐元平探頭張望了一陣，不見一個人影，心中甚覺奇怪，回頭對丁玲說道：「當真有人嗎？」

丁玲搖搖頭，笑道：「沒有啊！」

徐元平怒道：「你這人怎麼搞的，說話做事沒輕沒重，不論什麼時間，都亂開玩笑。」

站起身來，向外走去。

忽聽丁玲低聲說道：「等一等好嗎？我有話要對你說。」伸手拉住了徐元平的衣角。

這兩句話雖是平平常常，但聲音卻有著無比的淒涼，徐元平不自主的停了腳步。回頭望去，只見丁玲星目之中蘊滿了盈盈淚水，濡濡欲滴，不禁吃了一驚，急急說道：「姑娘有什麼話，儘管請說，只要在下力所能及，定當全力以赴。」

丁玲道：「剛才我突然覺到了內部傷勢，起了變化，也許很快就要死了。」

徐元平吃了一驚，道：「什麼，當真有這樣厲害嗎？」

丁玲道：「難道我還會騙你麼？」

徐元平蹲了下來，突然伸出手去，一掌按在丁玲「玄機」穴上，低聲說道：「你快些運氣相和，我以本身真元之氣助你，看看能不能把你傷勢穩住。」

他此時內功，已極深厚，一運內功，丁玲立時感覺著一股熱流攻入了穴道之中。

只覺徐元平掌心之中，熱流如泉，不停地湧入「玄機」要穴，暢行百脈，流通四肢。

丁玲初時只不過覺著那攻入穴道熱流，暢行百脈，十分舒服；但當那熱流攻入內腑時，卻突然覺著一陣刺心的劇疼，不禁一皺眉頭，本能地向後一仰身軀，讓開了徐元平的手掌。

睜眼望去，只見徐元平頂門之上，滿是汗水，顯然他已運集了全身功力……

丁玲歉疚地微微一笑，道：「我很疼……」從懷中摸出一塊雪白的手帕，接道：「看你累成什麼樣了……」揮動絹帕，擦去他頭上的汗水。

徐元平輕輕歎息一聲，道：「你如能忍受一些痛苦，也許我能打通你因傷硬化的經脈。」

丁玲淒涼一笑道：「別怨我，我受不住那種痛苦，還是讓我死了吧！」緩緩把嬌軀偎了過

來，伏在徐元平肩頭之上。

徐元平看她一副楚楚可憐的神態，不禁生出憐憫之心，輕輕在她背上拍了兩下，笑道：「不要緊，等一下我點了你兩點暈穴，再用真氣打通你受傷經脈，那你就不會感覺苦疼難耐了。」

丁玲忽然抬起頭來，一臉纏綿悲淒之情，望著徐元平緩緩說道：「你當真認爲我是忍受不了那打通硬化經脈的疼苦嗎？」

徐元平怔了一怔，道：「這是你自己說的啊！我怎麼會知道呢？」

丁玲幽幽歎一口氣，默默不言，瞪著一雙大眼睛，凝注在徐元平臉上，似乎要從他神情間，找回她失去的什麼。

四目相對，望了一陣，徐元平忽覺她目光之中，蘊藏著無限的情意，默默傳了過來，不覺心頭一震，慌忙別過頭去，低聲說道：「你別這樣瞧著我。」

丁玲還未來得及開口說話，忽聽一個宏亮的聲音，傳了過來。

「紫玉釵當真能和那玉蟬功用相同？」

丁玲輕輕一扯徐元平的衣領，附在他耳邊悄聲說道：「我沒騙你嘛，真的有人來了。」

徐元平怕驚動來人，不敢答話，回頭一笑，輕輕移動身軀，借草叢空隙向外望去，但見青塚纍纍，遮去了視線，哪裡還能看見來人？

只聽另一個清冷的口音，說道：「紫玉釵的功用，豈只和玉蟬相同，實在有過之而無不及，除此之外，還有一宗大大的好處！」

那宏亮的聲音，重又響起，道：「不知有什麼好處？」

那清冷的口音接道：「不知吾兄是否喜愛南海門下奇書？」

只聽一陣縱聲大笑道：「南海奇書，人見人愛，兄弟自是不能免俗。」

徐元平低聲對丁玲說道：「有一個好像是易天行的口音。」

丁玲怔了一怔，道：「你見過易天行嗎？」

徐元平道：「見過兩、三次了，這口音聽來很像，但不知他和何人走在一起。」

丁玲舉手搖了兩搖，附在他耳邊說道：「易天行盛譽滿天下，武功也不在天玄道長之下，咱們再要說話，非要被他察覺不可。」

徐元平點點頭，不再言語。

丁玲看他忽然變得十分聽話，心中大感高興，微微一笑，輕輕把粉頸偎在他肩膀之上，凝神聽去。

那聲音清冷之人說道：「……信得過兄弟的話，除了那紫玉釵，和南海奇書可以到手之外，還可得到一位容色絕世，美艷無匹的妻……」那聲音愈來愈小，漸漸不聞，顯然兩人忽然又改變了行向，折轉他去。

徐元平側耳再聽，已難聽到任何聲音，鬆了一口緊張之氣，忽覺耳根後熱氣輕拂，幽香撲鼻。

側目望去，只見丁玲正伏在他肩頭之上，櫻口輕啓，在他耳根後面呵氣，幽幽香氣，也從她身上散發出來。

徐元平皺皺眉頭，說道：「他們走了，咱們也出去吧！」

丁玲笑道：「不用慌，他們馬上就要回來。」

徐元平已對她料事之能佩服得五體投地，果然十分相信，依舊坐著不動。

丁玲微微一笑，拉著他站了起來，道：「騙你的，你真的這樣相信我的話嗎？」

徐元平被她鬧得瞠目結舌，不知如何回答。

丁玲牽著徐元平一隻手，當先躍出草叢，徐元平卻仍然站著不動，丁玲用力一拉，道：「出來呀！」

只聽一個朗朗大笑之聲，接道：「兩位挺熱呀！」

徐元平在丁玲一拉之下，不自主地躍了出來，面紅耳赤地說道：「查兄不要取笑了。」

丁玲忽覺一陣羞意泛上心頭，急急鬆了徐元平右手，轉過身子。

抬頭望去，只見查玉背負著雙手，站在八、九尺外，滿臉微笑地接道：「徐兄艷福不淺啊！」

徐元平被他取笑得無言可答，結結巴巴地說道：「這個，這個查兄……」

丁玲突然一揚柳眉說道：「怎麼?你有點看不順眼嗎？」

查玉笑道：「哪裡，哪裡，兄弟為兩位恭賀還來不及呢！」

丁玲突然橫跨了兩步，緊依徐元平身側而立，說道：「你要想看你就多看兩眼吧！」伸出纖纖玉手，抓住了徐元平的右腕。

徐元平怔了一怔，接道：「丁姑娘別鬧玩笑。」急急向後退了兩步，讓避開去。

查玉微微一笑道：「徐兄這等拒人於千里之外，也未免有些太過……」

忽覺一陣疾風直罩下來，查玉顧不得再說下去，縱身向一側躍開五尺。回頭看去，見宗濤站在他讓開的位置上，冷冷地說道：「易天行和一位中年大漢，還有一個書生裝扮的人物，由此向東南方而去，這一陣工夫，老叫化發現了十幾起江湖人物趕往那個方向，此事看來甚不尋常……」

徐元平道：「剛才晚輩隱身在草叢中，曾聽得易天行和人談什麼紫玉釵，只怕和此事有關，咱們要不要趕去瞧瞧？」

宗濤略一沉吟，道：「瞧瞧去吧！」

當先轉身，直向東南方向奔去。

查玉道：「既然甚多武林人物趕去，說不定家父也在那裡。」

振袂而起，緊追宗濤身後行去。

徐元平左顧右盼，不見金老二現身出來，心中甚感奇怪，正要出言呼叫，忽聽一株古柏之後，傳過來金老二的聲音道：「平兒，過來，我有事要對你說。」

徐元平依言走了過去，只見金老二依在樹身之上，抱拳一揖道：「不知叔叔有何教示。」

金老二道：「平兒，以後再遇上少林寺中和尚時，不要再和他們動手。」

徐元平怔了一怔，道：「叔叔教言，平兒自當緊記在心中。」

金老二道：「你們去吧！我在這附近等你，事情如完，早些回來。」

徐元平奇道：「叔叔為何不和我等同行？」

金老二沉吟了一陣，道：「一則此地藏寶已然轟傳江湖，武林中知道的人，已爲數甚多，我要守在此地，暗中瞧瞧，都是些什麼人物，要動此墓中藏寶的腦筋；一則易天行在那邊，一旦遇上，極不方便。」

徐元平本想勸他同去，但心念一轉：他已爲易天行積威所懾，強他同去，他心中也不快活，不如就留他守在此他吧！如若事機趕巧，能把易天行殺了，也好消去他的心病。也不點破，躬身一禮，道：「叔叔守在此地，不要離開，免得我們回來找你不到。」

金老二笑道：「這個不用你費心，我借這機會，在此養息尚未全復的傷勢，你們來時，我自會現身招呼你們。」

徐元平一揖到地說道：「叔叔保重了……」

回頭望了丁玲一眼，道：「丁姑娘，咱們走吧！」

丁玲搖搖頭，笑道：「你一個人去吧，恕我不奉陪了。」

徐元平怔了一怔，道：「爲什麼？」

丁玲道：「我傷勢快要發作了，你何苦要我跟去在路上受罪？」

徐元平道：「你一人留在此地，如何能叫人放心？」

丁玲道：「不用多費心了，咱們沒有相識之前，我不是一樣活了這麼大嗎？」

徐元平被她言語頂撞得無詞以對，楞了半晌，道：「這個，這個在下……」

丁玲道：「別這個那個了，快些上路啦！我和金老前輩守在此地等你們。三、兩天內大概我還死不了，也許還有相見之日。」

說完淒涼一笑，轉過身子，緩步而去。

徐元平急急叫道：「丁姑娘，快請回來……」

他一連叫了數聲，丁玲頭也不回，一直向前走去，隱入一個突起的青塚之後不見。

徐元平無可奈何地歎息一聲，道：「叔叔請費神照顧丁姑娘，平兒去看過那邊情形，便盡快回來。」

金老二笑道：「你放心去，丁姑娘不用人照顧，她足智多謀，機靈無比，說不定她留在這裡，還會幫我的忙。」

徐元平站著想了半晌，想不出該再說些什麼，回身一躍，人已到三丈開外，施展開輕身提縱之術，去如電掣風馳。

金老二望著他去如離箭流矢的背影，嘴角間泛起來一絲安慰的笑意，一月不見，徐元平的武功，又似長進了許多。

徐元平心中似是積存無比的憂悶，他對款款多情的丁玲心事，似是半知半解，但卻不知如何才能相慰她一顆芳心，這困擾使他覺著心靈上似是壓下來一塊千斤重鉛，使他有著一種喘不過氣的感覺。

他似是把一腔憂悶之氣，發洩在趕路之上，用盡了全力，拚命急奔，只覺兩旁的樹木、景物，閃電般向後倒去。

這一口氣也不知跑出了多少里路，也不知跑了多少時間，只待聽到有人呼喚他時，才停了腳步。

轉臉望去，只見宗濤和查玉一前一後，急急奔了過來。

原來他心中煩惱，只顧低著頭拚命奔跑，已然超過了宗濤、查玉。

查玉拂拭一下頭上的汗水笑道：「徐兄好快的身法！」

徐元平這一陣不要命的疾奔，頂門之上，也隱見汗水，長長吁一口氣道：「兄弟急於追上兩位，故而放腿狂奔。」

宗濤笑道：「十里之內你已經趕上了我們，爲什麼還是急奔不停？」

徐元平道：「我只顧趕路，沒有留心道旁行人。」

查玉道：「如果兄弟不叫你一聲，你要跑到哪裡才停？」

徐元平怔了一怔，道：「這個，就很難說了，我跑不動時，總要停下來吧？」

宗濤皺皺眉頭，道：「大鬼女沒有來嗎？」

徐元平搖搖頭道：「沒有，她留在那裡養息傷勢。」

查玉回頭望了望道：「金老前輩也沒有來？」

徐元平點點頭，沒有回答。

宗濤道：「唉！你應該把大鬼女帶來才對，咱們說不定還有需她之處。」

查玉笑道：「丁玲姑娘智謀過人，一代才女，徐兄天生神勇，武功無匹，郎才女貌，珠聯璧合，這個大媒，宗老前輩非你不可……」

宗濤笑道：「老叫化對你們二谷、三堡中人，素無好感；但最爲厭惡的還是千毒、鬼王二

谷中人，想不到這數日相處，竟然對那以陰毒馳名江湖的大鬼女，生了甚多好感，看來老叫化這個媒人，大有希望。」

查玉朗朗一笑道：「可惜丁玲姑娘沒有這個福份，得了不治之症。」

宗濤怔了一怔，怒道：「好啊！你膽子不小，連老叫化也敢捉弄！」

查玉道：「晚輩話還未完，老前輩就接了過去，如何能責怪晚輩。」

徐元平望了查玉一眼，正容道：「此等玩笑，查兄以後少開爲妙，和人名節有關，豈是兒戲之事。」

查玉道：「武林兒女，大都不太計較小節，徐兄豈可以世俗之見，量度兄弟。」

徐元平仰臉望天，默然不語。

宗濤看他雙眉深鎖，心事重重，突然縱聲大笑一陣道：「老叫化最是見不得愁眉苦臉，走！咱們快些趕路了。」

徐元平心頭一凜，回顧了兩眼，說道：「宗老前輩……」

宗濤笑道：「你可是想問小叫化嗎？」

徐元平道：「是啊！不知哪裡去了？」

宗濤道：「老叫化、小叫化素來是各行其是，我們誰也不用管誰。」振袂而起，向前奔去。

查玉伸手拉住徐元平右腕說道：「走吧！」

聯袂而行，行約十餘里路，到了一處山坡前面，只見宗濤隱在嶺上一棵大樹後面，舉手相

招。

徐元平心知宗濤不是發現了最厲害的強敵，就是遇上生平未見的奇事，否則以他的身分，決不會這般隱身不現。

微一用力，掙脫了查玉握住的右腕，低聲說道：「查兄，宗老前輩定然遇上了強敵，咱們別驚動了他們。」放緩行速，輕步而上。

查玉似是也覺得事態嚴重，隨在徐元平身後，悄無聲息地向上爬去。

兩人走到宗濤停身之處，探頭向下一望，同時覺著心頭一震。

只見一座新堆墳墓前面，供奉著鮮花水果，一個全身紫衣，面上垂著重重黑紗的少女，盤膝坐在那新起孤墓前面的草地上，不停地燒著紙錢。

她身後站著白髮蒼蒼的梅娘，左面站著一個紅衣獨腿的大漢，右面站著駝、矮二叟，那身著錦衣，身體偉岸的王冠中，卻站在那紫衣少女的身後七、八尺處，滿臉憂戚之容。

在王冠中的身後，並站著數人，這些都是雄主一方，名重江湖的一時高手。

這些人中包括神州一君易天行，查家堡主查子清，金陵楊家堡堡主楊文堯，鬼王谷的索魂羽士丁炎山，千毒谷的冷公霄等，除了這些名滿武林的高手以外，還有一群肥瘦不等，高矮不同人物，其中最惹人注目的，有一個身穿白綾，手搖墜玉摺扇的少年，和一個四旬左右、身著黃袍的大漢。

這些人身後丈餘處，站著一十二個全身黑衣，背插寶劍的健漢。

這是一幕莊嚴的葬禮，但卻不知那新墳中埋葬的什麼人。

神丐宗濤輕輕歎息一聲道：「不知什麼人，死得這等威風。」

徐元平忽然心中一動，欲言又止。

查玉目睹爹爹也在那觀看葬禮的行列之中，幾乎忍不住失聲大叫。

徐元平強行按捺了激動的心情，打量了一下四周的景物。

這是四面丘嶺抱環的一塊盆地，大約有十畝方圓大小，盆地中生滿著青草。

宗濤愈看愈覺奇怪，忍不住好奇之心，說道：「走！咱們下去瞧瞧吧！」

徐元平道：「瞧什麼呢？」

宗濤道：「這些人天南地北，各極狂傲，甚難聚會一起，碰上頭必有驚心動魄的大事發生，老叫化要是不趕這場熱鬧，那可是終生一大憾事。」

查玉接口說道：「此地距谷地不下三十餘丈，難見細微，兄弟也主張下去瞧瞧，那墓中埋葬的是何人物，死的這般叫人羨慕。」

徐元平搖搖頭道：「我不去了，你們兩個去吧！」

宗濤奇道：「爲什麼？」

徐元平道：「我見著易天行，決難忍受得住胸中一股憤怒之氣，勢非動手不可。人家正在舉行葬禮，個個心中沉痛，動起手來，只怕不大方便。」

宗濤道：「好吧！老叫化一向不願強人所難，你既不願去，就在這峰上等我們吧！」當先舉步，奔向嶺下而去。

徐元平想回頭而去，又想看個究竟，他雖預感到那新墳之中，可能埋的被人誤認做他的那具屍體，但又不能肯定，那容色絕世，目中無人的紫衣少女，會對他一個凡俗之人，那等鍾情。

他猶豫了一陣，終是抵不住好奇之念，縱身一躍，飛上大樹，找一處枝葉密茂之處，隱住了身子。

只見宗濤、查玉一前一後，直向谷底走去。

二五　玉釵之盟

也許那莊嚴肅穆的葬禮，使那些在場的人都有些黯然神傷，耳目失去了靈敏，兩人將要走近谷底，仍然無人回頭望他們一眼。

宗濤重重地咳了一聲，直向那新墳走了過去。

查玉卻奔入群豪行列，站在爹爹身邊。

查子清回顧了兒子一眼，低聲說道：「你來這裡幹什麼？快走！」

查玉怔了怔道：「要我到哪裡去？」

查子清道：「最好回咱們查家堡去。」

楊文堯挨查子清身旁而立，微微一笑，接道：「查兄不用費心，令郎機智絕倫，當知自重保身。這等場面，不要他見識一下，豈不可惜？」

查子清突然側過臉，低聲對查玉道：「玉兒，等一下有了什麼衝突時，切不可擅自出手，盡快躲到那嶺脊上去。」

查玉低聲應道：「孩兒記下了。」

這時，宗濤已緩步走近那墳墓前面，相距紫衣少女不過四、五尺遠。

易天行忽然回頭對身邊那一身白綾的少年說道：「常兄，那衣著破爛之人，就是馳名我們中原武林道的神丐宗濤。」

那白衣少年淡淡一笑，道：「等一下本公子要領教領教他的武功。」

冷公霄聽得談話之聲，回頭望了那白衣少年一眼。

那白衣少年身側的黃袍大漢冷笑一聲，罵道：「瞧什麼？混蛋忘八羔子。」他大概是剛剛學會這幾句罵人之言，咬字發音，口齒不清。

王冠中突然回頭接道：「諸位有什麼過不去，等一會兒再吵不遲！」

那黃袍大漢臉色一變，正待反唇相譏，那一身白綾的少年突然側臉說道：「不許再多接口！」

那黃袍大漢看去威威武武，但對那白綾少年，卻似十分敬畏，果然不敢再言。

冷公霄是何等人物，如何能忍得下那黃袍大漢相罵之氣，一面暗中運氣，一面低聲對楊文堯和丁炎山說道：「那身著黃衣的大漢，從哪裡來的，不知兩位是否認識？」

楊文堯轉臉側望了那黃袍大漢一眼，搖搖頭道：「易天行請來的幫手。」

冷公霄道：「此人出言不遜，兄弟想暗中出手教訓他一次。」

楊文堯淡淡一笑，道：「冷兄先請忍耐一下，咱們犯不著先和南海門中的人動手。」

這番話弦外之意，無疑是說此刻出手，南海門中人定然要出手干涉，先擋銳鋒，大不利我，勸冷公霄忍下算了。

丁炎山接道：「楊兄說得不錯，今日之局十分微妙，南海門自成一派，易天行亦似是有備

而來，與會之人雖多，但嚴格的劃分起來，不過三足鼎立之勢，咱們雖不弱於他們，但如先擋南海門的銳勢，實力大耗，勢將留給易天行以可乘之機。」

楊文堯突然移動身軀，向前走了兩步，擋在冷公霄的身旁。

他素知冷公霄十分孤傲，兩句勸慰之言，未必能按得下他心頭怒火，怕他突然出手，暗中向那黃袍大漢施襲，故意把他擋住。

這時宗濤已到了那紫衣少女身後三尺處，忽覺一股暗勁，襲了過來，身形一震，趕忙向後躍避開去。

只見梅娘白髮顫動，滿面怒意，望了宗濤一眼，但卻沒有出言喝問。

轉目四顧，只見那獨腿大漢，駝、矮二叟，一個個向他怒目相視，奇怪的是沒有一個人出言喝問。

宗濤望了那紫衣少女背影一眼，心中一動，恍然大悟這些人何以怒目相視，卻不肯出言喝問。

原來那紫衣少女正在低聲啜泣，只是她聲音低微，不用心很難聽到。

梅娘和那紅衣獨腿大漢，似都在側耳用心靜聽，似是怕喝問之聲，打斷了那紫衣少女的哭聲，所以不肯喝止。

宗濤一看之下，覺著想得不錯，但再仔細一想，心中又生疑問，暗道：如若那紫衣少女是在哭泣，他們縱不敢出言解勸，也正好藉故喝止我的機會，使她停下哭泣才對，何以不肯出聲。

凝神聽去，只覺那紫衣少女哭聲如訴，似是在低聲訴說自己的心事。

聲音低弱淒涼，叫人一聽之下，立時引起共鳴，以宗濤等豪放的性格，聽了一陣之後，也不禁為之黯然神傷，泫然欲泣。

只聽她說道：「……君已死，留下我身誰與共，空負羞花貌，為誰容，多少相思對誰訴，傷心對青塚……」

這聲音低微得隱隱可辨，但字字句句，都有著強烈無比的感人之力。

宗濤聽到了傷心之處，竟不覺滾下來幾滴老淚，暗暗地歎道：不知她對什麼人竟然這等鍾情。

正自感歎當兒，突聽身後響起了步履之聲。

回頭望去，只見一個全身白綾的少年，手搖著墜玉摺扇，一步一搖地走了過來。

他似是有意使自己步履聲，驚動別人，故意落足甚重。

梅娘也似為那步履之聲驚動，轉過臉去，狠狠地瞪了白衣少年一眼。

但那白衣少年恍如未見一般，仍然大搖大擺地向那紫衣少女身後走去。

梅娘欲待出手攔阻，但又想聽那紫衣少女訴說之言，一時之間，竟然拿不定主意。

那白衣少年突然加快了腳步，行雲流水一般，由宗濤身側而過。

神丐宗濤一瞥之間，已看出那白衣少年滿臉浮猾之氣，探手一把，抓了過去。

出手一抓之下，已施大擒拿手中一招絕學，心想那白衣少年縱然會武功，但在驟不及防之下，也難躲開。

哪知事情大出了他意料之外，別說抓人，連那白衣少年的衣角，竟然也未碰著，不禁心頭大吃一驚，暗道：這名不見經傳的小子，竟然能輕鬆無比的讓開老叫化這一抓，看來又遇上高手了。

就這心念一轉之間，那白衣少年已到紫衣少女的身後。

這時，只要他一舉手間，立時可以揭去那紫衣少女頭上垂遮的黑紗。

宗濤突然對那紫衣少女生出了憐憫、惜愛之心，只覺她這等至情至性的人，才是天地間最為可敬的人，眼看那身著白綾的少年即將侵犯到她，心中大為憤怒，厲聲喝道：「快給我站住，動一動手，老叫化剝你的皮！」縱身而起，直向那白衣少年撲了過去。

就在宗濤縱身而起的當兒，那站在紫衣少女身後的白衣少年，突然向一側橫跨兩步，霍的轉過身來。

幾點金芒疾閃而過，不知哪一個無聲無息地發出了暗器，把那白衣少年逼得疾向一側。

那紫衣少女沉著無比，雖然停了低訴之聲，但對身後發生的事，恍似不覺，連動也未動一下。

一陣疾風劃空而過，蕭蕭白髮的梅娘，竟然先宗濤而到那紫衣少女的身後。

她似是以保護那紫衣少女為重，先把那紫衣少女護住，才揮動手中竹杖，向那白衣少年點去。

這些事情幾乎是在同一瞬間發生，而且個個動作迅快，先後分別，不過是毫釐之差。

那白衣少年回過身來，本要喝問什麼人暗算於他，話還未說出口，梅娘竹杖已經點到。

就在梅娘竹杖點向那白衣少年的同時，神丐宗濤的劈空掌力，也同時擊到。

那白衣少年一張手中摺扇，身子向旁邊閃開了三步，身法快速絕倫，同時讓開了梅娘的竹杖和宗濤的劈空掌力。

這時，四周群豪一擁而上，團團把青塚圍住。

駝、矮二叟和紅衣獨腿大漢，一齊奔到梅娘身側，四個人站成一個圓圈，把那紫衣少女護在中間。

梅娘一杖點空，立時收回了杖勢，目光盯在那白衣少年身上，但卻未再出手。

宗濤劈了一掌，也未再出手撲擊，局勢一陣混亂過後，又恢復了暫時的平靜。

但這平靜不過是大風暴前的一段沉寂。

易天行回顧了那白衣少年一眼，輕輕一皺眉頭，心中似是對那白衣少年惹出這場麻煩，甚爲氣惱，但只是不便出言叱責，回頭卻對宗濤說道：「這等莊嚴肅穆的場合，被宗兄擾成這等混亂之局，真不知宗兄是何用心？」

輕描淡寫幾句話，把混亂全局的責任，完全加諸在宗濤的身上。

神丐宗濤冷笑一聲，道：「老叫化擾亂了全局，你又能怎麼樣？」

易天行微微一笑，道：「這個自有南海門中之人找宗兄理論，兄弟只不過爲宗兄莽撞的舉動抱憾惋惜而已。」

楊文堯突然插口接道：「易兄如若識得那身著白衣的少年，甚望能爲兄弟引見引見，中原武林道上，似是從未見過他的行蹤。」

這幾句話說得雖是平平常常，但卻暗中對宗濤幫忙甚大，全場中人都看到了那白衣少年最先走近那紫衣少女，楊文堯卻明知故問地把那白衣少年和易天行連在一起，這無疑替宗濤作辯白。

易天行緩緩把目光移注到楊文堯身上，微微一笑道：「楊兄常在金陵楊家堡中納福，甚少在江湖上走動，自是識人不多。」

楊文堯竟也毫無怒意，拂髯笑道：「兄弟孤陋寡聞，如何能和易兄相比？」

這兩人都是老奸巨猾之輩，雖然詞鋒相對，但面容之上，都帶著微笑，毫無動氣的樣子。

這時，王冠中已帶著二十個佩劍的黑衣武士，走近了易天行，面色冰冷地望著神州一君說道：「易兄識得那白衣人嗎？」

這等單刀直入的問法，易天行一時倒是不易籌思出適當的回答措詞。微微一皺眉頭，說道：「武林道上人物，兄弟識得甚多……」

王冠中冷冷地接道：「兄弟只問易兄是否識得此人？」目光一轉，投到那白衣少年身上。

那身著白綾少年，似是有意使易天行為難，抬頭望天，默然不語，似是根本沒有聽到王冠中、易天行對答之言。

易天行被情勢所迫，難以再措詞搪塞，拂髯一笑，道：「識得又怎麼樣？」

王冠中道：「易兄如若和他相識，兄弟自應先對易兄招呼一聲，然後再教訓他，如若易兄不識，兄弟今天要開殺戒了。」

易天行微微一笑，道：「兄弟識得……」他回頭望著那白衣少年，大笑道：「常兄，請過來，兄弟替你引見幾位中原道上有名的人物。」

那白綾少年揮著手中摺扇，大搖大擺走了過來。

此人面目陌生，除了易天行，全場再也無人認識他。

王冠中強忍著憤怒之氣，目光中滿是憤怒之意，盯在那少年身上。

易天行指著王冠中道：「這位是南海奇叟門下大弟子王冠中，王兄。」

王冠中大度雍容，心中雖甚恨那白衣少年的浮狂，但仍不失禮數，欠身微一點頭；但那白衣少年卻是狂傲畢露，輕揮摺扇，不言不語。

易天行皺皺眉頭，指著那白綾少年說道：「這位是關外拂花公子，兩位一個極北，一個極南，真是天涯何處不相逢了！」

王冠中冷笑一聲，道：「兄弟在中原武林道上居住十餘年，從未聽人談過閣下之名！」

那白綾少年不但狂傲無比，而且臉皮也厚得可以，王冠中那等譏諷於他，他仍然面不改色，一面揮搖著手中摺扇，一面說道：「本公子甚少涉足中原，知我之人，自是不多。」

王冠中突然欺進一步，冷冷問道：「『拂花公子』知道這是什麼地方嗎？」

拂花公子道：「荒野土嶺，不毛之處，難道還會有什麼名字不成。」

王冠中大聲喝道：「兄弟並未相邀閣下，不知你跑來此地作甚？」

拂花公子道：「本公子久聞南海奇叟有女貌如嬌花，艷若天人，特地趕來見識見識，看她比本公子嬌妻如何？」

王冠中氣得全身抖動，怒聲說道：「好一個沒廉沒恥之人，這等放肆之言，你也敢說出口？」

拂花公子大笑道：「黑水白山之間，有誰不知本公子風流之名，我是特地趕來看她，她應該引以為榮才對！」

王冠中暗中運勁，冷冷說道：「像你這等人，活在世上，也難做出什麼好事……」緩緩舉起右手，準備劈出。

他舉掌之勢，雖然緩慢，但場中之人，都知道這一掌當是他畢生功力所聚，一擊之下，決非小可。

忽聽一人沉聲說道：「王兄暫請住手，聽兄弟一言如何？」

王冠中回頭望去，看那說話之人，正是查家堡主查子清，說道：「查兄敢是要替他出頭嗎？」

查子清乾咳了兩聲，道：「這位拂花公子之名，不但王兄沒有聽過，就是兄弟生長冀北，緊臨關外，也未聽過拂花公子之名……」

他微微一頓之後，又道：「這等浮狂之人，死有餘辜，兄弟豈會替他出頭，不過王兄在動手之前，應該先問清楚他如何知道令師妹艷若天人？」

王冠中暗暗忖道：是啊！我師妹僻居南海，難得和生人見上一面，遨遊中原，不過是近數月的事，此人既是初到此地，何以會知我師妹秀麗之名？」

正欲出言相詢，那拂花公子已哈哈大笑，道：「本公子無所不知，無所不曉，這點……」

忽聽一聲冷笑，接道：「老叫化走遍一十三省，見過冷僻桀驁之人不少，卻從未見過厚臉

皮的人，今天算開了眼界啦！」

那白綾少年似是被宗濤這兩句傷到要害之言，說得難再忍受，突然暴喝一聲，揮扇直攻過來，摺扇劃起一陣尖嘯之風。

此人出手一擊，勢道凌厲絕倫，武功之高，不在場中幾位馳名江湖的高手之下。

宗濤縱身向旁側閃避三尺，讓開摺扇，揮拳反擊，雙拳連續劈擊了八招。

他自在玄武宮中和徐元平互相揣摩《達摩易筋經》中記載的武功真訣之後，不論拳掌內功，都有了驚人的進境，一望即知武功非凡，心中突然一動，想起一個人來，立時揮拳反擊，連攻八招，想以迅快無比的迫攻之勢，看那少年閃避的武功路數，是否就是自己心中想到之人。

但見對方身子一陣急轉，連連移動位置，竟然把宗濤一氣呵成的八招完全讓避開去，但因兩人打得和閃避得均極迅快，以致場外之人，無法看清楚兩人拳路身法。

易天行暗暗一皺眉頭，忖道：看來武林間幾個頂尖高手，都還未消去爭名之心，這老叫化的武功，不但沒有因年邁減退，而且還大有進境。據此類推，一宮、二谷、三大堡中人物，恐都要較昔年進步了。

忖思之間，那白綾少年已展開反擊，摺扇搖舞，撒出重重扇影。

全場中高手，似都未料到拂花公子武功如此之高，不禁爲之一呆。

宗濤一面揮拳還擊，一面暗暗忖道：這小子身法掌路似屬長白一派，但卻又有些不像，招術詭異，大是難擋，老叫化如不在玄武宮水牢之中，參悟甚多精奧武功，今日之戰，勢難佔得上風。

一念及此，心中對徐元平更是感激。

兩人扇來拳往，片刻間已動手相搏了四、五十招，仍然是一個不勝不敗之局。

全場中人，都不禁怦然動心，目光一齊投注那白衣少年身上，顯然這一干高手，都爲這白衣少年高強的武功，感覺到震驚。

那白衣少年臉上也有些神情微變，他是對宗濤能和他相搏如此之久一事，甚感訝然。但見兩人越打越快，爭搶先機。

原來兩人心中都明白遇上生平罕見的強敵，這一戰勝敗之分，關係甚大，誰也不敢有半點馬虎之心，鬥到酣處，忽聽那白綾少年叫道：「老叫化子果非浪得虛名之人，再試試我奪魂三扇如何？」

宗濤大聲笑道：「你有什麼看家壓箱底的本領，儘管拿出來吧！」口中雖是說得輕鬆，但心中卻是毫無輕視對方之心。

拳勢一變，左手一招金牌門絕招「斗轉星移」，右手卻劈出一掌達摩真經上的「西天雷音」。

這兩種拳勢，一個變化奇奧中挾著無比剛猛，一個卻是緩緩的掌勢，含蘊著潛力暗勁。

拂花公子來不及施展奪魂三扇，神丐宗濤的左拳已當頭罩下，迫得他只好先對敵勢，摺扇一轉，劃出一道扇光，封住了神丐宗濤一招「斗轉星移」，左手食中二指一併點了出去，反向宗濤左腕脈門上指襲。

要知高手過招，一發覺對方攻勢猛惡時，立時以制敵機先的方法，迫使敵人自行收回，讓他無法把威勢發揮出來。

拂花公子究非等閒人物，看出宗濤左掌緩緩劈來一招「西天雷音」，暗藏內勁，只怕掌勢之中，還蘊藏著極厲害的變化，突出一招「畫龍點睛」，奔襲宗濤右腕脈門，想以搶得三分先機的優勢，把宗濤這一擊迫得自行收回，使他無法發揮出來。

他想得雖是不錯，但這《達摩易筋經》上的絕學，變化是何等的奇妙！豈是他能夠預測。

宗濤眼看拂花公子點襲過來，立時微微一沉腕勢，右掌倏然收了回來。

就借那腕勢微微一沉之間，已把含蘊在掌勢內的暗勁發了出去。一股無聲無息的潛力，直逼過去。

拂花公子眼看宗濤的掌勢，被自己搶制先機的還攻，迫得中途收回，正等施展奪魂三扇，忽覺一股暗勁，襲上身來，不禁大駭，暗暗驚道：中原武功，果是不可輕視，百藝雜陳，無所不包。趕忙運集內功，抗拒那襲上身來的暗勁。

這一運功抗拒，頓感全身一震，不自主地向後退了三步。

場中群豪，都看得有些茫然，不知宗濤用的什麼武功，竟能在緩緩一擊之中，無聲無息地發出暗勁，把拂花公子震得向後退去。

拂花公子受此一擊，狂傲之心，消去不少，一面運氣調息，一面目注宗濤說道：「閣下武功，果非虛傳，如你能躲開本公子奪魂三扇，本公子立時率領手下，轉回關外，三年之內，再不涉足中原一步。」

宗濤縱聲笑道：「莫說奪魂三扇，就是九扇、十扇，老叫化也不放在心上。」

拂花公子摺扇一振直欺過來，人還未近宗濤，手中摺扇已開始掄動疾轉，逼近宗濤，已是人扇不分。

但見重重扇影，挾著絲絲尖風，分由四面八方環繞在宗濤身側。

忽聽那重重扇影中的白衣少年大喝一聲，千重扇影突然間合而爲一，直向宗濤前胸點到。

這一變化不但大出意外，而且絕猛的勁道集中到一點攻來，單是那勁銳之勢，就叫人難以抵擋。

宗濤吃了一驚，右拳疾變一招「冰河開凍」，拳勢斜斜擊出，橫向拂花公子右臂上面擊去。

耳際間響起了拂花公子冷笑之聲，那疾點而來的摺扇，突然一張，又化出重重扇影，斜削橫劈，變化難測。

宗濤吃了一驚，匆忙倒躍而退。

他應變雖是夠快，但仍是晚了一步，只見扇風拂袖而過，原已破爛的衣袖，立時又增加了兩道裂口。

宗濤低頭望了望被摺扇劃破的衣袖，臉色突然大變，默然不語，向後退了三步。

楊文堯忽然接口說道：「宗兄已經勝他在先，如以江湖間比武規矩，拂花公子早已落敗，至於生死相搏，那自是又當別論，一、兩招應變不及，乃武林常有之事。」

查子清接口說道：「楊兄說得不錯，須知各人擅負絕學，不相雷同，萬一對方之長，剛好

和自己短處相接，吃點小虧，在所難免。偶有失誤，自是算不得什麼丟人之事。」

宗濤微微一笑道：「兩位之言，並非沒有道理，但老叫化……」

易天行突然接口說道：「宗兄乃大豪大俠，一向恩怨分明，不容混淆。」

宗濤怔了一怔，道：「這個老叫化子擔當不起。」

要知易天行的聲望遠在二谷、三堡之上，當著群豪之面，這等對他讚揚，縱然別有用心，但在宗濤聽來，也不覺有一種飄飄然的感覺。

楊文堯突然乾咳了兩聲，說道：「易兄這幾句話，說得不覺太肉麻嗎？當今武林之世，有誰不知宗兄是唯一和你作對之人……」

他微微一頓之後，拂鬚接道：「只因你掩飾得法，一手遮盡天下英雄的耳目，連我們二谷、三堡中人也被你騙了過去，對你敬重無比……」

易天行哈哈大笑道：「怎麼？你們現在對我不敬重了？」

楊文堯微微一笑，道：「你自己不想想所作所爲，値得別人敬重你嗎？」

易天行從未平復過的笑容，突然斂失不見，冷冷地瞥了楊文堯一眼，道：「不敬重又能怎麼樣？」

楊文堯微微一笑，道：「這個嗎？那就很難說了，易兄在天下各大門派以及二谷、三堡中，全都埋伏下奸細，對天下武林道上的舉動，自是瞭如指掌。易兄卻又裝出一副悲天憫人的心腸，排紛解難，坐享英名……」

易天行冷笑一聲，接道：「楊文堯，你見過英雄怒嗎？」緩步直對楊文堯走了過去。

面對著神州一君滿臉殺機，楊文堯不自覺地微生寒意，江湖上沒有人知道易天行武功究竟有多高深，數十年來也沒有一個人和他作過生死之搏，這一位善譽滿天下的人物，武功和行蹤，也充滿著神秘。

江湖上盛傳，易天行臉上嘴角間，永遠掛著一份和藹的笑容。這笑容雖不是人人常見，但異口同聲的傳說，早已深入武林人心，永不發怒的微笑，成了易天行的一種標誌。

此刻，易天行突然收斂了數十年沒有平復過的笑容，更顯得殺機濃重，神威逼人。

楊文堯一面暗中運集功力戒備，一面回顧了左右的查子清和冷公霄一眼。

查子清、冷公霄是何等人物，如何看不出楊文堯早已心生了怯敵之意，那左右一眼相顧，已暗傳向兩人求援之意。

冷公霄、查子清潛意識中感覺到，神州一君易天行的武功似是高過他們，但平常又從未想到過這件事，如果有人要他們單獨和易天行相搏，事先兩人都將會毫不考慮地答應下來；但此時，兩人亦似被易天行那威嚴神情所攝，和楊文堯產生了一般的感覺，不知不覺中生出了怯敵之心。

但見易天行緩步行來，在三人身前四、五尺處停了下來，高聲說道：「楊文堯，你向前移動三步。」

這兩句話說得十分威嚴，每句每字中，都有著使人無法抗拒的力量，楊文堯不自覺地依言而行，向前走了三步。

但他究竟是久走江湖人物，身子剛剛站好，已經覺悟到事情做錯，雙手微微一召，查子清

和冷公霄立時跟了上去。三個人又成了並肩之勢，三人心意相同，如若易天行不顧一切的出手猛擊，三人合力接他一掌，亦可減少一分危險，在一試易天行實力後，再設法對付他。

只見易天行雙眉一揚，聲音十分低沉地說道：「楊文堯，我是要你一個人向前三步，聽到沒有？何苦牽連上別人呢？」

這等在眾目睽睽下的指名挑戰，別說以楊文堯在江湖的身分地位難以忍受，就是稍有些許名氣的武林人物，也是難以忍受。

但陰沉無比的楊文堯，面臨到生死關頭的時候，竟然把虛名凌辱，置之度外，略一沉思，說道：「易兄大可不必惱羞成怒，就是要動手，兄弟也要把話說完才能奉陪……」

忽見梅娘一頓手中竹杖，大聲說道：「諸位如果要動手相搏，天地這等遼闊，哪裡不好拚命，爲什麼單單要選在此地？」

本來易天行和楊文堯已成了劍拔弩張之局，易天行已擺出非打不可的姿勢，楊文堯雖然不願打，但已被逼到退無可退之境，但聽得梅娘一陣大喝之後，雙方面都爲之冷靜下來，想到此來之意，旨在那墓中的紫玉釵和戮情劍匣，哪一方不能忍受氣怒，哪一方就要先擋銳鋒。

眼下之局，南海門、易天行、楊文堯成一個三足鼎立之局，三方面的實力，似是都很強大，任何一方，也無法估計出另外兩方的實力。但易天行和楊文堯都有一個共同的見解。

那就是任何兩方先行動手，都將是一個玉石俱焚，兩敗俱傷之局。

是以兩人的用心，都希望挑起對方和南海門的正面衝突，先讓別人拚個死活出來，自己好坐收漁利。

楊文堯挑撥雙方相鬥的用心過切，以致行動太過激烈，弄巧成拙，竟然和易天行正面衝突起來。

梅娘如不接口，雙方在無法下台之下，最後勢非一拚不可。

但她這一陣大叫，使易天行甚少被人激起的怒火消了下去，暗暗忖道：今日之局，本來穩操勝算，想不到竟被拂花公子一擾，鬧成一個天下大亂之局。但此人所以肯爲自己助拳，就是爲那紫衣少女美色而來，想一想也無法責怪於他，以目下情形而論，局勢對己大是不利，不如暫先撤離此地，再俟機而動。

心念一轉，目注楊文堯道：「楊文堯，兄弟這一生中，從未對人發過脾氣，今日破例相對楊兄，衷心甚是不安。」

楊文堯接道：「哪裡，哪裡，兄弟講話多欠思考，以致得罪易兄。」

易天行淡淡一笑，道：「世間從沒有得罪過兄弟之人，楊兄可覺著得罪了兄弟嗎？」

楊文堯聽出口氣不對，但一時間卻又難測他用意何在，怔了一怔，道：「易兄這話是什麼意思？」

易天行微微一笑道：「當今之世，還沒得罪過兄弟的人？」突然轉過身去，揮手對那白綾少年說道：「常兄，咱們先走一步吧！」

當先轉身而去。

那白衣少年自和宗濤動手相搏了幾招之後，似是已覺出中原武學，果是不可輕侮，狂傲之態，減了不少，但他又似對那面垂黑紗的紫衣少女戀戀難捨，竟然呆在那裡，不肯離去。

忽聽一個清越甜脆的聲音，飄入了群豪耳際，道：「易天行，不要走，我有話問你。」

易天行因拂花公子的留戀不去，心中大感懊惱，但勢又不能強行迫他同行，如若離他而去，又減少了一個難得的有力幫手。

正感去也不是，不去也不是的爲難之際，突然聽得那紫衣少女呼叫之言，立時停了下來，朗朗說道：「姑娘有什麼話要對在下說嗎？」

紫衣少女嬌若銀鈴的聲音，重又透出那濃重的覆臉黑紗道：「你站得太遠了，走近些我有事問你。」

易天行爲難地皺了皺眉頭，依言走了過去，走過拂花公子身側之時，拂花公子竟然隨在他身後向前行去，易天行回頭瞪了他一眼，也未阻止於他。

這時楊文堯等不再出口干涉，冷眼旁觀著局勢發展。

易天行相距突起墳墓，尚有六、七尺時，自動停了下來，說道：「姑娘有什麼話，快些請說。」

紫衣少女突然輕輕歎息一聲，道：「你和我相約的事情，忘了嗎？」

易天行怔了一怔，心中忖道：這等機密大事，她竟當著這麼多人的面前說了出來，口中卻應道：「姑娘先自不守約言，如何反來相責於我。」

紫衣少女幽幽說道：「我這幾天心裡太亂了，無暇顧及咱們相約之事。」

易天行道：「那今天姑娘心中平靜了嗎？」

紫衣少女道：「平靜了，而且今生今世，永不再亂了。」

易天行若有所感地歎道：「姑娘才華絕世，爲人做事，都難以常情測度。」

紫衣少女道：「不要談這些了，咱們還是談談正經事吧！」

易天行心中怦然一跳，忖道：你這是什麼用心，當著這多武林人物之面，討論他們的辦法，那豈不是告訴別人，咱們殺他們的計謀，好讓別人早些防備。

只聽那紫衣少女繼續說道：「你心裡害怕嗎？爲什麼不講話？」

易天行心中大感氣憤，暗暗罵道：你這鬼丫頭，存心揭破隱秘，好讓天下英雄先行對我發難。他心中雖然氣憤，但神情間，仍然保持著平靜神情，笑道：「姑娘請說，在下洗耳恭聽！」

她臉上覆垂著重重的黑紗，無法看清楚她臉上神情，只見她垂面黑紗一陣顫動，說道：「咱們相約第一件事，是取出那孤獨之墓中的存寶，金蝶、玉蟬歸我，金銀翡翠歸你，如果再有其他之物，咱們打賭決定屬誰，對嗎？」

易天行道：「在下已經記不清楚了。」

濃重的黑紗中，飄傳出那紫衣少女嬌脆的笑聲，道：「咱們第二件相約之事，不知你記住沒有？要不要我再重述一遍？」

易天行道：「不必了，在下對第二樁相約之事，記得一字不錯。」

拂花公子突然插口接道：「易兄，你們第二樁相約的什麼事？本公子是否可以參與一聞？」

易天行道：「此事說來一言難盡，待會兒兄弟再講給常兄聽就是。」

紫衣少女忽然站了起來，姍姍蓮步，走近梅娘身側，說道：「易天行，那穿白衣的是什麼人？」

易天行還未接口，拂花公子已搶先接道：「本公子世居關東長白山中，家父名震白山黑水……」

紫衣少女接道：「好啦，別說了，你要把祖宗三代都背誦給我聽嗎？」

拂花公子呆了一呆，道：「那我要怎麼說？」

紫衣少女銀鈴般的笑聲，響蕩在遼闊的山野，聲音奇特，充滿輕俏和誘惑，群豪聽上一陣，都不禁怦然心動，拂花公子更是難以克制心中的激動，忘其所以地舉步直走過去。

易天行突然向前兩步，探手一把抓住了拂花公子的右臂，說道：「常兄你要到哪裡去？」

拂花公子道：「只聽她這勾魂動魄的笑聲，已使人如登仙界，如歸故鄉，難以抑制住滿懷思慕之情，姿容膚色，恐更是秀絕人寰，本公子如不看她一眼，豈不是終生大憾？」

易天行臉色微微一變，低聲說道：「常兄也是武林世家，令尊被稱關外一代武學宗師，這做人養氣的工夫，常兄就一點不懂嗎？」

這時，那紫衣少女笑聲已斂，群豪如解重縛，心神一暢。

拂花公子突然大步而行，直向那紫衣少女走了過去。

這次易天行沒有再阻止他。

王冠中大喝道：「站住」疾跨兩步，攔住了拂花公子的去路。

紫衣少女道：「大師兄，不要攔他。」

王冠中怔了一怔，道：「此人輕浮得很，如何能讓他走近師妹千金之軀。」

紫衣少女道：「不要緊，大師兄讓開路罷。」

王冠中猶豫了一陣，閃身讓到一側，神情之間，顯然對紫衣少女的任性甚感不滿，但卻又無可奈何。

拂花公子走到紫衣少女身前兩尺左右時，站在紫衣少女身側的梅娘，突然揮動手中竹杖，在地上劃了一道痕跡，沙土橫飛，瀰目難睜，阻止住了拂花公子前進之勢，說道：「站住，有什麼話可以說了。」

拂花公子流目四顧，只見那紫衣少女身側之人，個個蓄勢戒備，十幾道目光，全都投注在他的臉上，看樣子只要自己一有什麼輕薄舉動，四面八方立時將一齊出手。

只聽那紫衣少女媚聲說道：「你跑到我身旁，可是有話說嗎？」

她的一言一行，都充滿柔媚、深情，同樣的話，從她口中說出來，似是都和別人不同，悠美的聲音，加上她語詞間充滿的感情，頓使拂花公子忘其所以，一改狂傲之態，深深一揖，說道：「本公子不知是否有幸一睹姑娘玉容。」

覆面黑紗中，傳出了清脆的笑聲，道：「只爲了要看看我嗎？」

拂花公子道：「除了想一睹姑娘玉容之外，還有一件事想請教姑娘。」

紫衣少女道：「我可以先問你嗎？」

拂花公子略一沉吟，道：「好吧！姑娘請先問就是。」

紫衣少女道：「你和易天行結伴來此，除了他告訴你看我的容色之外，不知還有什麼事情？」

拂花公子毫不思索地答道：「除了一睹姑娘玉容之外，幫助易天行奪取姑娘的戮情劍匣和紫玉釵。」

他這般坦坦白白地說出來，使神州一君易天行大感尷尬，他雖是久經風浪之人，遇事鎮靜無比，也不覺臉上一紅，輕輕地咳了一聲，道：「只怕今日來此之人，都非無因……」

紫衣少女嬌聲笑道：「不用解釋了，他縱然不說，難道我還想不到嗎？」

易天行道：「姑娘先破壞咱們相約之言，自是不能怪在下言而無信。」

拂花公子突然向前欺進一步，接道：「姑娘問完了嗎？」

紫衣少女道：「問完了。」

拂花公子道：「在下來此，首要之意，是一睹姑娘玉容……」

紫衣少女笑道：「此地眾目睽睽，我縱然有心讓你瞧瞧，但也沒有這樣厚的臉皮！」

拂花公子道：「如此姑娘之意見？」

紫衣少女道：「今夜三更，你到對面峰頂之上相見，咱們對月清談，那才夠旖旎風情，此刻去我面紗，見者非你一人，豈不大煞風景？」

這幾句話，說得情意款款，而且聲音嬌柔，如聞笙簧。

拂花公子頓覺那柔媚的聲音，挑得心神蕩漾，回頭掃視群豪一眼，說道：「在下先行告別，姑娘言而有信，想不致有負今夜三更之約。」轉過身子，大步而行。

那黃衣大漢緊隨在拂花公子身後行去。

梅娘目注拂花公子背影消失不見，搖搖滿頭白髮，低聲對那紫衣少女說道：「孩子，你在玩的什麼花樣？連我這雙老眼，也被你攪花了。」

紫衣少女緩緩把身軀靠在梅娘身上，附在她耳旁，說道：「梅娘，我被騙了。」

梅娘怔了一怔道：「誰騙了你？」

紫衣少女道：「不要說啦！說也沒有用了，就算他真的沒有死，反正我這樣也不願再見他了。」

那紫衣少女說話聲音雖低，但場中人都是武林中一流高手，耳目機敏無比，而且個個又都存了偷聽之心，是以那紫衣少女倚在梅娘肩上之後，大都把耳朵伸了過來，想聽到一些隱秘。

王冠中冷哼一聲，雙掌揮動，潛力應手而出，勁風激盪，把紫衣少女原已低微的音波，行散開去，群豪竟然都未聽得那紫衣少女說的什麼。

梅娘若有所悟地啊了一聲，道：「孩子，咱們早些回南海吧！你爹爹無所不能，或能使你恢復……」

紫衣少女突然一挺嬌軀，離開梅娘懷抱，接道：「我不要回去，你回去吧！」

梅娘碰了一個釘子，黯然歎道：「任性的孩子，你當真要把我折磨死嗎？」

紫衣少女不再理會梅娘，大步向易天行走了過去。

王冠中身子一橫，攔住去路，低聲說道：「師妹有什麼話，站在此地說也是一樣……」

紫衣少女黯然歎息一聲，道：「你還要管我的事嗎？難道你害得我還不夠，快些閃開去吧！」

王冠中怔了一怔，依言閃到一側，臉上滿現憂愧之色。

紫衣少女走近易天行身前，停了下來，探手入懷摸出戮情劍匣，和一本薄冊子，說道：「這冊子上面，記載有入孤獨之墓的方法，只要你按照我冊子上記載的方法，可保暢行無阻。」

易天行怔了一怔，終於伸手接了過來，看也不看一眼，就放入懷中。

紫衣少女道：「這樣你就可以放心了吧！」

易天行臉色十分難看，但神情仍然十分鎮靜，勉強一笑，道：「姑娘盛情，在下感激不盡！」

紫衣少女突然提高了聲音，道：「我們南海門的紫玉釵，就放在這座新塚之中，誰要想取，儘管請便吧。」

楊文堯、冷公霄、丁炎山、查子清等人的目光，一齊投在易天行的身上，臉色十分凝重，似是正在想著一件十分重要的事。

群豪雖然無法看到那冊子中記的什麼，但那戮情劍匣，卻是貨真價實之物，一目瞭然，毫無半點虛假，僅此一物，已足引起群豪相爭之心了。

易天行一掃四周群豪神情，心中暗暗忖道：這鬼丫頭已把所有的隱秘，大都抖了出來。此時我如再加否認，徒然招致譏笑。

心念一動，說道：「姑娘既然願回復舊約，在下自是歡迎萬分，不知咱們幾時再見。」

紫衣少女道：「怎麼？你要走嗎？」

易天行道：「在下想先告辭一步。」

紫衣少女道：「你不怕別人出手搶你的戮情劍匣？」

易天行拂髯大笑，道：「在下一生，甚少和武林同道相爭，但並非懼怕於人，放眼當今武林，能使在下心生敬畏的，實難找出幾人……」

這幾句話說得狂傲自大，一反平時為人的謙和。

紫衣少女見目的既達，揮手笑道：「要不要我派人護送於你？」

易天行道：「不必了。」轉過身子，大步而去。

楊文堯轉過臉去，低聲和查子清耳語幾句，高聲說道：「易兄，慢行一步，咱們結個伴如何？」

易天行停下腳步，回頭笑道：「楊兄一人，不覺著人單勢孤嗎？請他們一齊來吧！」

楊文堯知他出言譏笑自己，不敢單人和他同行，但他心地陰沉，聽懂裝作不懂，呵呵大笑兩聲道：「兄弟恭敬不如從命……」

回頭對查子清說道：「查兄、冷兄、丁兄，咱們一起吧！」

查子清、冷公霄齊聲說道：「楊兄相邀，兄弟敢不應命。」果然一齊舉步，追了上去。

這幾人一走，場中餘下之人，似是也都動了追去之心，交頭接耳地說了一陣，紛紛欲去。

紫衣少女突然高聲說道：「怎麼，你們也要走麼？」

宗濤溜目望去，見場中之人，大都是綠林道上人物，其中雖不乏武功高強、聲名甚著之人，但如比起楊文堯、冷公霄等一流高手，相差就遠了。

其中有一個身軀高大的漢子，聽得那紫衣少女喝問之言，轉臉應道：「怎麼？我們不能走嗎？」

紫衣少女嬌笑之聲，傳出那覆面黑紗，說道：「你說得一點不錯，你們不能走了……」突然舉手一揮道：「給我圍起來。」

遠站在數丈外的黑衣武士，立時應命而來，迅快無比地散佈成一個圓周，把餘下群豪一齊圍住。

神丐宗濤一皺眉頭，暗暗忖道：這女娃兒只怕另有用心，今日之局，恐怕要得費上一番手腳，說不定要鬧個傷亡遍地。

只聽紫衣少女高聲說道：「大師兄請數數他們一共有幾個人？」

王冠中也不知她在幹什麼，但卻依言數了人數，說道：「總共二十四個。」

紫衣少女道：「那老叫化算了沒有？」

王冠中道：「一併在內。」

紫衣少女道：「宗濤你站出來！」

神丐宗濤猶豫了一下，大步走出了包圍圈，說道：「老叫化出來，有什麼事？」

紫衣少女道：「你瞧瞧這些人，你認識幾個，哪幾個武功最好？」她微微一頓，又道：「不論他素行如何，是好是壞，我只要武功最高的人。」

宗濤緩緩掃視了群豪一遍，道：「姑娘要幹什麼？」

紫衣少女道：「這個你不用問，只替我找一十二個武功最好之人就是，如若你無法分辨，

那就找出幾個算幾個。」

宗濤道：「姑娘不肯說出用心，老叫化恕難應命。」

紫衣少女突然格格大笑了一陣道：「你不肯選出，難道我沒有辦法嗎？今天給你見識一點南海門的絕學。」

宗濤道：「姑娘可是要把這一千武林同道，全數殲滅於此……」

紫衣少女道：「動手殺人，何足爲奇？如何當得南海門中絕學？」

宗濤口雖不言，心中卻暗暗想道：這個老叫化倒是要瞧瞧了。

但見那紫衣少女伸出雪白的玉腕，從梅娘手中取過竹杖就地畫將起來，片刻之間，畫成了兩丈見方一幅十分美麗的圖案。

在場群豪大都聽說過昔年衡山南海奇叟大會中原武學一事，聽說她要施展南海門絕學，無不凝神靜聽，見她隨手在地上劃了一幅圖案，都有些不明所以，無不圓睜雙目，望著那紫衣少女。

只聽那紫衣少女嬌聲說道：「老叫化子，在這般人中，大概以你的武功最高了，你先過來瞧瞧這幅圖案吧！」

宗濤早已暗中留心查看，也看不出個所以然來，聽那紫衣少女喝叫之言，大笑應道：「老叫化素仰南海門的武功，倒是得見識見識。」

大步走了過來，站在相距那圖案三、四尺處，凝神望去。

紫衣少女道：「你的方位不對，只怕難以瞧出個所以然來。」

宗濤冷哼一聲，道：「瞧一個圖案，還得有一定的方位不成？」

紫衣少女道：「不錯，你如不信站在南邊方位看看。」

宗濤心中雖然不願，但仍依言走了過去。

紫衣少女緩緩移動嬌軀，揮手中，隨手劃了一個圓圈，接道：「你站在那圓圈中瞧吧！」

宗濤臉色微微一變道：「老叫化生平之中，還是第一次這等受人擺佈……」口中雖是這般說法，卻依言走入了那圓圈之中。

凝目望去，登時被那圖案吸引，全神貫注那圖案之上。

其他之人眼看以宗濤的武功，在一瞧那圖案之後，竟然神情一呆，心中大感奇怪，都不自覺地移動腳步，向那圖案旁走去。

紫衣少女揮動手中竹杖，繞著那圖案周圍一連劃了十幾個圈子，高聲說道：「憑你們那點智慧本領，決無法隨便看出圖案中的奧妙，想看就站在圈子中看吧！」

群豪原本都不相信，這圖案上還會有什麼奇異事物。

但以宗濤的聲譽地位，都爲那圖案吸引，每個人的好奇之心，早已難再控制，聽得那紫衣少女一說，立時紛紛奔入那圈子之中。

凝目望去，只見圖案正中寫著「南海奇技，彈指打穴，神意集中，受益無窮」一十六個拳頭大小的字。

這十六個字，形如一朵蓮花，角度取的不對時，根本就沒法辨識；但是眾豪進入那圈子之後，如角度取對，立時一目瞭然。

不知她如何劃成了這樣一幅圖案，群豪目光一瞥十六字後，同時緩緩向下移動目光，只見一個斗大的手掌，五指半伸半屈，旁邊四個小字，寫道：「蓄勁指尖」。

再向下看，一條手臂上，一道突起的筋脈，旁邊也寫著五個小字：「氣走太陽經」。

群豪都不自覺地依照練習起來，一運氣，逼入太陽經中，果然內力暗勁，齊齊湧入指尖。

目光下移，是一個緩緩握住的拳頭，旁邊寫著：「緩緩握指」四字。

群豪已被那武功所迷，都不自覺地依照圖上所示，緩緩一握拳頭。

再向下面看去，只見緩緩握住的拳頭，伸出了食中二指，中指壓食指背上，旁邊寫道：「提聚丹田真氣，閉住呼吸，勁移食中二指。」

群豪已被那武功吸引，個個依照所寫，閉住了呼吸，暗提丹田真氣。

再向下看，只有「緊閉呼吸」四字，再下面是一個梅花圖案，旁邊寫道：「默數花瓣」。

群豪雖然覺著數花瓣無甚用處，但由於上面記載的武功，步步真實，心神已不自覺地依照所示，數起花瓣。

那花瓣畫得交叉錯綜，看起來雖然簡單，但一數起來卻甚麻煩，待把花瓣數完，都已經憋得滿腔悶氣，急於一暢。

但數完花瓣，下面卻寫著：「不能呼氣，否則前功盡棄。」

練武之人，原來要較平常之人，閉氣時間較久，一看那行字跡，只好勉強忍住呼吸，向下看去，只見寫道：「緩緩把左臂向左伸去」。

群豪又依照所囑，左臂一齊緩緩伸出。

再往下看，只見一幅圖畫，食中二指已然彈出，旁邊寫道：「勁力已聚，向左彈出」。

這時，群豪都已被胸中悶氣憋得有些頭暈腦脹，心神又爲一路下來的武功竅訣控制，忘了身側有人，依照所示，食中二指突然彈了出去。

那紫衣少女畫的圓圈部位、距離，早已算好，群豪左臂一伸，剛好可及身側之人，這一彈出，都是全力而發，但聞一陣撲撲通通之聲，三十四人中，倒了三十二個，只有宗濤和那站在最後一人，沒有倒下。

宗濤看那圖案，正自入神，直待最末一人倒摔的身軀，撞到他的身上，他才霍然警覺。轉頭望去，只見在場群豪，倒摔了一地，他被圖案吸引，全神貫注，根本就不知道發生了什麼事故，見此情形，不禁一呆。

和他相隔數尺，站著一個身軀修偉的中年大漢，和他一般地呆呆望著那倒摔在地上之人。耳際間傳來了那紫衣少女的嬌笑之聲，道：「老叫化，南海門武功如何？」

宗濤輕聲一歎，道：「姑娘一代絕才，老叫化十分敬服。」

紫衣少女緩步走了過來，說道：「中原武林道上，你算得一個好人，我不留難於你，快些走吧！」

宗濤目注那倒摔在地上之人，說道：「不知姑娘如何處理這些傷倒之人？」

紫衣少女道：「你獨善其身，難道還不夠嗎？」她微一停頓，又道：「這些人個個未存好心，都是爲覬覦我們南海門奇書以及紫玉釵而來，我要對他們薄施懲戒，罰他們守這孤墳三月。」回過頭去，望著那精壯大漢，接道：「罰你們守這孤墳三月，你心中服是不服？」

那大漢似已爲紫衣少女驚人的才華所懾，囁嚅說道：「這個……這個……」

紫衣少女冷笑一聲，道：「什麼這個那個，現在有兩條路，任你選擇其一，你運氣好站在最先一個圈子之中，就算是這般人中首領。如有不聽從命諭之人，儘管處死。現在你說一句話，就算代表他們三十二人。」

那大漢道：「不知哪兩條路？」

紫衣少女道：「第一條路，我立時下令，把你們三十三人亂劍分屍，這辦法雖然殘忍一些，但卻乾脆得很。」

那大漢道：「這第二條路呢？」

紫衣少女道：「第二條路我用天蠶絲索，把你們三十三人，連環扣起，繞著這孤墳一周，因這孤墓之中，藏有我們南海門的紫玉釵，定然有不少人覬覦上此物。你們守護這孤墓周圍，不許任何人近此孤墓，三月之後，我自會解去天蠶絲索，放走你們。」

那大漢微微一笑，道：「這個，大概不會有人反對，眼下這數十條人命，盡握在姑娘手中……」

紫衣少女突然截住了那大漢之言，說道：「你不要妄動歪念，到時可後悔無及！」回頭對梅娘說道：「把身上的天蠶絲索，借我用上三個月吧！」

梅娘略一猶豫，探手入懷，取出一個錦袋，送交那紫衣少女手中。

宗濤和身軀修偉的大漢，四道眼神一齊投在紫衣少女的身上，只見她緩緩打開錦袋，取出一盤雪白的索繩，玉腕揮動，結成活結。

她手法奇快，宗濤目光眨也沒有眨動一下，竟然還未看清她如何挽成了結扣：但見纖纖十指，揮動不停，片刻之間，已打成三十三個活結，回頭對駝、矮二叟說道：「你們兩個把這活扣套在這幾人頸上。」

駝、矮二叟依言走了過來，把那活扣分別套在三十二人頸上。

紫衣少女高聲說道：「你們兩人分拉兩側，各用出一百斤的力量。」

宗濤急道：「姑娘不可，這麼一來，豈不要把這三十二人活活勒死。」

紫衣少女道：「你儘管放心，我打活結之時早算好了承受的力量，八十斤以上，一百五十斤以下，剛好把第一道活結收死，這些活扣緊套頸項之間，都將成爲一個繩枷了。因爲套這頸上，他們縱有縮骨法的本領，也無法把那索繩取下；但如用出二百斤以上力量，那索繩就開始收縮了。」

宗濤輕輕一歎道：「生死大事，不是兒戲，姑娘千萬不能……」

紫衣少女道：「不要緊，死了我替他們償命。」

駝、矮二叟依言施行，拉著兩側繩索，各用一百斤左右的力道一扯，但聞幾聲輕輕波波之聲，套在三十二人頸上的繩索，突然收縮數寸，緊緊地扣在頸上。

紫衣少女回頭對那大漢笑道：「這最後一道活扣，你自己套在頸上吧！」

那大漢猶豫了一下，伸手接了過來，套在頸上，不用駝、矮二叟動手，自己把第一道活扣拉死。

紫衣少女嬌笑道：「你倒是一位很識時務的人，這天蠶絲索，也是我們南海門中一寶，別

看它只有線香粗細，但堅牢的程度，非天下任何寶刀寶劍所能斬斷，環扣了你們三十三人，但用去的長度還不及索繩全長的一半，這餘下的索繩，就帶在你的身上吧！」

話至此處倏然而住，回頭對王冠中和那紅衣獨腿大漢，道：「有勞兩位師兄，解了他們的穴道吧！」

兩人縱身而起，飛躍過來，一個手拍，一個腳踢，片刻之間，三十二人一齊醒了過來，一看頸邊套了條索繩，本能舉手拉住。

宗濤心地仁慈，怕他們拉鬆了第二道活扣，急急大聲喝道：「住手！」

這喝聲如雷貫耳，群豪全部聽得怔了一怔，停下了手。

紫衣少女高聲接道：「諸位頸上繩枷，乃天蠶絲索，堅牢無比，刀劍難斷，如若有人不信，不妨先行一試。」

群豪中果然有不少人從身上拔出兵刃，向那索繩上面斬去。

要知武林人物，所用兵刃，大都是百煉精鋼製成的鋒利兵刃，別說索繩之類，就是碗口粗細的樹木，也一揮而斷，但那燒香粗細的天蠶絲索，在十幾把鋒刃利劍連連斬劈之下，竟然毫無損傷。

紫衣少女等所有之人全部停下手後，才高聲說道：「諸位頸上之結，只能承受百斤的力量，如若超過此數，那活結立時開始收縮，不論你有何等精深的武功，也要被活活勒死……」

她微微一頓之後，又道：「我打這結扣，敢說天下沒有第三人能夠解開，如果妄想自解活扣，脫去此扼，那可是自尋死路，只要結扣上兩個小結，被人拉開，那索繩上即再無承受力

量，只要那索繩稍一收動，結扣立時將隨之縮小，決難逃死亡之劫。我這話，字字句句，都是真實之言，誰要不信，誰就不妨試試。」

群豪大都已知她的所能，剛才又有試斬天蠶絲索之事，這幾句話，大都信了七成。

只見那紫衣少女覆面黑紗緩緩移動，環掃了一周之後接道：「目下你們三十三人已然是生死同命，只要索繩被別人抓住，用出二百斤以上的勁道一扯，立時將有數人被活活勒死，一人死去，全體受累，在行動、拒敵之間，就難以靈活運用了，所以，你們必需同心合力，相互救應，縱然是有過節之人，也應該暫拋成見，同舟共濟。」

只聽她歎息一聲，又道：「眼下有一件事，要相托諸位，就是勞請諸位替我守這孤墓三月，因墓中存放著我們南海門的紫玉釵，定然有甚多武林高手，企圖盜取，諸位合力拒敵，對自身的功力，也有甚大幫助，想來你們已把那彈指打穴的絕技竅訣，都已熟記胸中，單是這一招武功，足以克制強敵，如果諸位能夠彼此協調，同時彈出，縱是當今武林中第一流高手，也難擅越雷池一步……」

她微微一歎，又道：「還有一件事，我要說明白，就是諸位之中萬一有人受了重傷，或是死去，必須早把他的屍體斬碎，免得他拖累你們全體……」

一個粗豪的聲音，打斷了紫衣少女的聲音：「姑娘，但我們這一生算是毀了，被人用繩枷鎖起，守墓三月，那墓中埋葬的又是默默無名之人，單是這一樁事，就叫人沒法子再在江湖上立足、走動！」

紫衣少女銀鈴般的笑聲，響盈在耳際，道：「這麼說來，聲譽身分，當真比生命還重了！

諸位既然這等相惜聲譽，那只有死亡一途可行了……」

群豪心頭一震，都不自主地把目光投注那剛才說話之人的身上，似都怪他多言。

紫衣少女又是一聲幽幽的歎息，道：「我決不勉強你們，守墓和死亡，任你們選擇一樣……」

話至此處，似是給群豪一個考慮選擇的機會，停頓了良久，才說道：「如果不願守墓的，我也不敢相強，那就請站起來吧！」

無人知道站起來以後，是怎樣的一個後果，但卻都預感到是一個十分可怕的後果。

只有那剛才說話之人，左顧右盼了一陣，緩緩站起了身子。

場中所有之人的目光，都投注到那站起大漢的身上，每人的臉色都異常嚴肅，但誰都無法預料到他會有什麼樣的遭遇。

那紫衣少女緩步直對站起身子的大漢走了過去，停在他身前，柔聲說道：「你當真不怕死嗎？」

在那紫衣少女移動身軀時，滿頭白髮的梅娘，一直緊隨在她的身後，她臉上黯然憂傷的神情，顯然對紫衣少女的舉動，十分不滿，但她已不再出言勸阻。

那站起身子的大漢，臉色一片青白，死亡的恐懼，已流現於神情之間。

只聽他長長歎一口氣道：「動手互搏，強存弱亡，算不得什麼大事，但眼下我束手就戮，毫無反擊之能，自是死難瞑目。」

武林中人，把名氣看得太重，他神色間雖已流現了死亡的恐怖，但口中卻是不肯示弱。

紫衣少女嬌聲大笑道：「你可有妻子兒女？」

此言問得太是突然，全場中人，無不爲之一呆。

那大漢道：「有又怎樣？」

紫衣少女道：「你如有妻子兒女，我就放你回去。」

那大漢奇道：「這話當真嗎？」

紫衣少女道：「我幾時說過謊言……不過……」

那大漢道：「不過什麼？」

紫衣少女道：「你先答覆我有沒有妻子兒女再說。」

那大漢略一沉思道：「有！」

紫衣少女道：「你女兒今年幾歲了？」

那大漢猶豫了一下，道：「我女兒嗎？今年一十三歲了。」

紫衣少女突然舉起右手，在他頸上結的索結上一陣拂動，低聲說道：「你用力扯開兩面索繩，拉開繩結去吧！」

那大漢只道她存心相戲，突然大聲喝道：「反正我是死定了！」舉手一掌當頭劈下。

只聽一聲冷笑，紫衣少女身後的梅娘，迅快絕倫地伸出右手，迎著那大漢掌勢一拂，立時響起一聲大叫，但見那大漢身軀搖了兩搖，一屁股坐了下去。

紫衣少女回頭對梅娘說道：「拉開他頸上活結。」

梅娘望了那紫衣少女一眼，欲言又止，但卻依言拉著那大漢頸間索結一扯，果然應手而開。

紫衣少女不容梅娘開口，又搶先說道：「梅娘，推活他被你震傷的脈穴，放他去吧！」

梅娘對她忽而殘酷，忽而仁慈的舉動，似是大感困惑，但卻不忍忤逆於她，滿臉迷惘地歎息一聲道：「孩子，當真要推活他的穴道？」

紫衣少女幽幽說道：「梅娘，求你不要多問我，照著我的話去做吧！」

梅娘怔了一怔，舉手推活那人的穴道。

那大漢挺身而起，悍然望著那紫衣少女說道：「姑娘當真要放我走嗎？」

紫衣少女玉手一揮，道：「你現在就可以走了。」

那大漢突然深深一揖，說道：「今日之情，在下當永銘肺腑之中，日後如有需用在下之處，定當粉身碎骨以報。」

紫衣少女道：「你快些走．別再多囉嗦了。」

那大漢垂下頭來，思索了一陣，緩緩抬起頭來，目光由群豪臉上掃過，突然一挺身子，說道：「請姑娘再把那天蠶索繩套在我的頸項上吧！我不走了。」

紫衣少女道：「這是你自己之意，可不能再怪我了！」

那大漢道：「自然是不能再怪姑娘。」

紫衣少女伸手撿起天蠶索繩，套在他頸間，雙手在他項頸之間，一陣拂動，又把那索繩結好，笑道：「我知道你會自己留下。」

宗濤忽然想起徐元平還在那山頂樹上藏著，立時對那紫衣少女一揮手，道：「老叫化子告

辭了。」

紫衣少女對宗濤似是十分客氣，微一欠身，說道：「不送，不送。」

宗濤轉過身子，大步而去，一口氣奔到那山頂大樹下面。

耳際間響起了一陣枝葉簌簌的響聲，徐元平電射而下，落在山峰背面，舉手一招，說道：

「老前輩，咱們這邊談吧！」

二六　生死關頭

宗濤走了過去，微微一歎，道：「老叫化走了一生江湖，心中還未佩服過什麼人，如今古稀，行將就木之時，卻爲兩個年輕的孩子心折。」

徐元平奇道：「什麼人能使老前輩這等信服？」

宗濤突然放聲大笑，道：「你是當真不知呢？還是明知故問？」

徐元平道：「自然是當真不知。」

宗濤笑道：「這兩人現在左近之處。」

徐元平不自覺地轉眼四處張望一下，若有所悟地啊了一聲，道：「可是那南海門下紫衣少女嗎？」

宗濤道：「紫衣女娃兒天分之高，乃老叫化生平所見中第一奇人，當真是胸羅玄機，才絕人寰，每一舉動，都非人能夠料到，唉！老叫化對她不能不服。」

徐元平笑道：「她不但聰明，就是那張嘴巴，也夠厲害，能說會道，詞鋒逼人。」

宗濤突然把目光凝注在徐元平的臉上說道：「還有使老叫化心中佩服的一個年輕娃兒，你可知他是哪個？」

徐元平略一沉思，道：「老前輩可是說那上官堡主的女公子？」

宗濤搖頭笑道：「上宮姑娘武功成就雖高，但她已將達極限，而且在良師陶冶之下，循序漸進，雖有大成，乃勢所必然。」

徐元平靦腆一笑，道：「老前輩可是說的晚輩嗎？」

宗濤哈哈大笑道：「不錯，對你的武功進境，我一直感覺奇怪，日新月異，大背一般習武常規……」

他輕輕歎息一聲，道：「咱們在那玄武宮水牢之中，你告訴老叫化甚多口訣，無一不是修習上乘武功的要訣，武林中夢寐以求的東西……」

徐元平微微一笑，道：「晚輩胸中，尙熟記甚多，老前輩如有興致，晚輩甚願盡相傳告……」

宗濤急急接道：「夠了，夠了，玄武宮水牢中所得之學，老叫化這一生已受用不了……」

他仰臉望著無際碧空，默然良久，接道：「有一件事老叫化一直想不明白。」

徐元平奇道：「什麼事？」

宗濤道：「你熟記著甚多武林中極上乘的武功真訣，招術精奇那是當然之事；但你雄渾的內力，卻使老叫化百思不解。這等內家真力，不論天資何等聰慧之人，也難打破時間的限制。但你目下年齡成就卻超越這太多，而且還似正在增進之中，這實使人難以想出一點道理。」

徐元平微微一皺眉，道：「老前輩見多識廣，晚輩實有特殊的際遇，不過，不過……」

宗濤道：「不用說啦！既爲特殊際遇，自是不便告人，老叫化知道你內力的雄渾不是自行練成，已經夠了。」

徐元平道：「老前輩雅量容人，晚輩感激不盡。」

宗濤淡然一笑，道：「老叫化行蹤江湖數十年，足跡遍及大江南北，一直甚爲自負，一宮、二谷、三堡中人，也未放在老叫化的眼中，想不到短短月來見聞，使我自傲一生的心情大變……」

徐元平歎道：「際遇不同，成就自是各異。晚輩得一位老前輩恩寵，才有今日；但那位老前輩卻已歸化登天，使晚輩今生今世，也無法相報他一番恩情了。」想到慧空大師傳授真經，賜納真元之恩，不禁一陣感傷，泫然欲泣。

神丐宗濤輕輕歎息一聲，道：「易天行和你有什麼仇恨？」

徐元平憤然說道：「殺父凌母，不共戴天，誅師滅弟，仇深如海。」

宗濤略一沉思，道：「你雖然身懷絕世奇技，但恐還未到手刃易天行的功力，此人不但武功高強，而且狡猾絕倫，明結善緣，暗樹黨羽：他手下究竟有多少黨羽，只怕舉世間沒有人能知底蘊……」

他仰天長長吁一口氣，道：「世人只知他武功高強，但卻沒有人知道他武功高強到何種程度，據我所知，當今武林之世，除了老叫化之外，還沒有人和他動過手，老叫化和他相搏三招，已經自知不敵……」

徐元平接道：「這麼說來，易天行的武功，當真是高不可測了！」

宗濤道：「如若假以時日，十年後你勝他當無疑問。」

徐元平道：「晚輩心急親仇，終日如坐針氈，十年時光，我如何能夠等待？」

宗濤忽的駭然一笑，道：「老叫化老了，這一生中只怕已永無勝得易天行之日，如若你天分過人，這時日或能減少一些。」

徐元平滿臉痛苦，望了宗濤一眼，默然垂下頭去。

宗濤歎道：「不過眼下易天行的偽善面目，已被揭穿，天下正邪各派，都已成了他的對頭，對你復仇一事，倒是大有幫助……」

徐元平道：「我要生擒老賊，致祭於家父、恩師，一盡人子之心。」

宗濤呆了一呆，道：「死拿或許有望，生擒決難辦到，縱然你武功能夠勝他，智計卻要輸他三分，此人造孽無數，手段殘酷，難道還不會想到被人生擒的慘狀？」

徐元平忽然流下淚水來，接道：「老前輩這等說法，晚輩今生之中，永無報仇之望了？」

宗濤一皺眉頭，道：「別哭了，老叫化一見眼淚，就沒有主意了。」

徐元平舉起衣袖拂拭一下臉上淚痕，抬頭一聲長嘯，登時豪氣飛揚，神采奕奕，大笑道：「大丈夫淚貴如金，豈肯畏難彈淚，易天行縱然是鐵打金剛，銅澆羅漢，我也要把他粉身碎骨，致祭於家父、恩師靈前。」

神丐宗濤哈哈大笑，道：「好啊！就憑這一股豪壯之氣，已足先奪易天行三分鬥志。」

大笑聲中回目一瞥，忽然見丈餘外處，站著身軀修偉，一身錦袍的王冠中，他身後並肩站著四個黑衣武士。

兩人正談到了興頭之上，竟然不知王冠中何時到了身側。

宗濤目光一掃王冠中，停下了大笑之聲，說道：「你可是找老叫化來的嗎？」
王冠中道：「不錯，有一事特來相求。」
宗濤道：「不敢當，什麼話，請說就是。」
王冠中道：「兩位如若沒什麼重要之事，可否請早些離開此地。」
宗濤道：「你可是要趕老叫化嗎？」
王冠中道：「兄弟是好言相求。」
宗濤道：「好！我們就走。」
王冠中又說道：「不情之求，不如徐兄是否能夠答應?兄弟另有一個……」
徐元平怔了一怔，道：「這個，得先請你說出來，讓在下斟酌斟酌，才能答覆。」
王冠中道：「此事說易不易，說難不難，全要徐兄的豪情雅量了。」
徐元平被人高帽子一扣，登時有些茫然無措，皺眉抓耳，答不出話。
宗濤冷笑一聲，道：「王兄今必多費心機，什麼話還是明說出來得好。」
王冠中道；「兄弟想請這位徐兄今日之後，不要再和在下師妹見面……」
他似是自知此言有些不大合理，長長歎息一聲，又道：「兄弟實有難言苦衷，不便明言相告，好在此事對徐兄也沒有損傷，如蒙見允，兄弟感謝盛情……」
徐元平微微一笑，接道：「我道是什麼爲難之事，原來如此，在下從今之後，決不……」
神丐宗濤大聲喝道：「且慢答應。」
徐元平呆了一呆，道：「怎麼？」

宗濤道：「王兄別怪老叫化多嘴，這件事說來簡單，只怕……」

王冠中怒道：「關你什麼事，哪個要你多嘴？」

宗濤冷笑一聲，道：「老叫化生平之中，最愛管人閒事，中原武林道上，有誰不知？……」

王冠中雙目神光閃動，瞪了宗濤兩眼，忽然消去滿臉愁容，歎道：「中原武林道上，你倒是一個值得可敬之人。」

宗濤仰天大笑道：「好說好說，老叫化受寵若驚了。」

王冠中沉聲說道：「在下師妹實有難再和徐兄相見的苦衷，兩位如若不肯答應，兄弟，兄弟……」下面之言，似是甚難出口，兄弟了半天，仍是兄弟不出個所以然來。

徐元平接口說道：「大駕既然不肯說出原因何在，在下也不便冒昧答應，山河遼闊，天涯路長，只要彼此不存心相尋，偶然碰面談何容易，在下還有要事待理，就此別了。」拱手一禮，轉身大步而去。

宗濤輕聲一歎道：「王兄請再想上一想，此策是否可行？老叫化言盡於此，日後咱們還有見面之機，此事未必急於一時而決。」

也不待王冠中回答，轉身一躍，人已到二丈開外，和徐元平聯袂疾奔而去。

王冠中望著兩人急急奔去的背影，悵然若失，直待兩背影消失不見，才黯然一歎，垂頭喪氣地向來路走去。

且說徐元平和宗濤奔出去四、五里路，回頭瞧不見王冠中，才放聲大笑道：「此地乃是非之地，咱們早些走吧！」

宗濤道：「不錯，金老二和那大鬼丫頭在孤獨之墓中，已等得不耐煩了……」

他微微一頓之後，急道：「易天行已收回戮情劍匣，此人做事，一向兼顧全盤，只怕早已趕到孤獨之墓去了，咱們如再晚去一陣，只怕兩人還有性命之險。」

徐元平想到金老二受毒之後，費盡手腳，千辛萬苦，才把他救了回來，易天行已對他恨如芒刺，再見面勢非立下毒手不可。

一念及此，心焦如焚，一提真氣，施展開上乘輕功，急急向前奔去。

兩人有如競賽腳程一般，奔行之勢，愈來愈快。

月前兩人初度相遇競走，徐元平的腳程還略差宗濤一籌，此刻並肩奔行，竟是並駕齊驅，毫釐不差。

宗濤已用出九成內力奔走，眼看徐元平從容相隨，毫無吃力之感，不禁激起了好勝之心，當下加足了十成功力，速度又快了甚多。回首看時，徐元平仍緊相追隨，不覺暗自一歎，忖道：此子不但胸懷絕世武功真訣，而且稟賦過人，武功進境如此之速，老叫化如能設法激他刻苦勵進，一、兩年內，當有大成。

兩人身法奇速，大白天奔行在大道之上，有如兩道滾滾塵煙，人影難辨。大約有半個時辰之後，孤獨之墓，已遙遙在望。

宗濤突然放緩了腳步，低聲對徐元平道：「咱們走慢一點。」

徐元平依言放緩了腳步，隨在宗濤身後。

宗濤彎下身子，借荒草掩護，緩緩向前走去，相距那古柏還有兩丈左右時，突然拔身一躍，飛落到那古柏之上。

徐元平緊隨身後躍起，飛落宗濤身側。

凝目望去，不禁心頭一震。

只見兩座荒塚之旁，站著衣冠楚楚的易天行，在他旁邊，站著拂花公子。

丁玲雙手抱膝，坐在荒塚前的供台之上，長髮飄飛，抬頭望天，神態從容，望也不望兩人一眼。

宗濤回目望了徐元平一眼，不住點頭，神色間滿是讚賞之意。

徐元平也暗自佩服丁玲的膽氣，一個身負內傷的弱女子，在兩個強敵威迫之下，仍然這等神色從容，單是這一份鎮靜的工夫，就非常人能及。

兩人目光交換，點頭微笑。

只聽易天行敞聲大笑道：「鬼谷二嬌，秤不離錘，你既在這孤獨之墓現身，你妹妹不在此地，此言說來，誰能相信？」

丁玲微微一笑，道：「你要不信，那有什麼法子？」

易天行道：「你敢對我這般強嘴，難道我不能殺了你嗎？」

丁玲笑道：「我如哭求於你，你就當真肯放了我嗎？」

易天行笑道：「好個利口丫頭，江湖久傳你們鬼谷二嬌之名，看來果然是難以對付的腳色。」

丁玲道：「好說，好說，易大俠過獎了。」

易天行笑道：「你縱然舌粲蓮花，今日也別想逃得性命……」

丁玲道：「我早已把生死置之度外了，這舉世之間，只要你易天行欲殺之人，哪裡能逃過你手。」

易天行笑道：「你知道那就好了……」他微微一頓後，又道：「人活百歲，難免一死，這死亡並不可怕，有道是活罪難受，你如敢再避重就輕，不講實話，我就先讓你試試分筋錯骨的滋味如何？」

丁玲抬頭望著天上一片浮雲，笑道：「易大俠把我丁玲粉身碎骨，寸剮凌遲，又該如何呢？反正今天我是死定了。」

徐元平早已聽得怒火大起，忍不下胸中憤怒之氣，正待縱身而下，卻被宗濤搖手阻止。

只聽拂花公子哈哈大笑了一陣，道：「這樣美貌的紅粉，嬌滴滴的人兒，易兄卻要把她立時處死，豈不太可惜了嗎？」

易天行道：「然則常兄之意如何？」

拂花公子道：「不如易兄把此女交給兄弟……」

丁玲突然轉過臉來，目光盯注在拂花公子臉上，說道：「給你又怎麼樣？」

拂花公子道：「這下面的事，兄弟就不便說出口了。」

易天行微微一笑，道：「這麼辦吧……」突然向前欺進兩步。

只聽丁玲嬌嚶一聲，全身微微一陣抖動。

易天行哈哈一笑道：「兄弟先拂中她三處脈穴，讓她失去自絕之能，也沒有了反抗之力，常兄要怎麼樣，也不用和她商量了。」

但聞拂花公子哈哈大笑之聲，響徹耳際，道：「易兄這等厚愛，兄弟感激不盡。」右手一抄已把丁玲抱入懷中，大步而去。

徐元平眼看丁玲被拂花公子扶持而去，不禁心中大急，低聲對宗濤說道：「老前輩去追拂花花子，易天行由我對付。」

也不待宗濤答話，雙足微一用力，人已矯如游龍，直撲而下，腳落實地，人已到易天行身前三尺之處。

易天行神態鎮靜，雖聞得衣袂飄空之聲，但頭也不肯輕動一下，直待徐元平落著實地，他才緩緩地轉過頭來。顯然，徐元平的現身，大出易天行的意外，他目光一瞥徐元平後，微現驚愕之色。

但瞬息之間，又恢復了平靜，微笑說道：「我道是誰，原來是你！」

徐元平冷冷答道：「你沒有想到吧？可是以為我早已死了嗎？」

易天行目光一掠高聳的古柏，瞥見一條人影，閃空而過，冷然一笑道：「宗兄也來了嗎？」

那人影並不理易天行，施展「八步登空」的身法，有如天馬行空，流矢劃空般一閃而逝。

易天行目光環掃了四周一眼，笑道：「你們一共來了多少人，怎不一起出來？」

徐元平冷然一笑，接道：「對付你易天行，只有在下一人！」

易天行笑道：「你的膽子夠大，當今武林之世，還沒有人敢這般對待於我……」，他朗朗大笑一陣，接道：「也許有不少人妒嫉在下，但他們真敢當面向我這般挑戰，我還沒有遇過，就憑你這股豪勇之氣，我也該饒你一次不死！」

徐元平劍眉一揚，圓睜星目，冷笑一陣，道：「以在下之見，大可不必，鹿死誰手，還難預料，先別把話說得太滿了！」

易天行雙目一陣眨動，登時眼神逼人，冷電般的神光，投注徐元平的身上，道：「我已年過花甲，你不過弱冠之年，動手相搏事小，但事情必須先講清，你和老夫，何仇何恨？」

徐元平冷笑一聲，道：「殺父凌母，誅師滅弟……」

易天行突然一揚雙眉，冷冷接道：「你是什麼人的後輩？怎敢認定是老夫所爲？」

徐元平滿臉悲憤，大聲說道：「在下親目所見，親耳所聽，你在我師父榻前自訴罪狀之後，竟下毒手把撫育我長大的恩師震斃掌下，又把我十五歲的師弟，一掌擊斃……」

易天行突然放聲大笑道：「你的師父，叫什麼名字？」

徐元平冷冷說道：「你可是造孽太多，殺的人已經記不清了嗎？」

易天行雙目神光一閃，道：「你敢對老夫這般無禮？」

他平時總是帶著和藹的微笑，一旦發起怒來，威厲逼人。

徐元平爲他威嚴的氣度所攝，先是微微一怔，繼而大怒道：「我要手刃親仇，奠祭家父靈

前，對你無禮，還算客氣了！」

易天行仰臉望天，嘿然冷笑，道：「很好，很好，老夫今天就成全你一番孝心了。」緩緩舉起右掌。

徐元平面對強敵，哪敢大意，抬頭望去，日光下，只見他掌心鮮艷，一片血紅。不禁心頭一震，暗道：這是什麼武功？

他見聞不多，難辨對方是何掌力。

易天行舉掌不發，又恢復了和藹之色，笑道：「你能和甘南上宮堡主的女兒上官婉倩打一個兩敗俱傷，想來武功定然不錯了，可識得老夫這是什麼掌力嗎？」

徐元平已把全身功力，提足十成，大聲說道：「不論什麼武功，只管出手吧！」

易天行笑道：「老夫要讓你明白自己是死在何等武功之下，這叫『紅焰掌』。」高舉的掌勢，突然一揮。

徐元平已準備揮掌硬接，忽見他又把掌勢收了回去，心中甚爲奇怪，正待搶先發掌，忽覺一股熱力，直襲上身，不覺心頭一驚，一面運功抗拒，一面發掌還擊。右掌平推而出，遙空擊去。

易天行見聞博廣，一看徐元平推出掌勢，不帶破空的風聲，來勢異常柔和，心頭也是一驚，暗道：「這娃兒小小年紀，武功怎的已練到這等境界？」當下又加了三分謹慎，「紅焰掌」一揮，疾向徐元平擊來掌力上迎去。

兩人動手相搏，和一般搏鬥大不相同。一般相搏，都是以快打快，掌力、拳勢，講究勁力

威猛；但兩人出手掌勢，卻是緩慢一推，輕描淡寫。

但那緩慢一推之中，卻是含蘊了極強的潛力暗勁，只因兩人武功已高出無相之境，掌力沒有擊實，沒有遇上抗力之前看不出來罷了。

易天行「紅焰掌」掌力剛剛發出，已和徐元平發的掌力相撞。

忽然間兩人之間飛掠一股極強的旋風，激起了地上的沙石、枯草，如一片灰色布幕，把兩人生生分開，互難相見。

易天行吃了一驚，萬沒想到，對面這位年輕人的武功，竟然這般高強，內功的充沛，竟似不在自己之下。

徐元平推出一掌之後，驟感心神一震，只覺對方湧來暗勁，有如排山倒海一般，幾乎承受不住，當下左手一提，又全力推出一掌，雙雙齊齊推出，才把飄飄欲飛的身軀穩住。

那襲上身來的熱力，立時消失。

原來，他一掌劈出了佛門上乘掌力，硬把易天行那絕毒的「紅焰掌」力抗住。

易天行久經大陣，內功又到了爐火純青之境，雙方一撞之下，立時知道自己的「紅焰掌」力，並未傷到對方。

正忖思間，忽覺身軀一震，對方的潛力暗勁，突然又加強了甚多，身軀被逼得向後退了一步，心中既驚又怒，當場冷哼一聲，左掌也隨著推出一掌。

又一陣旋風突起，沙石齊飛。

兩人之間，暴起了一片濃厚的塵沙，彼此雖都有過人的目力，但也沒法瞧見對方的身形，想從對方神情間看出一點勝敗的端倪，也不可能。

這情形對徐元平幫助甚大，他雖然緣遇曠世，但火候究竟還差上一籌，慧空大師轉納於他的一口真元之氣，尚未練到運用隨心之境，如若易天行能夠看到他的吃力神情，運集全身內力逼攻，徐元平勢非被當場重創不可。

但老奸巨猾的易天行和徐元平兩掌硬拚之後，已明白遇上了生平未遇過的勁敵，暗留三分實力，準備最後應變之用。

一個全力出手，一個用七成內力對敵，這一來，成了平分秋色之局。

徐元平連出兩掌，已感到內力不繼，第三掌不敢再貿然出手。

易天行也不再出手相逼，因爲這等真功實力的硬拚，一旦功力悉敵，勢將兩敗俱傷。

兩人同樣地凝神而立，運氣調息。

徐元平得慧空相授佛門中上乘調息之法，生死玄關，又被天玄道長無意打通，運氣特別迅快，不大工夫，已氣息均勻。

兩人之間的橫飛沙石塵土，逐漸消落，已可相互看到。

易天行睜眼望去，只見徐元平氣定神閒，面色如常，心頭更是震駭，暗暗歎道：此人如若不除，一、兩年後，我就難在他手下走上百回合了……

正在忖思之間，忽聽身後傳來了一陣哈哈大笑之聲，道：「易天行，你一生僞善面目中，裝作起來是何等艱難，今天一日之中，兩度暴露，盡棄數十年之功不可惜得很嗎？」

易天行頭也不回地冷笑一聲，接道：「身後說話的，可是宗兄嗎？」

宗濤縱聲大笑道：「不錯啊！正是老叫化子！」

易天行道：「好像咱們過去曾經動手相搏兩次，是嗎？」

宗濤笑道：「你可是後悔那時沒有殺了老叫化子嗎？」

易天行笑道：「好說，好說，宗兄武功高強，兄弟就是有心想殺，也是殺不了的！」

宗濤沉吟了一陣，道：「你不肯下毒手傷了老叫化子，只不過爲了要得僞善之名，這個老叫化絕不領情！」

易天行呵呵一笑道：「山不轉路轉，錯過今天，宗兄和兄弟都死不了，咱們日後總還有見面機會。」

宗濤道：「老叫化活了快七十歲，早就膩了，咱們再相遇上，倒是真該好好的比試一下，拚個死活出來……」他微微一頓之後，又道：「易兄今日恐已無再戰之能，咱們這場比鬥之約，只好留在下次見面機會之中了。」

易天行舉步一跨，突然間欺到了宗濤身側。

宗濤知他武功高過自己，早已蓄勢戒備，易天行還未來得及出手，宗濤右掌已拍了出去。

易天行左掌一招「迴風弱柳」反臂迎去。

兩人掌力接實，如擊敗革，砰然一響，宗濤突然向後退了一步，易天行的身子也被震得轉了一個圓圈。

易天行笑道：「宗兄的武功，又增進了不少。」右手食中二指一併，疾點過去。

宗濤右臂一揮「鐵樹開花」，硬封了易天行點來一招。

雙方又是一招硬打硬接。

易天行借勢又向前欺進了一步，左掌當胸擊去。

這一招不但去勢威猛，而且變化奇奧異常，宗濤左手一架，竟是沒有封住。

易天行冷然一笑，掌勢按在宗濤前胸之上，笑道：「宗兄也未免太……」

宗濤右手突然由下向上一翻，把易天行按在前胸的掌勢接住，笑道：「易兄不是想和老叫化拚個死活嗎？咱們各運內功，互較真力，這樣誰也取不得巧，不死不休！」

說完話，目光一瞥徐元平，滿臉莊嚴之色。

徐元平只覺他目光中含蘊著一股悲壯之氣，但一時卻是想不出目的何在。

只聽易天行朗朗大笑道：「宗兄，當真是要和兄弟拚個生死存亡嗎？」說話之間，已暗運功力，一股暗勁，直逼過去。

神丐宗濤突然大喝一聲，鬚髮怒張。

易天行臉上的笑容也突然收斂起來，神色逐漸凝重。

徐元平已知兩人開始了生死之搏，各以數十年精修的內功力拚。

正自忖思自己是否該出手相助，忽聽耳際間響起了丁玲嬌脆的聲音，道：「你想通了沒有？」

徐元平回頭望去，只見丁玲長髮披散，隨風飄飛，臉色一片沉痛，不禁一怔，道：「想通什麼？」

丁玲道：「宗老前輩的苦心！」

徐元平道：「我一時想它不出，還望姑娘指教。」

丁玲黯然一笑，說道：「宗老前輩一代大俠，仁心義膽，要以自己之死，換取易天行的性命……」

徐元平吃了一驚，道：「什麼？」

丁玲道：「他明知自己不是易天行的敵手，卻偏要以數十年精修內功，和易天行相搏，你知道爲了什麼？」

徐元平道：「他爲晚輩而戰？」

丁玲道：「你只猜對了一半，他不惜自己性命，消耗易天行的真力，留你勝敵之力，好讓你擊死易天行，既可爲父母報仇，亦可替江湖除害！」

徐元平道：「這……這如何可以……」

丁玲莊重道：「晚了，兩人以絕世內功相搏，已成不死不休之局，以兩人的武功，只怕世間很難找得出解此死結之人，你快些運氣調息，準備接手。別負了宗老前輩一番仁慈用心……」以毒辣馳譽江湖的丁玲，似已和宗濤產生了極深的情感，說完話，竟然珠淚紛紛，奪眶而出。

徐元平凝目沉思，默然不語。

丁玲看他不理自己問話，凝目而立，不知在想的什麼心事，心中大感焦急，輕移蓮步，走到他身側說道：「徐相公……」

徐元平由沉思中驚醒道：「什麼事？」

丁玲道：「我給你說的話，你聽到了沒有？」

徐元平道：「聽到了，我正在想……」

丁玲歎息一聲，接道：「不用想，快些運氣調息一下，準備接手吧，如果我預料得不差，宗老前輩難以支持到半個時辰。」

徐元平正待回答丁玲之言，忽覺腦際靈光連連閃動，當下閉上雙目，屏棄雜念，用心思索。

徐元平的冷漠鎮靜，使丁玲大感羞憤，雙手掩面，大哭起來。

哭了一陣，忽覺一隻手輕輕拂著自己的秀髮，只以為是徐元平來慰藉於她，心中又是慚愧，又是難過。

只聽一個沉凝的聲音，道：「姑娘不要著急，平兒會有辦法的。」

丁玲一聽，立時分辨出是金老二的聲音，一陣羞意泛上心頭。

拭了眼淚望去，只見徐元平仍然站在原地不動，臉上神情，極是奇異，搖頭晃腦，口齒啓動，但卻聽不出他說的什麼。

忽見徐元平雙目一睜，星目中神光如電，暴射而出，滿臉喜悅之色，道：「丁姑娘，宗老前輩有救了。」

縱身一躍，凌空而起，飛落在宗濤和易天行兩人之間，雙手同時舉了起來。

丁玲看得大為吃驚，急叫道：「徐相公，不要亂動他們。」大步追了過去，一把抓住徐元平的衣角。

徐元平回頭瞧了丁玲一眼，道：「你快退開去，別礙了我的事。宗老前輩已露敗象，只怕難再支撐過片刻工夫了！」

丁玲哭道：「宗老前輩功力不敵，你一動他們，吃虧的還是宗老前輩……」

徐元平微微一笑道：「你蠻不講理，只好先委屈你一下了！」右手輕輕一拂，點中了丁玲兩處穴道，抱起她的身軀，走到金老二身側，說道：「叔叔請照顧丁姑娘一下。」緩緩把她放在草地之上。

閱歷豐富的金老二，此刻卻變得面無血色，兩道眼神一直盯住和宗濤相搏的易天行，一臉驚怖，有如一頭待宰的羔羊。

徐元平和他說話，他也恍似未聞一般，口中含含糊糊地應了一聲。

徐元平輕輕歎息一聲，轉身又向宗濤和易天行動手之處走去，站在兩人之間，舉起雙手，暗中運集功力，突然兩臂齊伸，向兩人肩胸之間拂去。

但見易天行和宗濤相抵的雙手，齊齊縮了回去，好像兩人身上的經脈，忽然間收縮了起來，全身晃動了一陣，一齊倒了下去。

徐元平返身一躍，落在金老二身旁，低聲說道：「金叔叔……」

金老二如夢初醒一般，啊了一聲，道：「易天行死了嗎？」

徐元平道：「沒有死……」

金老二全身一顫，又啊了一聲！

徐元平看他嚇得這等模樣，心中甚是不安，歎道：「叔叔不用害怕，易天行已經被我點了

穴道，一時之間，難以行動。」

金老二道：「他如一行動，咱們就別想活了！」

徐元平心知他在易天行積威之下，受制已深，一旦見到，立時被往日驚怖的回憶，控制了心神，此刻相勸於他也是無用。

回頭看去，忽然發現一條全身白色花紋、長約三尺左右的罕見怪蛇，正游行在丁玲身上，不禁心頭大駭。

丁玲穴道雖被點制，但她神智仍甚清醒，眼看一條怪蛇，在身上爬行游走，心中大是急駭，但她穴道受制，動作不得，空自急駭，無法可想。

徐元平雖然身負絕技，但對蛇卻是有幾分害怕，遲遲疑疑，不敢用手去抓，暗道：如若宗老前輩能夠行動，抓這怪蛇，那可是輕而易舉的事。

只見那白紋怪蛇，緩緩向丁玲頭上游去，口中紅信伸縮，極是可怖，不禁心中大急，鼓足勇氣，揮手向那怪蛇抓去。

如以他的武功和手法，別說一條小小怪蛇，就是猛虎、靈猿，也是閃避不開，抵擋不住；但他心中對那白紋怪蛇，先存了畏懼之心，手指觸到蛇身之時，忽然心中一寒，手腕也隨之一軟。

就這一軟之勢，那白紋怪蛇，已突然回過頭來，猛向他手腕上咬去。

徐元平掌勢一偏，拂在蛇頭之上。

他掌勁奇大，雖是無意中輕輕一拂，那怪蛇回轉過來的蛇頭，立時被震得轉了過去，順勢

一口咬在丁玲手腕之上。

徐元平眼看救人不成，反而害了丁玲被怪蛇咬了一口，心中又急又怒，突然大喝一聲，五指加力，運勁若剪，生生把那怪蛇揑成兩段。低頭看去，只見丁玲左手腕上，一片銅錢大小的紫痕，不禁大生愧疚之心，掌落如風，拍活了丁玲穴道。

但見丁玲一挺嬌軀，坐了起來，長長吁一口氣，說道：「我錯怪你了，原來你當真能解救宗老前輩之危，只不知他老人家傷著沒有？」她一開口就談宗濤的安危，連自己的傷勢也未望一眼。

徐元平雖是最關心她的傷勢，但又不能不答她的問話，只好說道：「宗老前輩只是被暫時點了穴道，過一會兒就會醒來……」

丁玲道：「你快去替宗老前輩解了穴道，順便把易天行殺了吧！」

徐元平面現難色，道：「我現在要殺易天行，雖是易如反掌，但他心中定然不服，何況……」

丁玲道：「何況什麼？其人心地陰險，世人無出其右，手段毒辣，作惡多端，殺了他有何不可？」

徐元平道：「他對我有著殺父、凌母之仇，我活在世上的最大心願，就是殺他以報父母之仇，但在他這等毫無抗拒能力之時殺他，豈是大丈夫的行徑？而且他對我還有一番相救之恩，於情於理都應該放他一次……」

丁玲輕輕歎息一聲，道：「你的話很對，但江湖的險詐，別人決不是你所想的那般正大

……」

她突然微抖動了一下嬌軀，似是被人無聲無息打了一拳般，徐元平嚇得心頭一跳，道：

「你怎麼了？」

丁玲道：「我快要死啦，希望你能聽我幾句話好嗎？」

徐元平道：「如若我不抓那怪蛇，牠也未必會咬姑娘。都是我害了你……」

一種強烈的自我責備，使他產生極大的不安，目蘊淚光，滿濡欲滴。

丁玲微微一歎，接道：「不用自相責備，這事情如何能夠怪你，縱然那毒蛇不咬我，我也難以活過今天……」

她輕輕地歎息一聲，臉上橫溢出無比的溫柔纏綿，緩緩伸出右手，抓住徐元平，接道：「江湖上都說我鬼谷二嬌心狠手辣，如蛇如蠍……」

徐元平道：「傳言終歸是傳言，在下並無此感……」

丁玲接道：「多謝你的誇獎，事實上我所做的事，確然有些毒辣，人家說我們，決不是憑空捏造。」

徐元平啊了一聲，想不出適當之言回答，只好輕輕地咳了兩聲，支吾過去。

丁玲道：「但我妹妹是無辜的，我們姐妹雖然相親相愛，但生性卻是大不相同，她天真純潔，心地善良，常常規勸我做事要留人一步，但我江山易改，本性難移，每當事到臨頭，就不禁地下了辣手，剛才我明明知道你殺易天行有失英雄氣度，但我仍然苦苦勸說。」

徐元平道：「姑娘爲在下安危而謀，那自是又當別論。」

丁玲抓著徐元平的右手，突然增加了幾分勁力，接道：「我求你一件事，不知你肯不肯答應我？」

徐元平道：「只要我力所能及，決不推辭！」

丁玲緩緩一閉星目，兩顆瑩晶的淚珠順腮而下，道：「我活了不足二十歲，但卻造了很多的孽，我不怕死，也沒有什麼放不下的事情，唯一使我記在心中難以瞑目九泉的事，是我那可憐的妹妹沒人照顧，她三歲的時候，就死了媽媽，那時候我不過六歲吧！我們日日同食，夜夜同宿，十幾年須臾未離，如今她雖得良師呵護，傳授絕技，但她一旦知我死訊，定然痛不欲生，我爹爹因爲練習一種獨門陰功，養成一種冷僻古怪、六親不認的脾氣，對妹妹從未有過一點惜愛情意……」

徐元平似已從她言語之中，聽出了一點苗頭，輕輕一歎，垂下頭去。

丁玲緩緩地把嬌軀偎了過來，徐元平看她一副楚楚可憐、嬌弱無力的樣子，不忍讓她摔著，也不忍讓她難過，只好輕輕張開雙臂，抱著了她玲瓏的嬌軀。

丁玲輕輕歎息一聲，道：「我知道你心裡感覺到十分爲難，但我已經快要死了，這是我生平中第一次求人，也是我最後一次求人……」兩行清淚，順腮滾了下來。

徐元平有生以來從未遇到這樣的事，也從沒有一個人這樣地相求過他，只覺一股熱血在胸中浮動，心中有著無比的受用，也有無比的痛苦……

丁玲輕輕地仰起頭來，看他呆呆地望著天空出神，知他在鄭重地考慮這件事。

她聰慧過人，幼小就在險惡的江湖上走動，她年紀雖是不大，但卻見過了各色各樣的人，她心中明白，凡是不願輕作承諾的人，一旦答應下來，那就在他的心靈之中，埋下了一根鐵樁，這諾言永久不變……

徐元平似是忽然有了決定，長長吁一口氣，目注丁玲，說道：「我答應你，這一生一世，都把她當作親生的妹妹般看待。」

丁玲慰然一笑，緩緩地閉上眼睛，夢囈似地說道：「我知道，你答應了，那就像一座巍峨的山嶽，不論滄海幾變，你的諾言卻永遠不會更改……」

徐元平淡淡一笑，道：「姑娘太誇獎我了……」

他微微一頓後，又道：「不過，我如死了，那就無法照顧她了，我既要報父母之仇，還有一件大事要辦，這兩件事都異常艱困，我很可能心願未完人先死……」

丁玲歎息一聲，幽幽說道：「你如果現在把易天行殺了，那就完成了一件心願。」

她輕輕啓動星目，看到徐元平凝重的臉色，接道：「我又說錯話了，你是大英雄，大豪傑，做事要光明磊落，不像我這樣尖刻、詭詐。」

徐元平微微一笑，道：「你現在怎麼樣了？」

丁玲道：「快啦！就要死了。」

徐元平黯然說道：「你自己覺著，沒有救了嗎？」

丁玲斬釘截鐵地說道：「沒有，你不認識那條咬我的毒蛇嗎？」

徐元平搖頭道：「不認識！」

丁玲道：「那蛇叫做白綫娘，是很少見的毒蛇，不論何等武功高強的人，也無法抗拒牠口

中的劇毒，傳說此蛇沒有一定的父母，是一種雜交而生的毒蛇，每一次生出兩條，一雌一雄，雌蛇滿身白紋，雄蛇滿身白斑，雌蛇絕毒，雄蛇奇淫……」

她臉上忽然泛現出一層羞紅，別過頭去，把粉頰埋入了徐元平的懷中，接道：「所以，武林中下五門中人物，視牠有如奇珍異寶。」

徐元平啊了一聲，暗道：「這麼說來，她必死無救了，縱然沒有救活之望，我也該一盡心力，宗老前輩最喜玩蛇，定然有解救毒蛇咬傷之能……」

心念一轉，雙手一推懷中丁玲，準備過去拍活宗濤穴道……

只覺丁玲抱在身上的雙臂一緊，說道：「你要幹什麼？」

徐元平道：「我去拍活宗老前輩的脈穴，要他來替你療毒。」

丁玲道：「太晚了，此蛇中人後，至多活不過一盞熱茶工夫，不用多費心了！」

徐元平暗暗歎道：她身上三陽氣功餘毒未除，已在內腑凝結成傷，如今再被蛇咬了一口，兩毒並發，別人縱是有救，她也沒有救了。

只聽丁玲輕柔的聲音，起自耳際，道：「你抱緊我點好嗎？讓我死得安心一些！」

徐元平歎息一聲，還未來得及開口，丁玲已搶先說道：「你歎什麼氣？」

徐元平道：「我看著你即將離別人世，卻無能施救，心中實是難安。」

丁玲忽覺心臟一陣劇烈的跳動，心中暗道：完了。輕輕合上雙目，說道：「快啦，我已經感覺到了，再把我抱緊點！」

徐元平暗暗忖道：她就要死了，我豈能再以世俗禮教的束縛傷她之心，當下雙臂加力，抱

緊丁玲嬌軀。

低頭看去，只見她臉色鎮靜，微笑如花，毫無一點死亡的恐懼，甚至連一點毒性發作的痛苦也看不出，心中暗暗讚道：人云視死如歸，她可算當之無愧，想我徐元平預知死亡臨頭之際，也難有她這樣一份從容和鎮靜。

荒野的秋風，吹飄著丁玲披散的長髮，簌簌的樹葉聲，和著她均勻的呼吸，一陣陣少女的幽香，撲入徐元平鼻息之中。

一個嬌艷如花的少女，正當她散發著青春的容光時，卻突然要離開人間，這是一件多麼令人傷心的事啊！

奇怪的是，死亡前竟沒有爲她帶來一點悲愴和憂傷。

但見日光移動的樹影，又向前推進了一尺，默算時間，已過一頓飯工夫之久。

凝神聽去，只覺她呼吸均勻，毫無半點死前的跡象，倒像是春夢正酣。

嫩紅的臉色，依然是嬌艷欲滴，嘴角間櫻唇微綻，笑容依舊。

徐元平愈看心中愈是懷疑，暗自忖道：人死前氣絕，心脈行血均將靜止不動，她呼吸照常，眉展色艷，哪裡像要死的樣子，當下把手臂搖了兩搖，低聲叫道：「丁姑娘，丁姑娘……」

丁玲緩緩睜開星目，望了徐元平一陣，茫然問道：「我死了嗎？」

徐元平搖搖頭道：「不會吧！你一點也不像要死的樣子啊！」

丁玲忽然挺身而起，掙脫了徐元平的懷抱，舉手理理散髮，道：「奇怪呀……」她舉起右

手，輕啓櫻唇，咬了一下食指，接道：「我真的沒有死啊！」

徐元平道：「江湖上盛傳你們鬼谷二嬌詭計多端，看來確實不錯……」

丁玲急道：「那白線娘絕毒無比，咬人必死，我爲什麼不死呢？」

徐元平笑道：「你沒有死，倒是把我嚇得心驚肉跳……」

丁玲接道：「不信等一下你問宗老前輩，白線娘咬中人後，還有沒有救？」

徐元平心中一動，忽然想到，《達摩易筋經》上一句真訣「極剛則柔」，若有所悟地啊一聲，道：「我明白了。」

丁玲急道：「你明白什麼？我要是故意騙你，叫我不得好死！」

兩行珠淚，奪眶而出。

徐元平笑道：「你急什麼？我沒有說你騙我呀！」

丁玲拂拭一下臉上淚痕，道：「真奇怪，爲什麼我不死呢？」

徐元平笑道：「二毒兩相沖，各失其性，醫道上有以毒攻毒之說，大概就是這個原理了，你體內留有三陽氣功之毒，和這白線娘劇毒有著互相剋制之妙……」

丁玲嗯了一聲，道：「是啦，白線娘毒屬於純陰，那三陽氣功，卻是陽剛的武功，兩毒侵體，陰陽相剋。」

徐元平笑接道：「就是這個道理啦……」

忽然想到了答應丁玲之事，不禁默然一歎，倏而往口，大步直向神丐宗濤走去。

宗濤和易天行仍然靜靜地躺在地上，但兩人一般的滿面紅光，似是神志已復，都正在暗中

運氣打通受制脈穴。

徐元平伏下身去，暗運內力在宗濤胸前推拿了一陣，宗濤突然長吸一口氣，挺身坐起，目光一掃易天行，笑道：「他還得幾時才能醒來？」

徐元平還未來得及答話，易天行忽的挺身而起，接道：「不勞宗兄費心！」

宗濤怔了一怔，道：「易兄功力果然是高過老叫化子。」

易天行微微一笑，道：「如果兄弟不計身受內傷之害，一盞熱茶之內，可以自解受制脈穴。」

徐元平對易天行自通脈穴，心頭甚爲驚駭，暗自忖道：此人武功，果是高人一等。

易天行緩緩站起身子，目光掠過丁玲，投注到金老二的身上，冷笑一聲，道：「金老二，你過來！」

金老二身子一顫，但卻又不敢違命，慢步走了過來。

徐元平雙肩一晃，橫跨五尺，擋住了易天行，大聲喝道：「你功力是否已復？」

易天行道：「已復八成。」

徐元平道：「好，現在我可以動手了。」呼的一掌「神龍出水」直擊過去。

兩人已動手相搏過一次，對彼此的武功，心中都已有數，出手一擊，用出了七成以上的功力。

易天行橫向一側讓開，反手一招「冰河開凍」橫裡擊來。

徐元平左手一招「穿雲掌」，硬接了易天行反手一擊，長嘯一聲，欺身而上。

易天行右手一招「指天劃地」幻出一片掌影，想把徐元平欺攻而進的身子擋住，哪知徐元平的身法奇奧，竟然避開了易天行護身掌影，直逼身前。

這奇奧的身法，不僅使易天行大爲一駭，就是旁側觀戰的宗濤，也爲之心神一振，只覺他那巧妙的一轉，任何一招也無法封擋得住。

徐元平一攻近身，這時兩手齊出，左掌右指，交相迫攻，倏忽之間，劈了五掌，點出四指。

這五掌四指，不但迅快絕倫，而且毒辣無比，指襲大穴，掌取要害，每一招都足以置人死地。

易天行被那一氣呵成的快攻，迫得連連後退，躲過九招，人也剛好退了九步，到了一座高大的青塚前面。

這青塚四周，滿生著尺餘左右的青草，易天行被迫得退入了草叢之中。

忽聽宗濤大聲喝道：「住手。」縱身一躍，直撲過來。

徐元平、易天行聽得宗濤大喝之聲，都不禁爲之一怔，齊齊向宗濤望去。

但見宗濤迅如電奔一般疾射過來，掠著易天行衣袂而過，右手揮處，在易天行身後一抓，又迅疾向後退了三步。

易天行怕他突然出手，傷了自己，早已暗中運功戒備，蓄勢相待，見宗濤迅快地向後退了三步，才鬆下戒備之心。

轉臉望去，只見宗濤手中抓了三尺多長，酒杯粗細，滿身白紋的一條毒蛇。

他見多識廣，一眼之下立時認出那是絕毒無倫的白線娘，不禁暗道一聲慚愧，忖道：如我剛才突下辣手，宗濤定然逃不過我那致命的一擊，但我勢非被身後毒蛇咬中不可，此蛇毒性奇烈，我也難逃此蛇毒吻之下……

他心中千念迴轉，但面上卻仍是裝得若無其事一般，拱手笑道：「宗兄俠名果不虛傳，如非宗兄相救，兄弟今日勢非喪命這毒蛇口下不可。」

神丐宗濤冷然一笑，道：「當今武林之世，只有老叫化和你為敵，數十年來，你本有甚多機會可把老叫化置於死地，但你都手下留情，故放生路……」

易天行微微一笑，默然不語。

宗濤輕輕地咳了兩聲，接道：「不過你並非是心地仁慈，只不過是為了要保持偽善的面目而已，殺了老叫化，害怕暴露你的偽善面目……」

易天行淡淡一笑，道：「宗兄隨便說什麼，兄弟仍然感謝今日一番相救之情。」

宗濤道：「老叫化相救於你，並無讓你感謝之心，只望你今後能真正改過向善，表裡如一，做些有益於天下蒼生之事。」

易天行仰頭望天，若有所感地沉思了一陣，忽然縱聲笑道：「目前天下武林人物，聯手結黨，要合力對付我易某一人，宗兄這些話，不覺著說得晚了一些嗎？」

徐元平冷笑一聲，道：「你所做所為，人人得而誅之。天下英雄，被你一騙數十年，如他們能早些聽宗老前輩之言，聯手把你除去，也不致讓你多造惡孽。」

易天行仰頭看著天色，說道：「看你剛才不肯暗中下手傷我的份上，姑且放你一條生路，

現在趕快走吧！」

徐元平怒道：「別人怕你嚇唬，但我徐元平卻是不怕，接掌！」

呼的一招「起鳳騰蛟」直劈過去。

易天行大聲笑道：「天下英雄人物中，也只有你配和老夫動手，來得好。」一閃避開，反臂點出了三指，把徐元平迫退了兩步。

徐元平心中暗道：此人武功當真是高，這點來三指，無一不是暗含拂穴截脈的手法。一提真氣，還了五掌。

這五招都是慧空大師口授《達摩易筋經》上的武功，招招暗藏大力金剛掌勁，也把易天行迫得退後兩步。

易天行微微一皺眉，說道：「你和少林派淵源很深，這五掌都是佛門十八羅漢掌中招術，暗藏大力金剛掌勁。」

話說完，人也欺身攻來，左掌橫掃，右拳直襲。

徐元平只覺他一擊之中，暗藏了甚多詭奇變化，一時間想不出破他之法，不敢硬接他的招術，縱身一側閃去。

易天行道：「果然是識貨之人，爲何不硬接老夫這一招『平反乾坤』？」

徐元平冷笑一聲，左掌虛空一揚，右手五指鬆鬆握拳，平胸擊來。

易天行呆了一呆，只覺這一招，乃生平未見之學，隱隱覺到那鬆握五指中，暗藏著極厲害的殺手、變化，竟然也不敢硬接，雙腳微一用力，疾向後飄退五尺。

徐元平道：「易天行，你爲什麼不接我這一招『五弦齊彈』？」

易天行微微一笑，道：「好一招『五弦齊彈』！」縱身一躍直衝過來，掌勢平胸斜斜劈來，接道：「娃兒，試試一招『風雷並起』如何？」

徐元平大聲喝道：「有何不可？」右手一揮，硬向易天行擊來掌勢上迎去。

易天行冷笑一聲，手掌去勢陡然一沉，五指一張，由直拍變爲斜切。

徐元平掌勢一搖，拇食二指，突然圈了起來，但又迅快彈出。

二七　爾虞我詐

兩人由出掌相接，到雙掌接實，其間竟各有三次變化，每一變化之中，都暗藏著極犀利的殺手武功。

但聽徐元平、易天行同時一聲冷哼，兩人齊齊向後倒退開去。

在兩人無聲無息地一接掌勢之中，似乎是都受了傷。

兩人退開之後，同時閉上雙目休息。

易天行臉色蒼白，徐元平卻面泛紅暈，有如吃了過量的酒。

以宗濤和丁玲的目力，都沒有看出來兩人如何受傷，也未聽到兩人掌勢相接的聲息，但看兩個人的神色，已知道都受了傷。

丁玲急急奔了過來，低聲問徐元平道：「你受了傷？」

徐元平緊閉的雙目微一啟動，緩緩點頭道：「不過易天行也受了傷！」

突聽宗濤低聲說道：「大鬼女，你叔叔來了！」

丁玲轉頭望去，只見楊文堯、丁炎山、冷公霄、查子清、查玉等，緩步魚貫而來，不禁心頭一驚。

只聽丁炎山大聲叫道：「前面是玲兒吧？」

丁玲道：「三叔父大安。」

楊文堯等一行群豪，陡然停下步來，十道目光一齊投注到徐元平、易天行和宗濤的身上。

查子清遙遙一抱拳，道：「宗兄好？」

宗濤拱手還了一禮，道：「老叫化沒有病，哪裡不好？」

楊文堯低聲對丁炎山說了兩句話，丁炎山扯開喉嚨，高聲說道：「玲兒，你過來。」

丁玲回顧了宗濤一眼，緩步走了過去，相距丁炎山還有五、六步遠，就停了下來，道：「叔叔有什麼吩咐？」

丁炎山乾咳了兩聲，道：「鳳兒哪裡去了？」

丁玲道：「被天玄道長，留在玄武宮啦。」

丁炎山回顧楊文堯一眼，又道：「怎麼？天玄道長也在這裡？」

丁玲搖頭答道：「玲兒沒有看見過他。」

宗濤暗暗讚道：這句話答得當真是妙，既然未作謊言欺騙長輩，又給他們一個揣測不透，疑神疑鬼。

果見丁炎山皺了皺眉頭，說道：「你妹妹留在玄武宮的事，你事先知不知道？」

丁玲道：「玲兒知道。」

丁炎山道：「那你爲什麼不阻止於她？」

丁玲道：「天玄道長劍術卓絕一時，我和妹妹聯手對敵，不是他敵手，如何能阻擋得住？」

丁炎山似對丁玲回答之言，頂撞得無話可說，沉吟了一陣，道：「哼！一個女孩子，在江湖上跑來跑去，成何體統？還不回鬼王谷去，跑到這等地方作甚？」

丁玲不再言語，默然退到一側。

神丐宗濤突然對丁炎山一拱手道：「丁老三，老叫化有件事和你商量，不知能否見允？」

丁炎山怔了一怔，道：「樂聞樂聞，宗兄有什麼儘管請說，兄弟只要能辦，決不推辭！」

宗濤微微一笑道：「江湖之上，都說鬼谷二嬌詭計多端，大鬼女尤甚其妹，但老叫化看著大鬼女倒滿順眼，想把她收作義女，不知你丁老三意下如何？」

這兩句話，倒是大大地出了群豪意外，連丁玲也不禁一怔。

要知神丐宗濤乃江湖上一代遊俠，爲人做事守正不邪，鬼王谷卻惡名卓著，二嬌之毒，名滿武林，一正一邪，格格不入，如何不叫群豪爲之吃驚？

丁炎山沉吟了良久，說道：「宗兄能看起她們，實是我們鬼王谷之榮，不過此事，兄弟作不得主，必須請命谷主之後，才能答應。」

宗濤哈哈一笑，道：「老叫化一向做事，想到就幹，丁兄縱然不肯答應，老叫化也要收她！」

丁炎山乾咳了兩聲，道：「宗兄這樣豈不是作難兄弟嗎？」

宗濤笑道：「你打了老叫化的回票，豈不是誠心和我過不去嗎？」

楊文堯藉著兩人說話的機會，目光一直投注到易天行的臉上，此刻卻突然插口說道：「宗兄和丁兄之事，兄弟本不應該多口，不過這認女收徒之事，還未聞有過相強之舉……」

他輕輕咳了一聲道：「也許是兄弟孤陋寡聞，沒有聽人說過！」

宗濤冷笑一聲，道：「楊文堯，你可是存心要和老叫化過不去嗎？」

楊文堯道：「豈敢，豈敢，兄弟又沒吃熊心豹膽，怎敢和宗兄作對？」

宗濤哈哈大笑道：「老叫化年登古稀，直到近幾天中，才想透了一件事情。」

楊文堯突然臉色一冷道：「不知宗兄想透的是什麼事？」

宗濤冷冷道：「外表越是文秀，穿著越是文雅的人，心地也愈是毒辣……」

他突然取過身後的紅漆大葫蘆，咕嘟嘟，喝了幾大口酒，接道：「易天行善名滿天下，被人譽爲大英大豪，但他所做所爲，卻和他的聲譽剛好背道而馳，假善名以爲惡……」

楊文堯突然大聲接道：「宗兄說得不錯。」急步向易天行奔了過去。

原來他爲人精明，早已發現了易天行和徐元平似是都受了重傷，都正在運氣調息，早已想衝過去瞧瞧，借宗濤口實，大步直奔過去。

神丐宗濤突然橫跨兩步，攔住了楊文堯去路，說道：「楊兄且慢接口，老叫化還沒有說完！」

楊文堯道：「宗兄不用再說，兄弟已經不願再聽下去了！」

宗濤笑道：「下面就是楊兄的事了，你如不聽，老叫化還說個什麼勁呢？」

楊文堯身子一側，突然向左跨了兩步，仍然向易天行走去。

宗濤右臂一伸，又把楊文堯去勢攔住。

楊文堯反臂一指，疾向宗濤肘間「曲池穴」上點去。

宗濤手臂一沉，五指疾向楊文堯脈門上面扣去，口中卻哈哈大笑道：「楊兄就想走嗎？」

楊文堯五指一併，立掌如刀，橫向宗濤手腕上切下。

這一招不但變得十分迅快，且是楊文堯著名獨步武功九招「金沙散手」中之一記絕招。

宗濤被他凌厲的掌勢迫得向後退了兩步。

楊文堯卻借勢一躍，衝到了易天行的面前。

宗濤大聲喝道：「楊文堯……」

楊文堯不理宗濤呼叫之言，伸手向易天行前胸之上摸去。

但覺手指觸處，一片冰硬，不禁微微一呆。

就在他微一錯愕之間，易天行突然睜開了雙目，笑道：「楊兄可是想趁火打劫，暗算兄弟嗎？」

楊文堯微微一笑道：「好說，好說。」其實他已發出含蘊在掌心的暗勁，想一舉把易天行震斃當場。

哪知他力道一發，忽覺一股勢力，由易天行胸前迸發而出，反震過來。

易天行冷笑道：「楊兄摸錯了位置，如若按在了兄弟的穴道上，這一次兄弟非被當場震斃不可。」

楊文堯默然不語，暗中卻又加了幾成勁力。

這時，神丐宗濤已到了楊文堯的身後，右掌一揚，迅快地按在楊文堯後背之上，冷冷說

道：「楊兄快些放手，只要老叫化一發掌中內力，立時將震斷你的心脈。」

一語甫畢，身後響起查子清的聲音：「螳螂捕蟬，忽略了黃雀在後，宗兄就未把兄弟放在心中嗎？」

宗濤心頭一震，橫向旁側跨去，剛一舉步，忽覺背後「命門穴」上一熱，一隻手掌，頂在後背之上。

查子清又道：「宗兄對兄弟雖然有恩，但此刻形勢不同，兄弟也不能因私情而有傷公誼。」

神丐宗濤停下身子，靜站不動，冷哼一聲，道：「查子清，你就覺著你一定能傷了老叫化嗎？」

查子清笑道：「兄弟決無傷害宗兄之心，只要宗兄能夠置身事外，別管此事。」

宗濤心中極爲明白，只要查子清一加掌力，立時可以把自己心脈震斷，當下便不再言語。

只聽冷公霄、丁炎山哈哈大笑之聲，急步奔了過來，冷公霄站在易天行身後，丁炎山卻舉起右掌，按在徐元平背心之上。

易天行目光流動，打量四周情勢，但身子卻站在原地，動也未動一下。

徐元平仍然緊緊閉著雙目，他是根本不知道丁炎山手掌已按在他背後的「命門穴」上。

查玉遠遠地站在兩、三丈外，看著場中情勢變化。

丁玲雖然滿臉漠不關心之情，但她心中卻是焦慮無比，心中一直想著如何解救眼下情勢。

金老二似是仍爲易天行餘威所攝，呆呆地站著，仰臉出神。

深秋的山風吹著高大的古柏發出一片沙沙之聲，使這充滿殺機的緊張局勢，又增加幾分陰森的氣息。

這是一個異常複雜的局面，彼此都有忌憚，彼此都有仇恨，眼下只不過爲著一個較大的利害關係，使他們情勢變得更爲複雜，友情中滲入了利害，恩怨中又滲入友情。

冷公霄突然舉起右掌，頂在易天行背後的「命門穴」上，說道：「如若兄弟和楊兄合力，前後夾擊，不知能不能把易兄斃在當場？」

易天行目光一掃徐元平，若無其事地笑道：「如若兄弟命長，兩位這合力之勢震不死呢？冷兄是否想過？」

冷公霄怔了一怔，答不上話。

楊文堯已把全身內力運集於掌心之上，準備盡生平之力，震向易天行的前胸，他忖思自己的功力，易天行縱然運氣抗拒，也難擋得住這強力的一擊，縱然震他不死，但總要受傷在自己「金沙散手」之下，那時再和他力拚，決然不致落敗，退一步講，也可邀冷公霄、丁炎山等助拳。

他心中雖然已算清了敵我形勢，但後背的「命門」要穴，卻在宗濤掌力的壓制之下，擔心自己一發內力，引起宗濤也發出掌力，那時自己在全力攻敵的毫無防備之下，宗濤只要輕一用力，立時可以把自己震斃在掌下……唯一的希望，就是要查子清先行發掌，把神丐宗濤震傷掌下，以解自己之危。

查子清心中卻在想著宗濤對待自己一番恩情，只希望把他逼得鬆開按在楊文堯背心上的手

掌，並未真的存了傷害之心。

但這心中所想之事，又不便說出口來，只好運起傳音入密的功夫說道：「宗兄，今日之局，旨在對付易天行和那娃兒，如果宗兄答應置身事外，兄弟立刻撤去宗兄背心上的手掌。」

宗濤哈哈一笑，大聲說道：「反正老叫化不會吃虧，你只要一發掌力，老叫化決不運功抗拒，我只要借你的力量，再加上老叫化的力量，震向楊文堯的後背。」

查子清道：「縱然你把楊文堯心脈震得寸寸皆斷，但宗兄也是活不成了。」

宗濤笑道：「老叫化早晚總是要死，換上一條命……」

楊文堯冷冷接道：「如依宗兄之言，兄弟要借你和查兄之力，震向易天行！」

宗濤大笑：「好啊！這才叫同歸於盡！……」

易天行突然一瞪雙目，盯在楊文堯臉上，接道：「一盞熱茶工夫之內，只怕楊兄要自動放開按在兄弟要穴的右掌了。」

楊文堯道：「只怕未必見得！」

只聽宗濤哈哈大笑，道：「如果咱們這一幫人，今天都死在此地，今後江湖上也可減少一些無謂的紛爭……」回頭望了丁玲一眼，道：「大鬼女，趁著老叫化子沒有死，快些叫我一聲乾爹，日後也好有個掃墓燒紙的人。」

丁玲略一沉吟，盈盈拜倒地下，道：「義女丁玲，拜見乾爹。」

宗濤笑道：「老叫化本來最厭惡人間俗凡禮法，但今日情勢不同，馬馬虎虎算了。」

丁炎山眼看丁玲真的拜認宗濤做了義父，氣得哇哇大叫道：「好啊！鬼丫頭，我看你是要

造反了，我先結果這娃兒的性命，再和你算帳。」暗運勁力猛向徐元平身上震去。

但覺徐元平背心之處肌肉一軟，有如推在棉花之上，不禁一怔。

就在他微一分神之際，徐元平已迅如電光石火般橫跨數尺，欺到查子清身旁，一招「三陽開泰」三指疾伸，分取查子清三大要穴。

掌勢未到，三縷指風，已先行近身。

查子清吃了一驚，暗道：好強勁的指風，身子一側，避過正鋒，按在宗濤背心邊的右手不動，左手「倒轉陰陽」橫擊過來，暗含擒拿手法，扣拿徐元平的脈門。

徐元平冷笑一聲，點出三指突然一變十二擒龍手中一招，手指翻轉之間，竟搶先搭上查子清的手腕。

高手相搏，優勝劣敗不過是一剎那間，查子清絲毫之差，人已吃了大虧，但覺腕脈之上一麻，脈門已先被徐元平扣上。

但他究竟是武功過人，經驗豐富，臨危不亂，雖被徐元平搶了先機，扣住脈穴，仍然不肯鬆開按在宗濤背上的右手，左手五指反上一翻，也抓住了徐元平的右腕脈穴。

徐元平原想逼他鬆開按在宗濤背後命門穴的手掌，哪知他竟力拚不放，不禁大怒，五指突然加力。

查子清失了先機，五指隨後搭在徐元平的脈穴，而且部位也稍有差錯，心中暗道：我已吃失了先機之虧，不能再讓他先用內力，立時發出內勁。

兩人內力同時出手，彼此都覺腕脈一緊，如上了一道鐵箍。

這時，丁炎山已追到身後，舉手一拳，直向徐元平後背擊去。

徐元平左手忽的向後一揮，身子突然轉了一個半周，左掌一招「行雲掩月」，幻起一片掌影護住身子。

丁炎山看他掌勢一揮之間，竟然找不出一點空隙，心中暗暗一驚，收了拳勢，疾退兩步。

查子清一面運力扣緊徐元平的手腕，一面低聲說道：「丁兄快請出手，先把此人結果再說。」

丁炎山應聲而上，雙拳齊出，分襲上下兩盤。

徐元平左掌疾出一招「鴻雁舒翼」，直向丁炎山肋間劃出，他掌勢後發先至，迫丁炎山不得不先求自保，橫向一側跨出兩步，雙拳一齊落空。

丁炎山一連兩次襲擊，均被徐元平迫得向後退去，心中又氣又怒，大喝一聲，重又衝了上來，一掌「飛瀑流泉」直擊過去。

徐元平右手和查子清各運內力相較，單餘一隻左掌抵擋住丁炎山的攻勢，拚了十三、四個回合之後，仍然毫無敗象。

丁炎山眼看徐元平只用一隻手掌拒敵，竟能支持到十、三四個回合，仍然應對從容，心中又是驚駭，又是羞忿，暗道：這娃兒的武功，似是和我們初遇之時，又有了甚大進境，今日如不能把他一舉擊斃，不但難以下台，而且將留下來極大的禍害。

心念一動，殺機突生，疾出兩拳，倏然而退，雙手揚空虛抓四招，閉目而立。

徐元平看他動作甚覺奇怪，心中暗道：鬼王谷中人的行動，果然都是鬼鬼祟祟。

一側觀戰的丁玲正暗自擔心，知道丁炎山即將施展鬼王谷的絕技二十四招「玄陰鬼爪」，這武功不但詭奇難測，而且每一出手，都含蘊著極強的「寒陰氣功」，這門武功雖屬一種偏激的武學，但卻是性命交關的一種武功，非遇勁敵，輕易不肯施展。

如果徐元平右手未和查子清相較內力，以他靈活身法，或可抵禦，此際他已分了一半實力和查子清相拚，只怕難以躲開這歹毒、詭奇兼具的「玄陰鬼爪」。

她心中雖然憂急如焚，但勢又不能出手阻擋，只急得頂門間汗水滾滾而下。

查玉望了丁玲一眼，故意歎息一聲，道：「唉，如若徐兄不是和家父動手，兄弟定要上前去助他一臂之力。」

丁玲冷笑一聲，道：「哼！你不助徐元平，該去幫幫你爹爹啊！」

查玉怔了一怔，道：「我爹爹怎麼了？」凝神向查子清看去。

丁玲隨口應道：「你爹爹只怕已難再支持多久了。」

她本是隨口說的一句氣話，但見查玉的臉色，卻因仔細地一看，顯得凝重起來，不禁心中一動，仔細向查子清望去，只見他臉色十分凝重，似是力有不勝，心中甚感奇怪，暗道：難道徐元平的功力，果真進步到此等境界不成？

查玉看了一陣，突然放步向前走去。

丁玲怕他暗下毒手，急急跟了上去，道：「你要幹什麼？」

查玉忽的一躍，縱落在查子清身前，低聲叫道：「爹爹！」

查子清哼了一聲，道：「快退開去！」

查玉還未來得及答話，忽聽楊文堯大叫一聲，突然收了按在易天行前胸的手掌，橫向一側跨出。

丁玲忽的尖聲叫道：「白線娘！」

查子清低頭一看，果見一條白線娘已到自己腳下，知此物絕毒無比，蛇中之最，本能地一抬左腳，向那蛇頭踢去。

楊文堯向旁跨出之時，宗濤按在楊文堯背心上的手掌，也隨著向旁側移動，查子清左腳一抬，失去了一半支撐身軀之力，身軀向左面一側。

這些事雖有先後之分，但其速度，卻是有如同一瞬間發生一般。

查子清身子一動，宗濤卻借力一閃身軀，拋開了查子清按在背上的手掌。

這些人一個個老奸巨猾，誰也不願先擋銳鋒，一看形勢不對，立時先求自保，然後再審度形勢出手。

只聽易天行冷笑一聲，道：「冷兄還不讓開嗎？」

冷公霄倒是聽話，應聲向一側橫躍過去。

劍拔弩張的形勢，片刻間鬆懈了下來。

神丐宗濤自動放開楊文堯背上手掌，退後了兩步，道：「老叫化不願乘人之危，楊兄儘管先行運氣調息，你自覺元氣恢復之時，再和老叫化動手不遲。」

易天行微微一笑，道：「宗兄放心，楊文堯已被兄弟『太極氣功』震傷，兩個時辰之內，料他無力再戰。」

宗濤冷笑一聲道：「易兄不要自作多情，老叫化並無助你之心。」

易天行顎下長髯無風自動，顯然宗濤這兩句話，大大地傷了他的自尊心。但此人確實有過人的涵養，沉吟了一陣，淡淡笑道：「不論宗兄是何用心，但是兄弟一樣心領相助之情。」

這時查子清已把那逼近身側的毒蛇踢了開去，縱身躍到一側。

徐元平也收了掌勢，停步不追，形勢又恢復了一個對峙之局。

丁炎山突然睜開雙目，大聲叫道：「玲兒過來！」

宗濤探手一把抓起被查子清踢過來的「白線娘」，笑道：「這毒蛇救了老叫化一命，想不到這毒物，倒還有一點用處。」

隨手把牠盤了起來，從懷裡摸出一個黑布袋子，把牠裝了起來。

易天行突然舉手對宗濤一抱拳，道：「衝著宗兄之面，從此時起，不再追究金老二背叛之事。」

金老二緊張的神情突然一鬆。

宗濤卻冷笑一聲，道：「老叫化沒向易兄求情啊！」

易天行拂髯一笑，答非所問地說道：「兄弟有件事，想請宗兄來做個見證，但不知宗兄是否答應？」

宗濤雖然不齒易天行的爲人，但他在江湖的聲譽，確實蓋過自己，聽他這般一說，再也狠不起來，輕輕地咳了兩聲，道：「你這般看得起老叫化子，那先請說出什麼事，只要不是傷天害理的事，老叫化倒是可以考慮一下。」

易天行道：「一宮除外，二谷、三堡中人，到了二谷、二堡，而且楊文堯、查子清，又是兩堡中首腦人物，這也算得一場盛會了。」

宗濤沉吟了一下，道：「不錯。」

易天行道：「請宗兄和那位小兄弟站在一側做個見證，也好借機調息一下真氣，兄弟教訓他們四人一頓之後，再解決咱們的事！不知宗兄意下如何？」

宗濤萬沒有想到他竟提出這樣一個問題，一時之間，倒是不知該不該答應，呆了一呆，道：「這個你得讓老叫化想想再說。」

查子清怒聲喝道：「易天行，你就自信能夠抵得我們四人聯手之力嗎？」

易天行微微一笑，道：「只要宗兄答應願做見證，你們就四人聯手一戰試試！」

宗濤心中暗道：易天行這般恭維於我，難道當真是畏懼老叫化呢，還是對徐元平的顧慮？不論如何，他是利用老叫化子；但鬼王、千毒二谷，楊家、查家兩堡，也非善良之輩，倒不如讓易天行出手和他們打一場試試，易天行武功再高，要想獨力勝這四個武林高手，只怕也非容易之事。

心念一轉，冷冷說道：「老叫化兩面不管，但也不願替你做見證。」

易天行笑道：「只要宗兄答應不管就行了。」

徐元平一直留神著丁玲的行動，也未聽到兩人說些什麼。

只見丁玲如拖千斤重擔一般，一步一步地向丁炎山走去，相距還有三、四尺遠近時，停了下來，說道：「叔叔叫玲兒，不知有什麼教諭？」

丁炎山冷冷說道：「你再向前兩步。」

丁玲依言又向前走了兩步，道：「叔叔……」

丁炎山怒聲接道：「你再走近些！」

丁玲略一思忖，突然向前兩步，停在丁炎山的身前。

丁炎山右手一揮，砰然一聲脆響，丁玲被打得三個轉身坐在地上，半面嫩臉，登時紅腫起半寸多高，滿口鮮血，泉湧而出。

這一耳光打得殘忍無比，丁玲既不敢閃避，也不敢運功抗拒，丁炎山含忿的一擊，她如何擋受得起？

但她掙扎說道：「叔叔，你爲什麼要打我？……」說完這句話，人就暈了過去。

徐元平看得心頭火起，縱身一躍，飛落丁炎山的面前，道：「你爲什麼打她？」

丁炎山冷冷答道：「我爲什麼不能打她？」

徐元平怔了一怔，忖道：是啊！他是她尊長之輩，爲什麼不能打她？呆了一呆，向後退去。

宗濤大聲喝道：「誰打了老叫化的乾女兒？」縱身直掠過來，探臂把丁玲抱了起來。

只聽易天行大笑三聲，劃空而來，道：「兄弟替宗兄令嬡出口氣吧！」聲音甫落，人已到了丁炎山的身前，舉手一掌，拍了過去。

丁炎山雙肩一晃，退後五尺，道：「易兄要和兄弟動手嗎？」

易天行笑道：「還有冷公霄、楊文堯、查子清，你們一齊算上！」舉手一招向他右肩之上

抓去。

丁炎山心中雖然對易天行有些畏懼，但形勢逼得他不能不出手接架，只好硬起頭皮，揮手一招「鐵騎突出」，橫向易天行抓來掌勢封去。

也不知易天行存心要現露一下武功呢？還是害怕查子清聯手攻來難以抵擋，有了速戰速決之心，大喝一聲，反手一招，抓住丁炎山的手腕。

這一招不但變勢迅快而且奇奧異常，丁炎山抽腕避讓時，已來不及，但覺手腕一麻，全身功力頓失。

易天行一招得手，左拳當胸擊出。

丁炎山一側身，避過一拳，卻不料易天行左拳擊出的同時，右腳同時飛起，踢向丁炎山右膝關節之處。

但聞一聲悶哼，一腳踢個正著，丁炎山一連向後退了四、五步，才拿樁站穩。原來易天行一腳踢中丁炎山後，右手也同時鬆開。

徐元平看得一皺眉頭，暗暗忖道：怎的丁炎山如此膿包，這幾拳一腳除了出手迅快之外，並無特異之處，怎的丁炎山竟被踢中一腳。要知丁炎山和易天行動手時，心中先已害怕，再被易天行一招抓住手腕，心中更是驚慌，他精神先崩潰，影響了反應，手腳也隨著遲鈍起來。

如果易天行乘勝出手，丁炎山勢非被傷在易天行的掌下不可，但他卻靜站不動，任何人都可看出他是故意手下留情。

冷公霄看他舉手投足之間，傷了丁炎山，不禁心中生出一股寒意，不知他下一人要對付哪個。

只聽易天行縱聲大笑，道：「兄弟久聞查家堡百步神拳和蜂尾毒針之名，今天，倒要借此機會領教領教了。」

眾目睽睽之下，查子清縱然不願和易天行動手，但也無法退縮，何況易天行又是指名挑戰，只好裝出一副若無其事之態，笑道：「很好，兄弟也久仰易兄，今日能夠一領教益，實是終身大幸！」說話之間，目光一掠冷公霄。

冷公霄心知查子清那一眼相望之中，已有了相邀聯手拒敵之心，當下大步走了過來。

易天行大聲笑道：「好極了，兩位聯袂出手，也免得兄弟多費上一番手腳。」

查子清、冷公霄同時覺著臉上一熱，但形勢危險，也顧不得面子問題，聽到裝作沒聽到，置之不理。

易天行目注丁炎山微笑說道：「丁兄右腿傷勢不輕，最好能及時運氣調息一下，免得落下殘疾。」

丁炎山閉目裝作不聞，默然不語。

只聽易天行長笑之聲響徹了空曠的山野，道：「兩位快些擺好架勢，兄弟就要出手了！」

查子清、冷公霄相互瞧了一眼，並肩而立。

楊文堯忽然一睜微閉的雙目，神光電閃，冷冷地掃掠了易天行一眼。

易天行本已緩步向前走去，但見了楊文堯閃動的目光後，心中忽然一動，暗道：他眼神那般強烈，哪裡像受傷的樣子，難道此人練有什麼外門奇功不成？

心念一轉，停下了腳步，高聲叫道：「楊文堯！」

楊文堯冷哼一聲，眼睛也未睜動地應道：「怎麼樣？」

易天行微微一笑，道：「你裝得很像啊！」突然欺身而上，一掌「推山塡海」遽向查子清劈了過去。

查子清低聲喝道：「冷兄小心！」右腕一翻，竟然硬接易天行的掌力。

冷公霄身子斜斜一轉，一招「回風拂柳」，疾向易天行背心拍去。

易天行想不到查子清竟然硬接自己的掌力，再想增加功力，但爲時已晚，雙方掌力接實，砰然一聲輕震，易天行借勢向外飄出五尺，讓開了冷公霄的一擊。

查子清大聲喝道：「神州一君，不過爾爾！」揚手一拳，虛空擊去。

這正是查家堡馳名武林的百步神拳，一股拳風，疾如風輪般直撞過去。

易天行老謀深算，發覺楊文堯並未受傷後，不願再以真功實力，硬和查子清、冷公霄兩人相拚，保存內力，準備對付楊文堯急起發難，眼看查子清打出百步神拳，心中忽然一動，橫向一側跨了兩步，遙空還擊一掌。

這些人的武功，都到了收發隨心之境，已把修爲的內力，隨手劈打成風，擊向敵人。

查子清接實易天行一掌之後，覺著丁炎山、冷公霄等，畏懼易天行，大可不必，倏然膽生氣壯，鬥志大增，左手一揮，擋住了易天行劈空掌力，覺出並不強大，右手又是一記百步神拳，遙遙擊去。

易天行長衫飄動，人又閃避開去，這次兩手齊出，分別擊向冷公霄和查子清。

冷公霄眼看查子清硬接易天行的掌力，立時運氣於臂，奮力硬接一擊。

但覺一掌擊空，身子不自主地向前一栽。

原來易天行擊來力道輕微，他用力過度，以致身體重心失了平衡。

查子清擋開易天行擊來掌力，又是一記百步神拳打去。

這次易天行也默運內力，揮掌把拳風擋開。

這一掌力道甚是強猛，查子清忽覺手腕一震，當下大喝一聲，又是一記百步神拳打出。

他準備易天行硬接自己拳勢，這一擊用出了九成力道。

哪知又一個出人意外的變化，易天行竟然不肯硬接拳勢，陡然向一側閃讓開去。

一股凌厲的拳風，疾向楊文堯撞擊過去。

易天行早有預謀，算好了查子清擊出的拳勢角度，站的位置，剛好是直線的擋住了楊文堯的身子，只要他一讓開，那掌風非向楊文堯撞去不可。

查子清用力過猛，而且這等百步神拳，全是一股凝聚的內家真力，非其他拳勢可比，打出之後，再想收回，自非易事，眼看拳風直向楊文堯撞了過去，只好高聲叫道：「楊兄小心兄弟的拳風！」

其實不用他叫，楊文堯早已留神上心，但見他突然縱身一躍，閃避開去。

就在查子清這心神微一分動之際，易天行已俟機欺攻而到，掌指齊出，一輪急攻，倏忽之間，攻出了五掌四指。

這九招不但招招辛辣，而且著著含蘊內勁，攻勢凌厲無比。

但見查子清身形閃動，一連向後退了八、九步，才算把這九招讓過。幸在這當兒，冷公霄及時揮拳向易天行身後攻去，算解了查子清之圍，如若不然，單是易天行這搶去先機的快攻，就足使查子清難有還手之力。

但聞易天行縱聲大笑，道：「楊文堯，你爲什麼不上啊？」

楊文堯目光一掃查子清，冷冷答道：「自作孽不可活，易兄這般苦苦相迫我們三人聯手出擊，如若傷在我們手下，那可是自找苦吃！」

易天行掌勢一變，一連劈出四掌，逼退了冷公霄，笑道：「楊兄如不出手，他們兩個人決難擋我百回合之上。」

查子清一看楊文堯沒有受傷，好勝之念大增，喝道：「楊兄大可不必再和這等狂妄之人講什麼江湖規矩，他三番五次叫我們一齊出手，現有宗兄作證，咱們今日如不能把他傷在手下，那倒是當真無顏再見江湖上朋友。」

言下之意，無疑告訴楊文堯和冷公霄，要他們全力出手，在這一戰之中，把易天行殲滅掌下。

楊文堯忽然放聲而笑，道：「查兄說得不錯，咱們今天要不給易天行一點顏色瞧瞧，從今以後，三堡、二谷，都將落武林朋友笑柄。」

冷公霄亦似被兩人這對答之言，激起了豪壯之氣，大聲笑道：「兩位說得不錯，今天如不把易天行除了，今後二谷、三堡恐永無安寧之日。」

易天行縱聲大笑道：「動起手來，拳腳無情，三位要小心了。」縱身一躍，直向楊文堯欺

攻過去。

查子清、冷公霄齊聲大喝，欺身而上。

這是一場武林中甚是慘烈的搏鬥，舉世中幾個有名高手，展開了一場驚心動魄的惡戰。

易天行身法飄忽如風，穿行在三人的拳掌交錯之中，竟然還能出手反擊。

轉眼間，四個人已相搏了二十餘回合。

楊文堯一面揮拳搶攻，一面高聲說道：「查兄、冷兄請守住方位，兄弟和他硬拚幾招試試。」

查子清、冷公霄愈打膽氣愈壯，高聲應道：「楊兄儘管出手。」

楊文堯掌勢突然一變，施出獨步武林的「金沙散手」，呼的劈出一掌。

日光下但見他手掌金黃，閃閃發光，劈出拳風，劃起了一陣輕嘯。

他這劈落的掌勢並不迅快但卻強猛絕倫，威力籠罩了數尺方圓。

查子清、冷公霄目睹楊文堯這等強猛的掌勢，不禁暗暗驚心，忖道：此人身負這等絕技，江湖上竟然沒有傳聞。

易天行似是亦為楊文堯「金沙散手」之威鎮住，不敢出手硬接，突然向一側讓去。

他讓避的方向，正是查子清防守之地，立時一拳擊了過去，口中低聲喝道：「回去！」

易天行揮掌硬接了查子清一擊，兩人同時震得向後退了一步。

就這一刻工夫，楊文堯的掌力已然當頭罩下。

冷公霄一語不發，縱身欺了過來，舉手一拳，猛向易天行背心之上擊去。

忽見易天行臉色一整，雙手疾合，緩緩向楊文堯掌力之上迎去。

楊文堯那強猛的掌勢，易天行舉起的雙手輕輕一接，兩人同時向後退去。

查子清心中一動，縱聲大笑，道：「查兄弟替冷兄和楊兄出口氣！」呼的一拳，直擊過去。

易天行臉色微現蒼白，只見他微閉的雙目忽然一睜，迅快地推出一掌，迎向查子清擊來的拳風。

這一次兩人接實後，引起了一陣狂急的旋風，查子清低哼一聲，緩緩地向後退了兩步，易天行身軀雖然未動，但臉上卻顯得更爲蒼白，汗珠兒滾滾而下。

宗濤目光轉動，橫掃了三人一眼，歎道：「四個人都受了很重的傷，就目前而論，他們誰也沒有了再戰之力。」

查玉暗暗一提真氣道：「晚輩去看看家父傷勢如何？」

這時，丁玲早已被宗濤施展推宮過穴的手法，推活血脈，醒了過來；但她卻裝作未醒，賴在宗濤懷中不動，眼看查玉走了過去，對宗濤說：「乾爹，查玉要傷易天行！」

宗濤一皺眉頭，高聲叫道：「查玉，快些回來，易天行天極氣功海內獨步，你如想暗中打主意，那是自找苦吃。」

查玉向前奔行的身子，突然停了下來，回過頭，裝作沒有聽懂地說道：「什麼事？」

宗濤冷哼一聲，道：「百足之蟲，死而不僵，易天行眼前雖已無再戰之能，但憑你查玉那一點微末的功力，要想傷他，只怕還難辦到。老叫化告訴你少打壞主意，免得自討苦吃！」

查玉微微一笑，道：「老前輩厚愛，晚輩記下了。」又轉身向前走去。

忽然間，一陣凌亂的步履之聲傳來，只見拂花公子衣衫不整，滿身塵土地急奔而來。

丁玲輕輕地啊了一聲，道：「乾爹，那拂花公子自己把穴道解開了？」

宗濤浪跡風塵，行蹤飄忽，除了他師妹之外，從未和女孩子接觸過，也從未想到過兒女們承歡膝下的快樂，如今被丁玲左一句乾爹，右一句乾爹，叫得心中大感受用，哈哈一笑，道：「你不用怕，有老叫化在這裡，誰也別想欺侮你！」

原來拂花公子抱著丁玲，跑過幾座孤墳就停了下來。

他乃色中餓鬼，玉人在懷，哪裡還能克制胸中的激動之情？但覺行血加速，慾火大熾，放下丁玲，正想施用強暴，被宗濤追了上去，點中穴道。

他當時正在慾火焚身之際，應變不夠靈敏，被宗濤一擊而中。

丁玲被宗濤救下之後，心中氣忿不過，拳腳交加，好好地揍了拂花公子一頓。

拂花公子穴道被點，無能還手，被丁玲打得鼻青臉腫，衣衫破裂。

宗濤口中雖說得輕鬆，但心中卻對拂花公子能夠自解穴道一事，甚感驚駭，忖道：看不出他還有自解穴道之能，倒是不可輕敵。

但見拂花公子兩個急躍，人已到了易天行的身側，叫道：「易兄……」忽然發覺易天行雙目微閉，面色蒼白，趕忙住口不言。

易天行睜開雙目微微一笑，道：「我受了傷！」

拂花公子胸中原本一肚子氣忿，覺著易天行不去援救是一件不可饒恕的事，但見他受傷似是甚重，心中怒氣頓消。

抬頭看去，見查玉大步直走過來，心中一股怒氣，立時發洩到查玉身上，大喝一聲，一掌劈過去。

查玉看他掌勢來得甚猛，原想讓避，但又怕他藉機傷到了父親，默運真力，打出一記百步神拳。

掌勁、拳風，中途相撞，激起了一陣旋風，拂花公子文風不動，查玉卻被擊得向後退了一步。

楊文堯、查子清同時微啓雙目，望了查玉一眼，但卻默不作聲。

要知此時幾人都在爭取寸寸分分的光陰，調息傷勢，哪一個先行恢復元氣，哪一個就是這場大戰的主宰，這時的一寸光陰，對他們當真是千金難買。

拂花公子劈出一掌之後，耳際忽然響起了易天行的聲音道：「常兄不要出手了，快些離開此地，西行五里，施放兄弟交給常兄的沖天火炮，召來咱們埋伏的人手，如他們能夠及時趕到，可把眼下之人，一網打盡。」

他用的蟻語傳音之法，全場中除了拂花公子之外，都難聽到。

拂花公子怔了一怔，又狠狠地瞪了神丐宗濤一眼，突然轉身而去。

如他不狠瞪宗濤一眼，也許還不致引起丁玲的注意，這一眼怒視之下，立時啓動了丁玲的懷疑之心。

她望著拂花公子急奔而去的背影，低聲對宗濤說道：「乾爹，你快去叫徐相公趕上，把那拂花公子捉住，只怕他要使壞主意了。」

宗濤怔了一怔，轉臉向徐元平望去，見他仰臉望天，似是正在想著一件極大的心事。

宗濤猶豫一下，才說道：「徐元平！」

徐元平嗯了一聲，大步走了過來，說道：「老前輩叫我嗎？」

宗濤道：「你快去追那拂花公子回來。」

徐元平抬頭望去，哪裡還有拂花公子的影子，呆了一呆，道：「他到哪裡去了？」

二八　武林主脈

原來這一陣工夫，拂花公子早已跑得沒有了影兒。

丁玲輕輕歎息一聲，道：「晚啦！」

宗濤道：「什麼晚了？」

丁玲道：「此地一片荒野，四通八達，不知拂花公子走的哪個方向，想追他自是不易！」她微微一頓之後，道：「不過，還有補救的辦法，去追問易天行，或可以找出拂花公子的行蹤。」

宗濤緩緩放下丁玲的嬌軀，說道：「你站在這裡，我去問問易天行去。」

他似是也知道了局勢的嚴重，大步走了過去，高聲說道：「易天行！」

易天行雙目微一啓動，望了宗濤一眼，道：「宗兄有什麼事？」

宗濤道：「拂花公子哪裡去了？」

易天行道：「他大概發覺兄弟受傷不輕，已不宜多在此地停留，先行溜了！」

宗濤暗暗忖道：這話倒也不錯。

當下接道：「他可是回到關外去了嗎？」

易天行道：「這個兄弟就不清楚了。」

他微微一頓之後，又道：「宗兄如若不存傷害兄弟之心，最好此際別再向兄弟說話，如若讓楊文堯、查子清先行調息復原，兄弟就難以保得性命了。」

宗濤怔了一怔，退了回去，一面心中暗暗盤算道：眼下這幾人都已受了重傷，如若老叫化子出手，誰也別想逃得性命，但我能這樣傷了他們嗎？

忖思之間，突然一聲砰的爆響，傳了過來。

宗濤久走江湖，閱歷豐富，一聽之下，立時辨出是人造的沖天火炮一類的爆炸之聲，不禁一皺眉頭。

楊文堯突然睜開雙目，高聲說道：「丁兄傷勢很重麼？」

丁炎山微一思忖，立時瞭解了楊文堯弦外之音，縱身兩個飛躍，直向易天行撲了過去，口中卻高聲應道：「兄弟元氣已復。」

在場諸人之中，除了易天行，要算楊文堯心機最爲深沉，他見拂花公子走後不久，就傳來火炮之聲，已判出可能是易天行有什麼陰謀，頓起殺機，點破丁炎山，要他趁著易天行運氣調息傷勢之際，出手把他擊斃。

易天行雙目一睜，高聲說道：「金老二，我不再追你叛離之罪，但要你最後爲我效力一次，抵擋丁炎山五十個回合。」

金老二沉吟了一陣，道：「你要取下我附骨毒針，我就再爲你出一次力。」

易天行微微一笑，道：「好啊！你竟和我討價還價了……」

這當兒，丁炎山已然衝到了易天行的身前，揮手一掌，劈了過去。

易天行一提真氣，縱身避開，道：「好吧，你如無法擋得丁炎山五十回合，那就不要怪我收回承諾。」

金老二應了一聲，縱身而上，欺身直向丁炎山側背攻擊。

查玉突然橫跨兩步，攔住了金老二道：「金老前輩且慢出手，聽晚輩一言如何？」

但見丁炎山拳腳齊出，倏忽間連攻了十四、五招，易天行帶傷閃避，已被迫出一頭大汗。

金老二單臂一揚，一拳擊去，口中喝道：「閃開，有什麼話，晚一會兒咱們再談。」

查玉左手一招「分花拂柳」，封開金老二拳勢，說道：「事關生死大事，一刻也難遲延，老前輩只要等候片刻工夫，晚輩就可以把話說完了。」

金老二閱歷何等深刻，早知查玉用心在拖延時間，好讓丁炎山藉機把易天行傷在手下。

一側觀戰的徐元平，怔怔地看著局勢發展，不知如何處理，這般人好像都不該救，也無法指出誰好誰壞，內心中感受十分複雜、矛盾……

他看了一陣，回頭對宗濤說道：「宗老前輩，咱們要不要出手？」

宗濤笑道：「老叫化答應了易天行兩面不管，不能說了不算，只好袖手看熱鬧了！」

徐元平轉臉望去，只見金老二和查玉已打入生死關頭，雙方掌來腳往，打得激烈異常。

金老二獨臂揮舞，招招都指向查玉要害大穴；但查玉卻似心中有所顧忌一般，不肯像金老二一般地放手而攻，除非解救險招之外，不肯施展辣手。

忽然傳來一聲悶哼。

徐元平抬頭望去，只見金老二連倒退了四、五步，才站穩了身子，不覺一皺眉頭，縱身一躍，跌落在金老二身側，低聲問道：「叔叔受了傷嗎？」

金老二還未來得及答話，查玉已搶先說道：「兄弟失手擊中了金老前輩一拳。」說完，抱拳一揖。

徐元平舉手一揮，算是還了查玉一禮，目光卻投注在金老二的身上，說道：「叔叔，傷得很重麼？」

金老二道：「還好……」突然提高了聲音，道：「易天行，我如讓別人代我抵擋了丁炎山五十招，算不算數。」

這時，易天行已被丁炎山拳腳交集的攻勢，逼得險象環生，但他始終不肯還手，聽得金老二喝叫之言，微笑答道：「你膽敢直呼我的名字了……」

他身軀疾轉，避讓過丁炎山兩拳，說道：「好吧！我既存心讓你自由，不論由誰出手，都是一樣，只要能夠擋得丁炎山五十招就算。」

金老二目注徐元平道：「平兒，快去接下丁炎山五十招。」

徐元平怔了一怔，道：「什麼？叔叔可是要我去幫助易天行嗎？」

金老二道：「不要你幫他，只要代他抵擋丁炎山五十招，就立時撤退回來！」

徐元平看他滿臉慌急之色，不再多問，縱身一躍，落到易天行身側，左掌一揮，接下丁炎山的攻勢。

丁炎山怒道：「你要和老夫動手嗎？」

徐元平道：「我要擋你五十招。」

丁炎山怒道：「那你就試試吧！」舉手一掌，疾劈過去。

徐元平舉手一封，把他掌勢逼開，但卻不肯還手。

丁炎山初攻幾招，還擔心他出手還擊，攻了幾招之後，看他不肯還手，膽子大了起來，放手而攻，招術極盡辛辣。

徐元平施展斬脈打穴的手法，迫得他常把攻出的招術半途收回，但他卻一直不肯還擊一掌一指。

丁炎山狠攻了三十招後，心中突然害怕起來，停下手，倒躍而退，冷說道：「你爲什麼不還手呢？」

原來他發現徐元平封擋自己攻勢的掌指中，無一不是兼具著凌厲辛辣的攻勢，他雖然適時收回，蓄勢不發，但丁炎山卻不能不顧慮到他可能趁勢擊出，心理上卻要準備破解之法。

這麼一來，他雖無驚險，但卻有著心理上的不安，三十招後，心理上的防線，先行崩潰，因爲徐元平的招術蓄勢不發，愈是讓他感覺還擊之勢的可怕。

徐元平淡淡答道：「我已事先說明，接你五十招的攻勢。」

丁炎山道：「老夫是何等人物，豈肯要你一個黃毛小兒相讓。」

徐元平劍眉一聳，怒聲喝道：「你先把餘下的二十招攻完，我再還手不遲。」

丁炎山暗中運集「寒陰氣功」，準備施出二十四招「玄陰鬼爪」，一舉把徐元平傷在掌下。

徐元平看他臉色突然變成一片鐵青，全身肌膚，似乎也向裡面深陷很多，也不禁提高了驚覺，暗自運功戒備。

丁炎山運足「寒陰氣功」之後，陰惻惻地一笑，道：「你不肯還手，傷在了我的手下，可就別怪我了！」

徐元平這幾個月來，耳聞目睹，閱歷大增，冷笑一聲，道：「你不用出言激我，我既然說不還手，不論你用什麼武功，我決不還手就是。」

丁炎山心中暗喜，忖道：我這「寒陰氣功」和二十四招「玄陰鬼爪」，乃我們鬼王谷中絕藝，除了被人搶去先機，迫我無法施展出手之外，一施出手，武功再高，也不易招架，你這小子不還手，豈不是自己找死！

站在身後的丁玲，卻已看出情形不對，知道丁炎山殺機已起，已運集「寒陰氣功」，準備施展二十四招「玄陰鬼爪」，不禁粉臉變色，低聲叫道：「三叔叔……」

丁炎山冷哼一聲，回頭接道：「什麼事？」

丁玲道：「爹爹曾經三令五申，不到生死交關，不許施出『玄陰鬼爪』，以免把咱們鬼王谷中絕技洩露於江湖之上，叔叔如若今日施展此技，爹爹知道了，只怕心中不樂……」

丁炎山心知她再說下去，洩露的隱秘也就更多，轉過頭來，不理丁玲，卻高聲對徐元平說道：「我們鬼王谷二十四招『玄陰鬼爪』，江湖上能夠抵擋之人難有幾個，老夫在未動手前，再給你個機會，現在你說還手，時還未晚。」

徐元平豪氣凌雲地大笑道：「我如傷在你的手中，只怪我學藝不精，不過二十招後，我就不再受此約所束！」

丁玲望了徐元平一眼，黯然歎息一聲，忖道：你這不是找死嗎！你縱然還手，只怕也難擋得我們這鬼王谷中絕藝，何況你不還手……

神丐宗濤似已看出了丁玲感情之重，哈哈一笑道：「你不用替他擔心，丁炎山決然傷不了他。」

丁炎山左手一揚，五指半屈半伸，疾向徐元平前胸抓去。

這一招來勢凶惡，掌勢剛出，徐元平已覺出一股陰寒之氣，直逼上來。

徐元平右手一揮，幻起一片掌影，封住了丁炎山的攻勢，暗暗忖道：我不能還手，他沒了後顧之憂，攻勢自是更爲凶猛……

忖思之間，丁炎山已施展開二十四招「玄陰鬼爪」，但見滿天指影，挾著縷縷冷風，罩了下來。

這時站在旁邊觀戰的丁玲、宗濤，都已看出有點不對，原來徐元平已被丁炎山雙手舞起的指影罩住。

丁玲望了宗濤一眼，抱怨地說道：「我說他抵擋不住吧！你偏不信，現在你信了吧？」

宗濤道：「丁炎山已經攻出十招，只要他再擋十招，就可以還手了！」

丁玲道：「我雖不會『玄陰鬼爪』，但卻知道那二十四招，是一氣呵成之學，如果我叔叔十招不肯停手呢？」

忽聽徐元平大聲喝道：「二十招已過，在下可要還手了！」揚手劈出一掌。

一股疾猛的暗勁，直沖而起，撞破了那環繞滿身的指影，飛身躍落一丈開外。

丁炎山似是被徐元平這強猛的一掌所震懾，竟然不再追擊。

神丐宗濤高聲叫道：「丁老三，那二十四招『玄陰鬼爪』不錯，只是鬼氣太重了，看來不像是活人施用的武功。」

暗中卻留神向徐元平望去。只見他臉色蒼白，嘴唇微微發青，似是剛從冰窖之中出來的人一樣，心頭暗暗驚駭，忖道：想不到「玄陰鬼爪」竟是如此厲害。

丁玲望了叔叔一眼，又轉臉看了徐元平，低聲向宗濤說道：「乾爹，求你一件事好嗎？」

宗濤怔了一怔，道：「那定然是異常困難了，要不然你也不會這般相求老叫化了？」

丁玲淒涼一笑，低聲說道：「我叔叔雖然對我不好，但他畢竟是我長輩。」

宗濤微微一笑，道：「你可是要老叫化勸阻徐元平，不要傷害他嗎？」

丁玲道：「他和徐相公已鬥個兩敗俱傷了！」

宗濤奇道：「怎麼？丁炎山也受了傷？」

丁玲道：「不錯，但他運集的『寒陰氣功』未散，很難看得出來。」

宗濤道：「想不到老叫化走了幾十年江湖，如今竟然看走了眼，他傷得很重嗎？」

丁玲道：「比起徐相公只重不輕。」

忽聽金老二高聲說道：「易天行，我已兌現了抵擋丁炎山五十招的諾言，你相許替我解去附骨毒針之諾，不知道還算不算？」

易天行啓目微笑道：「我許過的諾言，幾時改變過了，你過來吧。」

忽聽步履聲響，只見幾十條人影疾奔而來，快如流星趕月一般，眨眼之間，已到了群豪停身之處。當先一人，正是拂花公子。他身後跟著一群高矮不等之人，這群人有老有少，一個個背插兵刃。

正北方是六個身著白衣，手執短劍的小童，六人身後站著四個五十歲上下的老人，每人手中都握著一根蛇頭拐杖。

此外，東、南、西三方，各站著十二個全身黑衣，連頭帶臉也蒙著黑布的怪人，只露兩隻眼睛，光閃閃地注定場中群豪。

這些怪異的裝束，立時把這荒涼的山野襯托得恐怖起來。

只聽丁玲大聲叫道：「乾爹，快些幫助楊文堯等回復功力……」

宗濤微微一怔，舉手按在楊文堯背心之上，暗提真氣，立時有一股熱流攻入楊文堯「命門穴」中。

楊文堯本已經運氣調息了很久，再經宗濤提聚真氣相助，立時真氣通達四肢，暢行全身，一睜雙目，說道：「多謝宗兄相助。」

宗濤冷哼一聲，大步向冷公霄走了過去。

丁玲望了徐元平一眼，道：「你也別閒著呀！幫助查子清和我叔叔恢復功力，他們多恢復一分功力，咱們就多上一分生機。」

徐元平心中甚似不願，但卻又似不忍拒絕丁玲，皺了皺眉頭，緩步走了過去，舉手一掌，拍在丁炎山後背「命門穴」上。

丁炎山運集「寒陰氣功」施出二十四招「玄陰鬼爪」，本想把徐元平傷在手下，哪知徐元平自生死玄關通後，已逐漸把慧空轉納的真元之氣，吸歸經脈，和本身真氣相合，功力突然大增；水牢一月中，又勤修慧空相授的佛門上乘內功，不論手法、內勁，均有了驚人的進境。

丁炎山施展「玄陰鬼爪」時，挾帶著絕毒的寒陰氣功，徐元平難擋那寒毒之氣，不自覺地運氣相抗，全身滿佈了一層真氣，蘊含了極強的反震之力。

丁炎山一用出寒陰氣力，必有極強反震之力彈回，徐元平雖然二十招沒有還手，但丁炎山卻絲毫沒有佔到便宜，丁炎山二十招攻完，本身受到了極重的內傷，徐元平雖也被那攻身寒毒所傷，但他本有真氣護身，寒毒難浸內腑，略一運息，立時復原，丁炎山卻是內傷慘重，大有難再支撐之感。

徐元平真氣充沛，手掌一觸他背後命門穴，立時有一股極強的熱流攻入體內，奔行全身。

丁炎山心知這是他唯一能夠短時療癒內傷的機會了，當下強提真氣，運行相和。但仍然等上了一盞熱茶工夫之久，才把本身真氣和徐元平攻入體內真氣相和一起。

徐元平缺乏經驗，覺出丁炎山毫無反應，立時綿綿不絕地運氣攻入，待丁炎山和攻入體內真氣接和一起時，徐元平已累得汗流浹背。

這一陣工夫，宗濤也不惜耗消真氣，連續幫助冷公霄、查子清提前恢復了功力。

易天行一直冷眼旁觀，靜靜相待，拂花公子幾次要藉機下手，都被易天行攔住。

直待楊文堯、查子清、丁炎山、冷公霄等都恢復了功力，易天行微微一笑，道：「各位功力，都恢復了嗎？哪位沒有恢復，不妨說將出來，兄弟還可再等待一些時光。」

這時，宗濤和徐元平倒是累得滿頭汗水，靜站一側，運氣調息。

群豪都以宗濤爲中心，排成一個圓陣，唯獨徐元平被丟在兩丈左右之處，孤零零地一個人閉目而立。

丁玲星目流動，環掃了四周一眼，只見四面環伺的強敵，都已經拔出兵刃，只要易天行一聲令下，立時將以排山倒海之勢一擁而上，徐元平孤獨地單站一處，只怕難拒那四面環迫的猛攻，何況他還正在運氣調息，無力迎敵……

只聽楊文堯低聲說道：「金兄可知道那些身著黑衣的人，懷中金筒是什麼兵刃嗎？」

原來，東、南、西三面環守的黑衣人，已把背後的黑色包裹解了下來，由那包裹之中，取出一支兩尺長短，手臂粗細的金筒。

金老二聲音微顫抖地答道：「那金筒之中不是兵刃……」

楊文堯接道：「是暗器？」

金老二道：「大概是吧……」

楊文堯道：「如若他們在那筒中暗藏了什麼毒針之類，利用彈簧打出，三十六筒齊發，那可是防不勝防了。」

查子清道：「如果易天行用這種手段對付咱們，咱們也大可不必和他們講什麼江湖道義，同樣的用暗器對付他們了。」

楊文堯笑道：「兄弟倒忘記查兄的蜂尾毒針，江湖上聞名喪膽了。」

易天行一直靜靜地站著不動，聽幾人談話，直待楊文堯提到查家堡的蜂尾毒針，才冷笑

一聲，接道：「楊兄不用多猜疑，你如有種，不妨向前移行兩丈，試試這金筒是暗器還是兵刃？」

遙站在丈餘外的徐元平，忽然睜開雙目，望了易天行一眼，接道：「在下試試如何？」大步向前移動五尺。

易天行微微一笑，道：「好！眼下諸位，大概已無人能再生還，早死晚死，相差無幾，你既要先試銳鋒，在下自當成全。」

他目光緩緩地移到西方第一個黑衣人的身上，接道：「你用手中金筒，和這位徐英雄動手試試吧！」

那黑衣人應聲而出，大步直向徐元平走了過去。

楊文堯、查子清、丁炎山等所有人的目光，一齊投注在徐元平和那黑衣人的身上，似是等待著一個極大的秘密揭露，心中都有著無比的焦慮。

這時，那黑衣人已奔近徐元平身前兩、三尺，停了下來，揚了揚手中金筒，當胸點去。

徐元平早已暗中提氣戒備，他似亦發覺了那金筒有異，不願輕易冒險，雙肩晃動，身軀向一側閃讓五尺。

那黑衣人點出的筒勢，並不很快，徐元平身軀站穩，他才緩緩收回金筒。

徐元平一皺眉頭，舉手遙發一掌。一股猛勁的潛力，直逼過去。那黑衣人突然向右面橫跨兩步，讓開掌力，疾向徐元平身前欺去。這一次身法迅快，和上次的大不相同。

徐元平微微一怔，反臂劈出一掌。但見那黑衣人身軀一轉，又向左面跨出兩尺，舉起金筒

一推，一股濃煙，疾噴而出。

徐元平早已有備，一見情勢不對，立時凌空而起。

那濃煙向外噴射的勁道極強，徐元平剛剛躍起身子，他停身之處，已爲那金筒中噴出的濃煙籠罩。

那黑衣人見濃煙未能奏效，立時一收金筒，左手在金筒底端一轉，對著徐元平凌空的身子一揚。

日光下，只見十幾縷疾射的白線，閃電般向徐元平射去。速度之快，超逾任何暗器，而且射程奇遠，也非一般暗器可及。

查子清只看得心頭一震，暗道：看那暗器細小，分明是毒針一類，速度、射程，都非我們查家堡的蜂尾毒針能及，看來威震江湖的蜂尾毒針，行將被此筒取代了……

徐元平看那黑衣人一揚金筒，立時有十幾縷銀線疾射而來，不到一丈，已然散佈了四、五尺方圓，目力再難瞧見。

當下一提丹田真氣，雙臂一振，立時雙臂一掄，懸空打了兩個轉身，飄落到四、五丈外。

這卓絕的輕功，江湖上極是罕見，連易天行也看得愣在當地。

楊文堯、查子清、丁炎山、冷公霄臉色陰暗不定，忽憂，忽喜，十分複雜。

原來他們心中，除了驚佩徐元平的輕功之外，對那黑衣人手中金筒發出的濃煙、暗器，爲之心弦驚蕩；但卻又混入了一絲慶幸之心，暗道：幸非是我，如果是我，不傷在那濃煙下，亦必傷在那銀絲般的暗器中。

凝目望去，只見那濃煙散佈約一丈方圓之後，忽然靜止不動，也許它仍在散佈，只是散佈得很慢，已非目力能夠看得出來。

像高聳的峰尖山上，凝滯的雲氣，像清晨絕壑間，迷漫的一片白霧。

那黑衣人兩擊未得逞，似是甚爲驚愕，呆站了一陣，才縱身而起，直向徐元平停身地方撲去。

徐元平已不願再讓他有機會放出金筒中暗藏的濃煙，提聚功力，蓄勢以待。那黑衣人躍撲過來時，立時大喝一聲，舉掌劈出。一股強猛絕倫的掌力，直撞過去。

那黑衣人已然縱身而起，再想閃避徐元平的掌力時，哪裡還來得及？只覺前胸一震，吃那撞擊過來的劈空勁氣，震得直飛起來，跌落到六、七尺外。

這一記劈空掌力，遙擊到一丈四、五以外的人，仍然有這等強猛之力，全場中人，無不爲之心中一動。

易天行一皺眉頭，舉手在頭頂上一揮。環伺周圍的黑衣人，立時迅快地散開，各自搶了方位，舉起手中金筒，準備合圍而上。

只見那被徐元平擊中的黑衣人噴出一口鮮血後，掙扎而起，手中金筒對著徐元平一送，兩道藍色的彈丸，疾射而出，直向徐元平打去。

徐元平已知那金筒中藏的暗器樣樣厲害無比，不敢用掌力劈打，縱身而起，躍落到兩丈開外。

兩粒藍丸，帶起了一串光焰，撞在徐元平停身處的青塚之上。

只聽一陣輕微的波波之聲，兩粒藍丸同時爆散開來，化成了兩團車輪大小的藍色火焰，落在草地上，立時熊熊燃燒起來，剎那間火光大盛，濃煙騰空，籠罩了兩丈方圓。

那青塚附近雖是青草，但那藍焰的燃燒力強烈無比，只一沾到，不論砂石青草，一樣地燃燒不熄。

徐元平暗叫了一聲僥倖，忖道：我如用掌力一擋，那藍丸爆散開來，沾在身上，勢非活活燒死不可。

這一只金筒中藏了這麼多暗器，而且件件絕毒無比，一人施用，已使人防不勝防，易天行手下卻有三十六人施用此物，只怕要把目下武林鬧一個天翻地覆……

思忖之間，那掙扎的黑衣人，突然鬆開手中金筒，倒在地上死去。

楊文堯突然振臂而起，疾如離弦流矢一般，向那黑衣人屍體所在躍去。

就在楊文堯發動的同時，那六個懷抱短劍的白衣童子，也一齊飛躍而上。

楊文堯身法較快先行躍到，手臂一探，向地上那金筒抓去。

忽聽易天行大聲喝道：「楊文堯，你不要命了嗎？」

楊文堯聽得他大喝之聲，不禁一怔。

就這一緩之勢，六個白衣童子已經趕到，團團把楊文堯圍了起來。

楊文堯目光環掃了六個白衣童子一眼，冷笑一聲，道：「哼！原來是六個乳臭未乾的孩子。」

他口中雖然說得輕鬆，但見六人手中短劍光華閃動，耀目生花，一望之下，立時可以辨出不是平常的兵刃，如若六人沒有相當的武功，易天行決不會把這等寶刃，交給他們施用。

那六個白衣童子，不但一個個長得眉清目秀，而且身材衣著也都是一般模樣，也一樣綳著臉，一副凜然難犯的神情，目光隨手中短劍移動，莊莊嚴嚴誠誠敬敬。

楊文堯忽然心頭一凜，趕忙提聚真氣，抱元守一，凝神運勁，蓄勢而立。

原來，他忽然發現環伺在四周的六個白衣童子，竟然都身具上乘劍術，他們舉動手中寶劍時不苟言笑的態度，誠誠敬敬的神色，正是上乘劍術出手的準備。

這發現使他及時地提高了警覺，運勁待敵，但也使他心神爲之震動，想不到易天行的手下雖是三尺之童，亦不可輕侮。

只聽易天行的長笑之聲響蕩荒涼的山野，直衝霄漢，歷久不絕。這笑聲顯示他充沛的真氣，只聽得冷公霄、丁炎山心頭凜然。因爲那長笑聲中表達出深厚的內功，使幾人都覺出望塵莫及，也不像一個剛剛受過重傷的人，復原地這等神速。

易天行剛才可能是僞裝受傷，借受傷拖延時間，留下了群豪，然後召集屬下高手，把群豪一鼓殲滅，一個不留……

突然間長笑寂然，餘音裊裊散入高空。

易天行沉重的聲音，傳入耳際道：「諸位已看過那金筒中所藏的暗器了，諸位哪個自信有能躲過三十六只金筒的暗器齊發，不妨出來一試！」

一陣默然，群豪沒有一人接口說話。

易天行忽然長長歎息一聲，道：「諸位既然自知無能躲過，難道就等待著死亡臨頭不

成。」

群豪都被他說得心中一動，暗暗想道：這話說得不錯啊，難道我們等待著死亡降臨到頭上嗎？

宗濤突然啓動雙目，望了易天行一眼，道：「老叫化生平之中歷險無數，但均安然無恙。生死之事，豈能嚇唬住人不成？」

這幾句話，說得豪氣干雲，易天行不禁怔了一怔；但瞬息之間，重又恢復了平靜神色，朗朗大笑一陣，道：「宗兄說得不錯，不過像咱們在江湖上走動的，哪一個都經過不少大風大浪，今日能得不死，誰不是從刀口下撿回來的性命？宗兄歷經凶險不死，只能算僥倖而已，也大可不必以此自豪……」

他微微一笑，又道：「也許在場中人，比宗兄所經歷更凶險的事，還有不少？」

宗濤冷笑一聲，道：「易兄難道已認定了今日能把我們盡數殲絕此地不成？」

易天行笑道：「這個兄弟就很難肯定答覆了，那要看諸位的信心如何，如果諸位能夠自信對付得了，那就不妨試試！」

宗濤雙目圓睜，神光暴射，凝注在易天行臉上，縱聲大笑道：「生死之事，老叫化一向不放在心中，易兄儘管下令屬下動手就是！」說完大步而出。

易天行微微一笑，道：「宗兄的豪氣，實叫兄弟佩服！」

面色忽然一變，冷冷地對查子清等說道：「宗大俠已然想試闖兄弟排成的天罡陣了，不知查兄、冷兄、丁兄等意見如何？」

三人雖是江湖上久負盛名的人物，但查子清究竟是一堡之主，隱隱之間，身分似是高過兩人，左右回顧了一眼，接道：「易兄才華絕世，匠心獨具，才能創出這等毒絕塵寰的暗器，就剛才兄弟所見而論，自知無能闖過三十六筒暗器齊發，但兄弟極願一試，生死成敗，置之度外。但有一事相求易兄，不知易兄能否答應？」

易天行道：「這個要得先請查兄說出來，讓兄弟斟酌一下，才能答覆。」

查子清道：「兄弟犬子，功力火候不夠，那是絕難闖過易兄匠心獨創的暗器，兄弟請易兄……」

易天行微微一笑道：「查兄可是要兄弟網開一面，先行放過令郎嗎？」

查子清聽得臉色一變，當下長長一歎，道：「不論易兄如何諷譏兄弟，但望能先將犬子放行！」

易天行沉吟一陣，道：「這個……」

他為難地歎一口氣道：「咱們武林中有一句名言，不知查兄是否記得？」

查子清道：「不知是哪一句話？」

易天行：「斬草不除根，春風吹又生，近日江湖盛傳，二谷、三堡中人，要聯手對付兄弟，不知此言是真是假？」

查子清道：「兄弟尚未聽得此等傳說，不知易兄在哪裡聽到？」

易天行淡然一笑，道：「不論是否聽得，但這傳說決不是空穴來風的事。今日在這孤獨之墓，如能多傷一人，就減少了一個強敵，既成了誓不兩立之局，早晚是難免一場拚搏……」

查子清聽他口風，已知沒有放走查玉之意，再相求於他，也不過徒自取辱而已，當下臉色一整，冷冷接道：「今日之局，鹿死誰手，還難預料。易兄且莫把話說得太滿。」

易天行道：「好吧！那我們就試試看吧！」右手一揮，高聲接道：「眼下之敵，不得放走一人！」

那環守在四周的黑衣人突然交叉穿行，各奔方位，眨眼之間，排成了一座圖陣，將群豪圍在中間。

楊文堯目睹群豪被圍，局勢已成了劍拔弩張的形態，大戰一觸即發，自己孤身一人，陷在六個白衣童子的包圍之下，形勢較群豪更是危殆，如不及時設法衝出，一動上手，再想破圍而出，那更爲困難了。

心念一轉，殺機忽生，念動意動，突然縱身而起，一招「飛瀑流泉」，疾向正南方位的白衣童子劈去。

這一掌用出他八成功力，又是猝然發難，施展出手，在他心想，那白衣童子就算武功很高，也難躲過這一掌。哪知事實上大謬不然，楊文堯躍起發動的同時，那六個白衣童子佈成的劍陣，也同時發動。

只見那正南方的白衣童子疾向一側避去，東、西雙方四個白衣童子，卻疾猛地衝了過來，手中短劍閃起森森的寒芒，分由楊文堯兩側攻到。

楊文堯疾快游走，避開了一輪急攻，那六個白衣童子一輪急攻無效，立時也沉靜下來，不再揮劍進逼，卻以詭譎的劍陣變化，困住對方，再等待第二個機會搶攻。

只聽易天行大笑之聲，傳了過來，道：「楊兄果然是名不虛傳，竟然能在兄弟這六合劍陣中支持這樣久的時間。」

查子清、丁炎山、冷公霄心中暗暗忖道：如若不及時把楊文堯救出劍陣，等一下對付那天罡陣時，那就少一個強有力的幫手了。

三人心意相同，互相望了一眼後，查子清開口說道：「咱們得想法子幫楊兄脫出劍陣。」

冷公霄道：「不錯，兄弟也有同感。」

丁玲卻冷冷地接道：「不行，你們不要自作聰明。」

丁炎山怒道：「誰要你這個丫頭接口。」

站在數尺外的神丐宗濤冷哼了一聲，接道：「丁老三，你大概只會欺侮你侄女兒，老叫化看不順眼，丁玲已認在老叫化膝下，以後在我面前最好別作威作福……」

查子清也接口說道：「令侄女素負才名，她既然出口阻止，必有高見。」

丁炎山回目望了丁玲一眼，默然不語，心中卻暗暗忖道：這麼看將起來，這鬼丫頭的名氣，倒像比我還要大了。」

查子清揮手對丁玲說道：「姑娘的才名，我已經久聞了……」

丁玲嫣然一笑，道：「好說，好說，反正咱們今日都別想生離這孤獨之墓，早死晚死，都是一樣，你們現在縱然肯聽我話，不去救楊文堯，但爲時已經晚了。」

易天行放聲大笑，道：「鬼谷二嬌之名，果非虛傳，可惜眼下這般庸俗之輩，只怕現在仍然難解姑娘言中之意，你就索性對他們明說了吧！」

查子清、冷公霄、丁炎山等都聽得瞠目不知所以，回頭望了丁玲一眼，齊齊問道：「易天行究竟說的什麼？」

丁玲淡淡一笑，道：「我不信他真的知道了我心中想的事情，他特意出言詐我……」

易天行笑道：「你如不信，那就讓我替你說出來如何？」

丁玲道：「你說吧！」

易天行拂髯大笑一陣，目光緩緩由查子清等臉上掃過，道：「兄弟實在替幾位慚愧，論智料事，竟然不如一位女孩子家……」

突然舉起雙掌，拍擊兩響，高聲對六個白衣童子道：「你們都退回來！」

六個白衣童子依言而退，但那環守在四周的黑衣人，卻迅快地填補上六人撤退時的空隙。

易天行接口說道：「楊文堯被困在六合劍陣之中，幾位雖然減少了一份實力；兄弟這天罡陣，卻也留下了一面空隙，這金筒之中，很多威力強大的暗器，也無法施展發揮，如若幾位在適當的時機中，一擁而上，衝入六合劍陣，不僅可解楊文堯之危，且可借勢衝破重困。那時兄弟再想重困幾位，只怕十分不易了。」

他微微一笑，目注丁玲接道：「姑娘憑心而論，在下猜得對是不對？」

丁玲點點頭，道：「猜得不錯。」

易天行笑道：「在下也得多謝姑娘提醒我了。」

丁玲道：「不用客氣啦。」

群豪聽得兩人對答之言，個個目瞪口呆，半晌說不出話。

楊文堯緩步走近群豪，低聲說道：「咱們散開拒敵，每人借一座墓塚，以避暗器。」

查子清目光環掃，見停身之處，墓塚壘起，而且又相距不遠，點頭說道：「這辦法不錯，只要咱們能避過那金筒中所藏的幾種歹毒暗器，這場大戰，就未必會輸……」

突然提高了聲音說道：「易天行已存了斬草除根之心，今日在場之人，不論有什麼恩怨，也得暫時撇開，因為目下情景，我們已是個生死與共的局面，全體合力，或可度此難關，如若彼此仍存嫌怨，存心袖手旁觀的話，到最後定落個惹火自焚之果……」

他重重地咳了一聲，問道：「不知宗兄認為兄弟這點愚見，是否有點道理？」

宗濤微微一笑，道：「老叫化生平之中只有是非之分，大義所在，雖粉身碎骨，在所不惜，生死之事早已不放在老叫化心上。」

易天行縱聲長笑，打斷了宗濤未完之言，朗朗接道：「當今江湖人物，兄弟最佩服宗兄的豪氣，宗兄似乎犯不著和這般人傷死一起，如果宗兄此刻願走，兄弟決不攔阻。」

宗濤冷冷說道：「老叫化剛才救你，並非存心和你攀交，只不過因你惡跡尚未完全暴露，未到該死的時刻……」

易天行接道：「不論宗兄存心如何，但兄弟一樣感激，我已仁盡義至，宗兄如若硬是不聽，兄弟只有成全你……」

宗濤仰天打個哈哈接道：「你先且慢誇口，目下勝敗還是個未定之局，老叫化雖不滿二谷、三堡中人，但此情此景，也不能棄他們而去……」

易天行道：「既然宗兄存心要和兄弟作對，那也是沒有法子之事，兄弟這天罡陣發動在

即，宗兄要小心了。」舉手一揮，四周環圍的黑衣人，立時合圍並進。

楊文堯身子一側，當先隱入一座墓塚之後。

查子清、冷公霄、丁炎山等群起效隨，各自佔了一座墓塚，隱起身子。只有神丐宗濤和徐元平，仍然靜靜地站著未動。

這時，天罡陣已然發動，四周的黑衣人逐漸地逼近了群豪。

宗濤目光轉動，突然伸手在地上撿了一枝枯竹，掄了一周，笑道：「老叫化已經數十年沒有用過兵刃了……」

易天行隨著那逼進的黑衣人向前行來，接口說道：「宗兄今日肯以枯竹以代兵刃，那已是看得起兄弟了。」

忽聽徐元平大聲喝道：「站住！再向前逼進，在下就要出手了！」

那向前逼進的黑衣人，頭臉之上，都被黑布密密包起，除了兩隻眼睛，連手上也戴著特製的手套，無法看清楚他們臉上神色；但見他們仍然緩步向前逼來，對徐元平喝叫之言，竟如不聞。

荒涼的亂墓中，一群連頭臉也被黑布包起的人，緩緩向前逼來，不慌不忙，鎮靜無比，單是這一種恐怖的氣氛，就足以使人為之心驚膽寒。

忽然間，一條人影從一座突起的墓塚後站了起來，嬌喝一聲，直向徐元平停身處奔了過來。

神丐宗濤已運集了全身的功力，準備隨時救援徐元平，但聽那嬌喝之聲，不禁心神一震，目光轉動，高聲喝道：「玲兒，快退回去。」

只聽丁玲嬌脆的聲音傳了過來，道：「乾爹不用替我擔心，我反正也活不了很久啦！」

徐元平滿臉急忿，接道：「你身受熱毒，已被那蛇毒所解，傷勢已癒，胡說些什麼？」

他話還沒有說完，丁玲已奔到了他的身側，柔聲接道：「對付這等強敵，你爲什麼還不用兵刃呢？」

徐元平怔了一怔，道：「我沒有兵刃啊……」忽然心中一動，想起懷中戮情劍來，微微一笑道：「我懷帶有兵刃，你快退回去。」

丁玲秀目轉動，打量了四周一眼，道：「晚啦……現在我已經回不去了！」

徐元平轉眼望去，那些黑衣人已到六、七尺外，行進之勢已停，但卻緩緩移動步位，似在排列進攻的隊形。

丁玲神態鎮靜，面泛微笑，蓮步輕移地直向徐元平身邊走去。

徐元平已全神貫注那些黑衣人的身上，心念電轉，籌思拒敵之策，忽覺一陣脂粉香氣撲面襲來，轉臉喝道：「你走得這樣近幹什麼？」

丁玲嫣然一笑，道：「我相信你一定能夠保護我的安全，離你愈近，我膽子愈大！」

徐元平聽得怔了一怔，忽然仰天大笑，道：「好吧！我如不能維護於你，這孤獨之墓，就是我徐元平自絕之地。」

原來丁玲有心要和徐元平死在一起，幾句多情之言，卻激起了徐元平豪壯之氣。

遙遙地傳來了金老二的聲音，道：「平兒，生死大事不是兒戲，你要小心了！」

徐元平右手迅快地從懷裡取出戮情劍，高聲答道：「叔叔儘管放心，我如死在此地，也決不讓易天行生離於此！」

他說的聲音不大，但卻沉重有力，使人一聽之下，立刻瞭解他一字一句，都是發自肺腑，豪壯感人。

易天行聽得怔了一怔，停下身來，舉手互擊三掌。

向前逼進的黑衣人，已然取下金筒，準備出手，聽得易天行互擊的掌聲，立時停了下來。

易天行目光投注在徐元平手中的戮情劍上，微微一笑，道：「你手中的兵刃，光華耀目，想來定然是戮情劍？」

徐元平冷笑道：「不錯，如若你今日能把我殺死，這戮情劍就為你所有了……」

他微微一頓之後，提高了聲音，道：「不過在下確信你縱能得到此劍，也必將付出極大的代價。」

易天行道；「不錯，目下之人，都被江湖上譽為一流高手，但真正被在下視作敵手的，只有你一人而已！」

徐元平道：「我心中也明白，今日出這孤獨之墓的機會太少，但我也確信，經這一戰，你這備以殲盡江湖高手的天罡陣，亦將傷亡過半……」

神丐宗濤突然放聲大笑，道：「不錯，咱們今日能把易天行這費盡心血的天罡陣，擊得潰不成軍，也算為天下武林同道去一禍患，死而何憾。」

也許徐元平和宗濤的豪壯之氣，激起查子清、楊文堯同仇敵愾之心，但見人頭晃動，群豪

齊齊由墓塚之後站起身子。

楊文堯重重地哼了一聲，道：「宗兄話雖不錯，但不能只憑血氣之勇，抗拒頑強的利器……」

易天行眼看目下群豪，在利害一致之下，已生團結之心，一旦宗濤和徐元平被楊文堯說動，不再憑一股豪壯之氣據險而抗，事情就更為棘手，當下舉起右手高聲道：「諸位既有替天下武林同道謀命之心，兄弟只好成全諸位了。」

右手一揮，四周的黑衣人，突然向前衝進。

徐元平大喝一聲，左掌疾揮而出，一股強猛的暗勁直撞過去。當先一個黑衣人，吃那強猛的掌力一震，身不由己地向後退了兩步。

天罡陣正值移位攻敵之際，四周的黑衣人，一個個穿叉游走，一人受傷，使全陣的變化，登時為之一緩。

徐元平借勢一推丁玲，道：「快些隱起身體，免作無謂犧牲。」話出口，人已凌空而起，直向陣中衝去。

查子清隱身之處，相距徐元平較近，目睹徐元平直向天罡陣中衝去，立時提出內力，遙發一記百步神拳。查家堡的百步神拳，乃獨步江湖之學，功力到了火候，百步內可應手斃牛，較一般劈空掌力，強猛甚多。查子清一生修為，內力深厚，這一拳用足了十成功力，威勢非同小可，拳風到處，應聲慘叫，一個黑衣人吃那強猛的拳風擊中前胸，口中連噴幾口鮮血，仰面栽倒地上。

楊文堯縱聲大笑道：「查兄百步神拳，果不虛傳，兄弟佩服至極……」

忽見一股濃煙由身後直撲過來，立時伏身一轉，繞到墓塚後背，揚手打出一股掌風。那濃煙吃楊文堯強大的掌風一掃，登時漫散開來，四外橫飛。

就這一轉眼的工夫，耳際連聲慘叫，轉頭望去，只見徐元平手中短劍，幻化出一片寒芒，三個黑衣人已然橫屍在他的劍下。

易天行眼看徐元平已然衝入陣中，勇不可當，因爲距離過近，那金筒中的暗器無法施放，如被他再傷幾人，天罡陣勢非被他衝亂不可。

心念轉動之間，神丐宗濤也已出手，縱身一躍，直飛過來，竹杖一揮，當頭擊來。易天行冷笑一聲，拂袖拍出一掌。他掌勢後發先至，硬生生地把宗濤逼得收杖自保，退後三尺。

宗濤只覺他擊出的掌力，勁道強猛絕倫，比剛才動手時大不相同，不禁心頭一凜，暗道：玲兒說他裝作受傷，看來不錯，老叫化縱然無能勝他，也得和他拚上個三、五百招。心念一動，立時凝神運氣，準備全力以赴。

易天行倒是不太注意神丐宗濤的舉動，目光環掃，高聲說道：「你們不要再向前逼進了，快些施用暗器對敵，不管生死，不論手段，傷敵就好。」

原來易天行想以天罡陣的威勢，把他們收爲己用，好和南海門對抗，是以暗中下令，只可虛張聲勢，迫敵就範，非生死交關，不許擅自出手傷人；但眼看片刻時光中，己方連連有人受傷，不禁心頭大急，這才口諭解除不許傷人的禁令。

禁令一解，那些黑衣人不再固守方位，但見一陣人影閃動，紛紛向旁側退開。

丁玲看出情勢不對，高聲叫道：「徐相公快些踢那土堆。」

徐元平心中一動，一腳掃在身旁一座黃土堆上。

只聽砰然一聲，塵土橫飛，籠罩了兩、三丈方圓，瀰目難睜。

耳際又響起丁玲的聲音道：「徐相公，快些過來……」

徐元平暗道：難道她遇上了什麼凶險，這般叫喊於我？聽聲辨音，縱身一躍，直飛過去。

他縱躍的距離十分準確恰當，腳落實地，距丁玲不過兩尺左右。

徐元平身子剛剛站好，丁玲忽然伸手拉著他右腕一帶，道：「快些臥倒……」

他機警迅快，丁玲話剛出口，徐元平已反手一招，抱過丁玲，伏地一滾，讓過細如髮絲的一排銀針，突然挺身而起，直向一座巨大的墓塚飛躍過去。

他在情急之下，全身功力一齊迸發，雖然挾著丁玲，仍然疾如流星。驀然間，一陣金風嘯空，十幾點閃閃寒芒，電射而到。

原來兩個黑衣人目睹徐元平行動太快，追射不及，竟然先行發出一串淬毒銀丸，打向墓塚，徐元平一近墓塚，兩串銀丸也恰好打到。

徐元平突然一提丹田真氣，右手戮情劍環掃而出，劃起一片濛濛劍氣。只聽一陣叮叮咚咚之聲，那飛來銀丸，盡數被那環繞全身的劍光擊落。

丁玲雙臂環張，緊緊地抱住了徐元平的半腰，星目微閉，粉頰緊貼在徐元平的胸前，嘴角微帶笑意，似是早已把生死置之度外。

徐元平一劍擊落那打來銀丸之後，立時一沉丹田真氣，快速地落在那墓塚之後。

這時，神丐宗濤已經提聚了全身真氣，突然一振手腕，手中枯竹挾帶著嘯風之聲，疾向易天行當頭劈下。

易天行眼看徐元平帶著丁玲隱入那墓塚後，心中大感焦急，忖道：「如若這些人憑藉那墓塚掩蔽身子，據險而抗，以這幾個人的武功，想傷他們，那可得大費一番周折……」

想一想，不禁心頭火起，拂袖一擊，震開了神丐宗濤的枯竹，揮手一掌，疾向宗濤前胸拍去，口中冷冷說道：「兄弟這數十年來，一直對宗兄相讓三分；但宗兄卻一直和兄弟作對，今日之戰，不是兄弟傷在宗兄手中，就是宗兄被兄弟擊傷。」

神丐宗濤枯竹一橫，逼開易天行擊來一掌，說道：「很好，很好，今天咱們把平生恩怨，集中一起清算，也算人生一大快事，不過老叫化希望咱們憑藉真實功力，決一生死，不能用詭謀暗算傷人。」說話之間，手中竹杖已然左點右擊，連攻四招。

易天行雙掌齊出，連封帶點，架開宗濤竹杖，說道：「宗兄有興，兄弟捨命奉陪。」雙掌一緊，連攻五招。這五招迅辣至極，逼得宗濤連退兩步。

只聽楊文堯高聲叫道：「易天行心地險惡，講話不會算數，宗兄千萬不要受他所愚，快些退到墓塚之後，各佔一個方位，合力拒敵，守望相助，彼此支援，等天色入夜，再找機會，也好把他這天罡陣，一鼓殲滅。」

他這講話的一陣工夫，兩人已相搏了二十餘招，易天行掌力威勢愈來愈強，忽劈忽點，著著襲取要害大穴。

宗濤縱然想退，已然無法再退了。

那四周環攻的黑衣人，也不再向前逼進，各人選擇一個方位站好，俟機而攻。
且說徐元平躲到墓塚之後，丁玲仍然緊緊地抱住他不放，不覺一皺眉頭，說道：「丁姑娘快些放手，在下還得拒敵。」
丁玲緩緩睜開星目，笑道：「怎麼？咱們還活著嗎？」
徐元平聽得微微一怔，暗道：難道她已經被嚇暈了頭不成？
正想出言勸慰她幾句，忽見丁玲一笑，挺身而起，道：「你手中的戮情劍，果是名不虛傳，一經施展，寒氣迫人。」
徐元平看她忽然間言笑如常，毫無被驚嚇的樣子，知她剛才乃有意放刁，氣得別過臉，不再去瞧她。
凝目望去，只見宗濤和易天行正打入生死存亡關頭，宗濤手中雖然多了一枝竹杖，但就形勢而論，並無搶得絲毫先機。
這是一場空前激烈的惡戰，攻拒之間，無一不是迅辣兼具，足以致命的殺手快招。
忽聽丁玲嬌喝一聲，揚腕打出一塊石子。
徐元平正被兩人攻拒之間的神妙招數吸引，聽得丁玲呼叫之聲，霍然警覺。轉臉看去，只見三個黑衣人已舉起手中金筒，對著自己和丁玲停身之處，不禁吃了一驚，暗道：如非她這一聲呼喝，勢必被對方那無聲無息的暗器擊中不可。伸手抓住丁玲，疾向一側閃去。
忽見當先一個黑衣人，似被什麼重物擊了一下，向後退了兩步，手中金筒也落在地上。
丁玲低聲說道：「那人中了查子清一記百步神拳。」

那墓塚雖然不小，但四面已經佈滿了手執金筒的黑衣人，不論藏在哪個方向，都無法把身體完全掩蔽，徐元平不禁感歎地說道：「就目前情勢而言，咱們如不和楊文堯等相互支助，以禦強敵，誰也無法逃避過易天行天罡陣聯手的攻擊之勢。」

丁玲道：「不錯，大英雄、大豪傑，不能只憑一股血氣之勇，鬥狠逞強，要能相度敵我形勢，才能因時制宜，因地制宜，你能有這樣的顧慮，已然……」

忽然覺著這些話的口氣，有點老氣橫秋，趕忙改變口氣，接道：「你不要生氣，我……」

徐元平不容她再接下去，微微一笑道：「你的聰明才智，江湖上人無不敬佩，雖然有些看法流於偏激，有失正大，但卻都是極合時之辦法。」

丁玲笑道：「別人誇獎我，我只不過付之一笑，你也這般看我，真使我快樂極了……」

忽聽徐元平大喝一聲，挺身而起，右手一揮，戮情劍泛起一片青光。耳際間響起了一陣波波輕響，幾枚細如髮絲的銀針，散落在地上。

丁玲靈機一動，伸手解下束腰汗巾，疊了兩轉，握在手中。

忽聽金風劃空，疾由腦後襲來，趕忙伏身向前一傾。

兩粒銀丸，掠著她秀髮而過，噹的一聲打在徐元平的戮情劍上，另一粒卻掠著徐元平耳根打過。

遙遙地傳過來冷公霄暴喝之聲和丁炎山的怒吼，顯然兩人也陷入極爲尷尬的緊張局面。

緊接著聽得查子清大喝道：「玉兒，快些伏下身子，爲父拒擋來敵。」墓塚後人影驟現，查子清突然站了起來，右手打出一記百步神拳，左手打出一招蜂尾毒針。

丁玲感喟地歎道：「此時此地，倒是施用暗器拒敵的最好時機，可惜我們都沒有暗器……」

話還未完，金風破空而至，一排銀丸流星般排襲打到，粒粒勁急，日光下閃閃生輝。

丁玲潛運內氣，揮起手中汗巾，不少銀丸被她擊落，但她內力尚不足把那柔軟的束腰汗巾施展得風雨不透，一粒銀丸乘隙而入，打在她左胸之上。

只覺一陣火灼般地劇疼，左腕上登時腫起了龍眼般大小一個紫疤。她疼得幾乎尖叫出聲，但她怕分散了徐元平心神，終於忍了下去。

徐元平回目一顧，已看到丁玲的傷勢，不禁一皺眉頭，道：「怎樣？傷得很重嗎？」

丁玲微微一笑，道：「還好，傷得不重，不過咱們這樣和強敵對峙下去，終非良策，一個時辰之內，只怕所有的人，都要傷在那黑衣人手中金筒的暗器之下。」

徐元平道：「不錯，這樣相持下去，不是辦法，倒不如硬衝入陣，縱然不能把易天行罡陣全數殲滅，也可傷他一部分人。坐而待斃，總不如奮起一戰。」

丁玲道：「現已時不我與，強敵依仗那金筒中絕強的暗器，守望施襲，縱然武功再強，也無法衝過那密如狂雨的交相襲擊。唉！剛才你在天罡陣中，如果楊文堯等都能及時衝出，也許還有一線希望！可是現在晚了……」

只聽一聲厲叫傳來，似是查玉的聲音。

徐元平道：「丁姑娘，那可是查玉的聲音嗎？」

丁玲道：「不錯，他受了傷。」

徐元平雙眉一聳，低聲對丁玲說道：「姑娘自己保重，我要衝入天罡陣中去……」

丁玲急急搖頭，說道：「你此刻千萬不能隨便出去，這不是依仗血氣之勇的事……」

徐元平道：「難道咱們守在此地，坐以待斃不成？」

丁玲道：「眼下情勢……」忽然間，一股濃煙，直向兩人停身之處衝來。

徐元平探手一把抱起丁玲，縱身而起，躍飛向另一個墓塚後面。他這一躍之勢，用盡了全身的氣力，行動迅快絕倫，對方發出暗器追襲時，他已落入那墓塚之後。

只見查子清滿臉沉痛之色，抱著查玉，雙目中直似要噴出怒火。

徐元平挾著一陣急風落下，查子清只道強敵擊來，反手拍出一掌。

丁玲急急接道：「查伯父，是我！」

查子清聽得丁玲聲音，立時一吸丹田真氣，拍出的掌力，倏然收回。

徐元平腳落實地，低聲問道：「查兄的傷勢很重嗎？」

查玉望了徐元平一眼，道：「多謝徐兄關心，兄弟中了兩支毒針。」

查子清目光一掠徐元平道：「怎麼？丁玲也受了傷嗎？」

徐元平道：「她中了一粒銀丸。」

查子清道：「徐兄請監視四外，別讓強敵欺攻過來，我替他們療治傷勢。」

徐元平微一點頭，站了起來。

查子清揮手入懷摸出一個玉瓶，倒出兩粒丹藥，分給丁玲、查玉每人一粒，說道：「你們趕快服下這粒解毒藥物，他們金筒中藏的暗器，只怕有毒……」

餘音未絕，忽聽徐元平大喝一聲，一掌劈了出去。

緊接一道火焰，疾向幾人停身的地方射了過來。

查子清雙手齊出，左手抱起查玉，右手抱起丁玲，就地一滾，閃開五尺。他們剛剛離開，那火焰疾射而到，只聽波的一聲輕響，爆散出四、五尺大小一片火焰，熊熊燃燒起來。

徐元平揮手推出一掌，打出一股掌風，把那衝近身的火焰一擋，翻身一躍，落到查子清身側，劉情劍舞出一片青芒，擊落打向三人的一排銀九。

查子清挺身而起，奮力一躍，落在另一座墓塚之後。目光一轉，只見楊文堯半身隱在墓塚之後，單用一隻右手，和兩個白衣童子相搏，左面丈餘處，連接著突起了兩座墓塚，冷公霄、丁炎山，各據守一座拒敵。

查子清迅快地放下了查玉、丁玲，抬頭見一個黑衣人疾衝而入，手中金筒已經舉起，對著楊文堯的後背，當下冷哼一聲，揚手打出一記百步神拳。

那黑衣人暗器還未發出，查子清拳風已到，正擊手腕之上，手中金筒當場震落，人也被震得退後了兩步。

查子清一擊得手，雙肩一晃，直衝過去，一招「天下來雲」，斜肩劈下。

那黑衣人先中一記百步神拳，腕骨被傷，雙手運用已不太靈活，眼看查子清掌如奔雷劈下，閃避已自不及，只好舉起左掌一接。雙掌接實，那黑衣人被查子清雄渾的掌功，震得向後退了三步，身軀亂晃，搖搖欲倒。

查子清只消再發一掌，立時可把那黑衣人斃在掌下，但他卻左手橫裡伸出，施展擒拿手

法，一招扣住那黑衣人的右腕。

楊文堯回目一瞥，高聲大笑道：「好啊，查兄捉了一個活的嗎？」

查子清縱聲長笑道：「楊兄可見過生裂活人嗎？兄弟要看看易天行苦心訓練出來的人，是不是……」

話還未完，瞥見兩條白影閃動，電射而到，劍氣森森，當頭罩下。

查子清左手加力，一帶那黑衣人，右手抓住右腕，生生舉了起來，當作兵刃，橫向那劍尖上面掃去。

來人似是怕傷了那黑衣人，硬把前衝之勢收住，落著實地。

查子清哈哈一笑，掄動手中黑衣人，一招「橫掃千軍」，橫擊過去，兩個白衣童子又被他逼得向後退了兩步。

只聽冷公霄破鑼般的聲音，叫道：「丁兄小心了，兄弟已中四支毒針，只怕無能再撐下去。」

丁炎山左手拂塵，右手長劍，舞得風雨不透，擊打那排射而來的暗器，聽冷公霄一嚷，不覺間心神一分，一枚銀針抵隙而入，正擊在右腕之上，但覺一陣劇疼，長劍脫手落地，趕忙一縮身子，隱入墓塚之後。

一面潰缺，強敵立時趁勢衝入，但聞衣袂飄風，四、五個黑衣人衝了進來。他們久經訓練，動作迅快，躍過墓塚之後，立時散佈開去，舉起手中金筒，各自對著一人。

查子清一提真氣，正待打出百步神拳，忽聽易天行冷冰冰的聲音傳了過來，道：「查兄且慢出手，先量度一下眼下形勢之後，再作困獸之鬥不遲。」

查子清怔了一怔，停下了手，但仍把那黑衣人平舉胸前，準備當作兵刃，蓄勢以待。

易天行目光環掃了一周，高聲說道：「住手！」

兩個白衣童子仍在和楊文堯相搏，但聽得易天行大喝之言後，首先向後躍退。

楊文堯也停下了手，回頭一望，不禁豪氣頓消，暗暗一歎，忖道：完了！當下束手靜立。

原來場中局勢，已盡爲易天行和黑衣人控制，每人至少有兩只金筒對著，只要對方一扭金筒下端的機關，立時將有強猛的暗器射出。他們都已親自看到過那暗器的強猛勁道，實非任何腕力打出的暗器能及，而且種類繁多，紛至沓來，樣樣都是絕毒無比之物，不論何等武功高強的人，也無法閃避得開。

易天行長衫飄飄地步下墓塚，滿臉莊嚴地說道：「諸位如若眼下仍不服輸，那就不能怪兄弟心狠手辣了……」

楊文堯冷冷說道：「今日之戰，我等雖落下風，但易兄並非憑藉真實的武功勝人，我等敗得不服，易兄勝得也不光彩。」

易天行仰天打個哈哈，說道：「楊兄之言，誠然不錯。不過，咱們都已非初出茅廬之人，而且都已在武林中享有盛名，意氣、虛名之爭，已非我輩所取……」

楊文堯目光流轉，只見冷公霄盤膝而坐，運氣行功，丁炎山左手捧著右腕，依著墓塚而坐，丁玲、查玉斜斜地靠在墓塚一側，半躺半臥，金老二遙遙地蹲在二丈外，一處深草叢旁邊，眾豪負傷過半，戰力全失，當下一歎，道：「兄弟在沒有服輸之前，還有一事請教。」

易天行微微一笑，道：「不敢當，楊兄有何吩咐，兄弟只要力量能及，決不推辭。」

楊文堯道：「士可殺不可辱……」

易天行接道：「這個兄弟明白，不過……」

楊文堯不待易天行說完，搶著說道：「易兄如若想將兄弟等收羅屬下任意調遣，那是萬萬不能！」

易天行道：「兄弟並無此想。」

楊文堯道：「兄弟今日爲勢所迫，敗得雖不服氣，但也不能讓易兄白費心機……」話到此，卻倏而住口不言。

轉眼望去，但見劍氣騰輝，兵刃閃光，徐元平和宗濤仍在和易天行屬下，作生死之搏鬥。

易天行仰臉望望天色，笑道：「現下天色還早，如果楊兄肯和兄弟合作，天黑之前，咱們還可以進這孤獨之墓……」

他目光一掠查子清接道：「目前武林道上，盛傳著各大門派，聯手對付兄弟之言……」

查子清突然插口接道：「縱有此事，兄弟和楊兄也未參與其中。」

易天行微微一笑，道：「查兄之言，誠然可信，但兄弟並未把此言放在心上，其實傳言終歸傳言，如說武林中各大門派及二谷、三堡，真能聯手來對付兄弟，連兄弟也不肯相信，但兄弟卻願和楊兄、查兄，合組成武林一支主脈。

「楊兄精通土木築建之法，查兄卻窮聚一生精力，苦練八卦九宮奇術；至於兄弟，也曾下過數十年苦心，收集各大門派的武功精華，自信收穫不少。如若兩位肯和兄弟合力，此願不難達成。

「何況這孤獨之墓，積堆著富可敵國之財富珠寶，如若兩位願和兄弟合謀，兄弟願將這孤獨之墓中所有財富，均作三份平分，兩位意下如何?還請早決定。」

查子清轉頭望了楊文堯一眼，低聲說道：「楊兄心意如何？」

楊文堯道：「兄弟悉憑查兄做主。」

他老奸巨猾，不肯自作主意，把難題推到查子清的身上。

查子清回頭望了查玉一眼，又望望丁炎山、冷公霄，心中委決不下，沉吟難答。

易天行左手一揮，一個黑衣人忽然一抖金筒，一道烈焰，疾噴而出，射向丁炎山。

丁炎山心頭一震，急躍而起。但那火焰去勢奇快，還未近身，已然爆散成六、七尺方圓一片烈焰，丁炎山哪裡還能讓避得開，但覺全身一熱，人已被火焰包起，熊熊燃燒起來。

斜倚在墓塚旁側的丁玲，目睹丁炎山被那烈焰圍燒慘情，尖叫一聲，掙扎起身，直撲過去。

易天行突然橫跨一步，右手一伸，生生把丁玲向前躍撲過去的身子抓住，手臂一抬，高高舉起。

楊文堯急急說道；「易兄手下留情，且莫傷了此女性命。」

這時，丁炎山已然滿地翻滾起來，然而他身上燃燒火焰頑強無比，觸地一面雖被壓熄，但身子一經翻動，立時重又燃了起來。

那坐在一側養息傷勢的冷公霄，目睹丁炎山際遇之慘，由心底泛上來一股寒意，心中暗暗

忖道：易天行只求和楊文堯、查子清等合作，對我一字不提，丁炎山被火燒死之後，勢必輪到我的頭上不可，與其被他活活燒死，倒不如自行了斷……

易天行正高舉著手中丁玲，笑對楊文堯道：「如若楊兄見愛此女，兄弟自當留她的……」瞥見一道森森劍氣，疾射而下，不禁心頭一駭。

匆匆之間，把手中的丁玲當作兵刃，迎著那疾飛而來的劍氣一揮。

那電射雷奔而下的劍氣中，突然飛出一股強厲的掌風，一震之間，撥開了丁玲的身軀，寒芒閃動，刺向易天行的前胸。劍勢未到，先有一股冷氣，直逼前胸。

易天行身子疾向一側閃開，來人卻如影隨形一般，緊追而近，手腕翻轉，腳落實地，已然連續攻出了五劍。

劍光斂收，人影驟現，滿臉憤怒的徐元平，手舉戮情劍，指向易天行的前胸，凝神而立。

兩人相距不過三、四步遠，四周布守的黑衣人手中雖然拿著金筒，但因兩人距離過近，都不敢貿然打出暗器。

易天行臉上泛現出從未有過的嚴肅，緩緩把手中丁玲丟開。

原來徐元平那舉劍而立的姿勢，正是劍道中最上乘的御劍之術，他正緩緩把全身的真氣運集在劍上，那躍起的一擊威勢，將使方丈以內所有強敵，傷死劍下。

易天行萬萬沒有想到，這年輕的孩子竟有著這等上乘武功，心神凜然震動。

這時，丁玲已勉強爬了起來，直向丁炎山撲了過去。

蹲在一邊的金老二，突然高聲叫道：「丁姑娘快些讓他停下，用沙土把他埋起。」丁玲尖

聲叫道：「三叔父，不要動。」

丁炎山雖然勉強提聚全身功力，和那烈火相抗，但全身已被燒得傷痕處處，幸神智還未昏迷，聽得丁玲尖叫之聲，果然停下不動。

丁玲勉強忍受著傷疼之苦，奮力抓起沙土，向丁炎山身上堆去。

四周的黑衣人，個個怒目相視，但因未得易天行的令諭，不敢出手。

查子清突然回頭舉起右手一招，低聲對楊文堯道：「楊兄請過來，兄弟有事請教。」

楊文堯輕輕地咳了一聲，目光環掃了站在四周的黑衣人一眼，緩步向前走去。

他怕四周黑衣人突然施放暗器，已是出手阻擋，暗中提聚功力戒備。

大出他意料之外的是，那些黑衣人，竟然沒有出手阻攔，但目光卻緊盯在他身上，監視得十分嚴密。

楊文堯走近查子清四、五尺處，突然停了下來，回顧了四周一眼，不覺暗自一歎，忖道：完了，看來今日要想衝出這孤獨之墓，只怕勢比登天還難。

原來四面八方，都已滿佈了那些黑衣人，各自舉著手中金筒戒備，楊文堯一相度他們站的方位，已算出十丈方圓以內，已被他們佈成了一片嚴密的暗器網，縱是飛鳥，也難飛得過去。

查子清輕輕歎息一聲，道：「那姓徐的少年出身來歷，楊兄是否知道？」

楊文堯道：「這個兄弟不大清楚。」

查子清道：「兄弟想到一件事，心中一直猶豫不決。」

楊文堯輕輕咳了一聲，接道：「查兄可是擔心他們兩人這一戰……」

查子清歎道：「如果易天行傷在姓徐的少年手中，今天咱們都將埋身這孤獨之墓，楊兄只要一看四周形勢，當知兄弟之言不虛了……」

楊文堯接道：「如若勝的是易天行，咱們還有幾分生機，是嗎？」

查子清道：「因此兄弟猶豫難決。」

楊文堯橫跨兩步，和查子清並肩而立，施展蟻語傳音的功夫，說道：「眼下形勢，十分微妙，好在咱們還未對易天行有所承諾，如若那姓徐的少年勝了，這布在四周的黑衣人，定當把暗器集中對付他，那時，或將有可乘之機！」

查子清也用蟻語傳音說道：「目下之局，險惡萬分，易天行雖然是個強敵，但那徐姓少年的武功只怕不在易天行之下，而且任性自負，不易駕馭，再加上那老叫化子從中策謀相助，日後不難形成江湖上另一支主脈。今日這兩人之戰，不論誰勝誰敗，對咱們來說，都是有害無益。」

楊文堯道：「查兄說得不錯。但最重要的是，不管兩人哪個得勝，也都是阻擋咱們進入孤獨之墓的障礙。」

兩人都用蟻語傳音交談，別人只見他們口齒微微浮動，卻一句也聽不到。

查子清望了場中對峙的徐元平和易天行一眼，接道：「雙方已然到弓張月滿之境，立時即將全力相搏一拚。」

楊文堯道：「如若咱們利用兩人相搏的機會，衝出這黑衣人的重重圍困，生死成敗，各佔一半。」

查子清道：「楊兄如能和兄弟一人生擒一名黑衣人，當作兵刃，以擋暗器，生機就大增了。」

楊文堯微微一笑，道：「不錯，兔死狐悲，物傷其類，以他們同伴當做兵刃，撥打暗器，使他心理上先有了一層顧慮。」

查子清忽然輕輕歎息一聲，道：「咱們借易天行和那徐姓少年動手的機會，衝出重圍，但此舉並非上策……」

楊文堯目光一轉，說道：「查兄可是擔心令郎嗎？」

查子清道：「這不過是原因之一，最重要的是錯過今日的機會，咱們難再有殺死易天行和那徐姓少年的機會。這兩人既都是咱們進入孤獨之墓的障礙，自不能不先找機會除去！而眼下就是最好的機會。他們這一戰，不論哪個取勝，亦將累得筋疲力盡，咱們借勢出手，當可一擊成功。」

楊文堯沉吟了一陣，道：「查兄高論，使兄弟茅塞頓開，但如勝者是易天行，只怕此願將成泡影。咱們總不能一舉把易天行屬下全部殲滅。」

查子清道：「蛇無頭不行，鳥無翅不飛。易天行如果傷在那徐姓少年手中，這些人群龍無首，鬥志大減，咱們勸以利害或能收歸已用。」

楊文堯道：「查兄雖然算無遺策，但此舉終是冒險太大，萬一料非所願，這群人不爲利害所動，群起相攻，咱們勢將非傷在那強勁的暗器之下不可……」他微微一頓，不容查子清接口，又道：「不是兄弟誇口，當今之世，除了兄弟之外，縱然能進得孤獨之墓，也將爲墓中埋

伏的巧妙機關所傷，與其咱們以生命作注，行險求功，倒不如讓他們傷在那孤獨之墓中的巧妙機關之下的好。」

查子清忽然轉過臉去，望了楊文堯一眼，接道：「那戮情劍匣現在易天行的手中，傳言那劍匣上刻繪了孤獨之墓中藏寶之地，和墓中機關的原圖，楊兄無此原圖，難道亦能進入墓中不成？」

楊文堯道：「這個查兄儘管放心，只要能把強敵除去，進入孤獨之墓一事，包在兄弟身上。」

查子清道：「兄弟之意，先除強敵，只待易天行和那徐姓少年，一分出勝敗，咱們就以迅雷不及掩耳之勢，撲向得勝之人，各用全力出手，務求一擊成功。」

楊文堯沉吟了一陣，道：「好吧，兄弟……」

忽見徐元平手腕一振，手中戮情劍立時幻起一片光芒，直向易天行撲了過去。

易天行早已蓄勢戒備，徐元平揮劍擊出之時，也同時發動，右掌向前一推，一股強猛絕倫的暗勁直撞過來，身子向後一傾，平貼地面向後飛去，疾如離弦之矢，身子挺起時，人已到三丈開外。

徐元平吃易天行推出一掌的強猛勁力一擋，疾向前衝之勢，緩了一緩，易天行已藉機逸走。

但見青光暴張，一丈方圓之內盡都是森森逼人的劍氣，散佈的劍光，遮去了徐元平的人影。耳際間響起了兩聲慘叫，斷草石屑，伴著血肉橫飛。

徐元平這馭劍一擊，用出了全身勁力，眼看易天行逃出了劍下，但卻收勢不住，戮情劍幻起的冷芒掃擊在易天行停身處一座小石碑上，斷草共石屑齊飛，兩個相距最近的黑衣人也遭了池魚之殃，吃那環飛的劍氣罩住，劈斬成四段，鮮血噴射而出。

要知徐元平的功力，還未到收發隨心運用這馭劍擊人的上乘劍道之境，力量發出，難以駕馭，劍勢指向，不受控制。

劍光忽斂，人影驟現，徐元平仍然站在他原來的位置上，手握戮情劍，閉目而立，似正在運氣調息。

顯然，這馭劍一擊，耗去他甚多真氣。

二九　霧裡看花

楊文堯、查子清，早已運集了功力，蓄勢戒備，只待易天行和徐元平一擊之間，分出勝敗，立時將向那得勝之人出手，哪知事情大出意外，兩人竟然沒有硬拚。

查子清回顧了楊文堯一眼，道：「楊兄且慢……」

楊文堯微微一歎，接道：「眼下情形，全出了我們意料之外，咱們要怎麼辦？」

查子清道：「袖手旁觀，靜以待變。」

忽見徐元平睜開了雙目，神光炯炯地環掃了四周一眼，道：「易天行，你亮出兵刃吧！今日之局，其結局定然是十分淒涼、悲慘的局面，在場之人，能夠生離此地的，只怕不多……」

忽聽一陣急促的步履之聲奔了過來，打斷了徐元平未完之言。抬頭看去，只見駝、矮二叟，當先疾奔而來，在兩人身後，一頂紫色小轎，小轎後緊隨著白髮蒼蒼的梅娘。

倏忽之間，那小轎和駝、矮二叟，已奔到了徐元平和楊文堯的停身之處。駝、矮二叟停下身子，微微向旁邊一閃，分站兩側，護住那頂紫色的小轎。

抬轎的是兩個身穿土布短褲褂的彪形大漢，兩人等待駝、矮二叟站定了方位之後，才緩緩放下肩上的小轎。

那隨在轎後的白髮老媼，突然搶上一步，伸手揭開轎簾。

一個面垂黑紗的紫衣少女，緩步由轎中走了出來。

在場之人，除了易天行手下那些黑衣人，都已和這紫衣少女有過數面之緣，對她的美麗，無不讚賞。不知何故，她竟然戴上了面紗。

只見那紫衣少女覆面的黑紗，緩緩轉動了一周，突然舉起雪白玉腕，招了招手，說道：「查玉，你受了傷嗎？」

查玉只覺一陣喜悅，泛上了心頭，傷疼也似是輕了甚多，站起身來，說道：「多謝姑娘關心，這一點區區之傷，算不了什麼。」

那紫衣少女伸手對易天行道：「查玉一定是你屬下傷的了，快些把解藥給我！」

易天行微微一笑，探手入懷摸出一只玉瓶，倒出兩粒丹藥在那紫衣少女的手中。紫衣少女謝也不謝一聲，接了丹丸，立時緩步向前走去，衣袂飄動，掠著徐元平身旁而過。

一陣幽幽的清香，撲入了徐元平的鼻中，這幽香使徐元平為之心神一蕩，不自禁地轉頭望著那紫衣少女的背影。

只見她蓮步緩移，柳腰輕擺，漫步走向查玉，柔聲說道：「這是易天行的解藥，他決然不會騙我，你可以放心吃下去。」

查玉受寵若驚，結結巴巴地說道：「姑娘相賜，縱然是有毒之藥，在下也不敢推辭。」伸手去接那紫衣少女手中的藥丸。

她面上垂著重重的黑紗，沒有人能看到她面上的表情，但卻可從那溫柔動人的聲音中，聽出了她對查玉是那般款款情深。

只聽她嬌聲說道：「你受了傷啦，最好不要勞動，就讓我餵給你吃吧！」說完話，她竟然當真的舉起右手，把手中藥丸，送入了查玉口中。

在那個時代中，縱然是夫婦之間，也只能在閨房中談情說愛，至低限度也要在沒有人看到的地方，但這位紫衣少女竟然在眾目睽睽之下，這般地肆無憚忌。所謂男女授受不親，她這舉動簡直是大逆不道。

楊文堯看得微微一笑，道：「恭喜查兄。」

查子清道：「強敵環伺，生死難卜，何喜之有？」

楊文堯還未來得及說話，那紫衣少女柔媚的聲音，重又傳了過來，道：「你只管放心好了，縱然易天行給你的真是毒藥，我也能把毒解掉！」

查玉道：「姑娘醫術，在下親自所見，當有起死回生之能。」

紫衣少女嬌聲道：「你這般信任我，我心中很快樂。我們那南海門下奇書上不但載有各種武功，而且還記有各種醫道。我胸中所知，只不過那書上九牛一毛。將來咱們可以挑燈夜讀，共研那書上記載之學，願你成為天下第一高手，我學成當代中第一名醫，你救人、我濟世，咱們並轡江湖行道。」

查玉如聞仙樂般，聽得他自己也不敢相信，只覺一陣緊張，汗水涔涔而下，輕微地喘息著，說道：「你這話……可都是……當……真……的嗎？」

他心中太過緊張，口齒也變得不聽話了，一句話說了兩、三次，才斷斷續續地把它說完。

那紫衣少女緩緩伸出手來，抓住查玉一隻手腕，說道：「字字出於肺腑，句句發自內心，我在這樣多眼睛相視之下，這般待你，你難道還不肯信我嗎？」

查玉道：「我不是作夢吧！」

紫衣少女道：「秋陽高照，哪裡會是作夢，咱們別在這荒野的地方多停，跟我走吧！」蓮步輕移，緩緩地向前走去。

查玉心中也不知是喜是驚，一臉茫然之色，隨在那紫衣少女身邊而行。

楊文堯一跺腳，道：「有子如此，夫復何憾，查兄令郎，好叫兄弟眼熱……」

查子清微微一笑，接道：「只怕楊兄不是眼熱兄弟犬子，是爲南海門奇書惋惜。」

楊文堯道：「哪裡，哪裡，兄弟爲查兄和令郎高興還來不及，豈會有妒忌之心？」

查子清忽然歎息道：「此事發生得太過突然，只怕未必是福，兄弟倒是爲犬子擔憂。」

那紫衣少女拉著查玉走了兩、三丈遠，查玉才似乎清醒過來，低聲說道：「家父尚被困此地，在下一人隨姑娘而行，心中實在難安。」

那紫衣少女回過頭來，說道：「你不會叫他來嗎？」

查玉回過身子，遙遙對查子清一禮，叫道：「爹爹。」

查子清微微一皺眉頭道：「什麼事？」他口中雖是高聲相問，但人卻大步直走過來。

楊文堯眼珠一轉，緊隨查子清身後而行，那環守在四周的黑衣人，突然舉起手中金筒，對著了查子清和楊文堯。

查子清冷冷喝道：「你們要幹什麼？」倏而停住了腳步。

查玉看得心頭一跳，回頭對那紫衣少女道：「家父被易天行手下擋駕了。」

那紫衣少女舉起素手一揮，高聲說道：「易天行，把你這環伺在四周的黑衣人撤了好嗎？」

易天行大步走了過來，微微一笑道：「在下一向尊重姑娘之言。」舉手互擊兩掌，高聲喝道：「未得我令諭之前，一律不許出手，違者處死。」

那舉起手中金筒的黑衣人，果然一齊收了金筒，向後退去。

那坐在一側療養傷勢的冷公霄，突然站了起來，急步奔到楊文堯身後。

丁玲眼看群豪齊齊撤走，低聲對丁炎山道：「叔叔能夠走動嗎？」

丁炎山全身被沙土埋起，鬚髮盡都燒光，削瘦的怪臉上，也燒得傷痕纍纍。

這傷勢如換上了平常之人，早已氣絕多時，但丁炎山憑仗武功，運氣抵拒烈焰，傷勢雖極沉重，但人還未暈過去，仍有極強的求生意志，聽得丁玲之言，忽然挺身而起，道：「這點傷大概還要不了叔叔的命。」

丁玲凝目而望，只見他全身衣服，已被火焰燒去十之八、九，代替的是滿身白泡，全身上下，已經找不出一片好肉，當真是慘不忍睹，黯然一歎，別過頭去，哭道：「叔叔傷勢如此之重……」

丁炎山大聲接道：「你哭什麼？」大步向前走去。

楊文堯、查子清、冷公霄都情不自禁地回顧一眼，見他慘重傷勢，都不禁由心底泛起一股寒意。

徐元平目睹那紫衣少女對查玉的深情模樣，心底忽然泛生起一股莫名的感傷，似妒忌，也像惘然。他無法分辨這滋味是恨，是愛，在他的生命中，從未經驗過這些事情。

易天行負手而立，神態間一派悠閒。

那紫衣少女當先而行，查玉緊隨那紫衣少女之後，查子清、楊文堯、冷公霄魚貫相隨，丁炎山距三人大約有一丈多遠，他雖然昂首挺胸，大步而行，但步履之間，搖擺不定，顯然在勉強支持。

這時，神丐宗濤也奔了過來，他原和易天行動手相搏，但易天行想用天罡陣的威勢，來迫使查子清、楊文堯就範，遂讓拂花公子和三個白衣童子，出手困住宗濤，準備先把查子清、楊文堯等迫服之後，再設法解決神丐宗濤和徐元平的事情，或把兩人殺死，或生擒收爲己用，反正目下已被各大門派揭穿了僞善面目，這個虛名，大可不必再多保留，索性揭去僞裝，大幹一場。

哪知他計劃雖好，但結果卻事與願違，徐元平的武功高出他意料之外，正在他將要說服查子清、楊文堯的當兒，出手來攻，影響了全局。這紫衣少女不速而至，又出他意料之外。

易天行心機深沉，一看眼前形勢，對己大是不利，如若不給那紫衣少女留下情面，南海門出手助敵，立時將強弱易勢，何況他對那紫衣女的智慧，早已心折，想她深入天罡陣來，定然早已有了準備。

他心念一轉之間，當時就決定了聽那紫衣少女的話，進而或可和南海門結盟，以對付中原武林同道，退而保存實力，免得元氣大傷。

宗濤衝開拂花公子和三個白衣童子的圍困，大步奔了過來，正趕上丁炎山強忍傷痛，步出墓地。

他雖然不齒丁炎山的爲人，但見他傷勢如此之慘，也不禁黯然一歎。

丁玲急步走近宗濤，低聲說道：「乾爹，你和徐相公一起走吧！此時不是爭氣逞勇之時。」

宗濤久走江湖，見識博廣，對目下情勢早有預見，如若那紫衣少女帶著楊文堯等一干人去後，易天行必將用全力對付徐元平和自己，此地實已不宜久留。

徐元平道：「我去接金叔父出來。」他生具至性，時時以金老二的安危爲念。心念轉動，回頭對徐元平道：「走吧，來日方長，報仇亦不必急於一時。」

抬頭看去，只見金老二蜷伏墓塚一側，動也不動一下，看樣子似是受了重傷。

徐元平縱身一躍，直撲過去，兩個起落，人已到金老二的身邊。

只見他雙目緊閉，臉色鐵青，但全身卻不見一點血跡傷痕，徐元平心頭一震，伸手向他前胸摸去，只覺心臟微微跳動，尚有一息未絕。

他輕輕歎息一聲，左手一伸，抱起金老二，揹在背上，右手橫劍，大步向前走去。

這時，那紫衣少女帶著查玉、楊文堯等一干人，已行至十餘丈外，只有神丐宗濤，還站在原地等他。

易天行兩道眼神一直盯在徐元平的身上，嘴角間微泛笑意，直待徐元平走近身側之時，才突然一伸左臂，攔住去路，笑道：「小兄弟不再留一會兒嗎？」

徐元平右手一揮，一道青芒，橫削過去，迫得易天行倒退三尺。

神丐宗濤縱身而起，冷笑一聲，道：「易天行，你自信能擋得老叫化和徐元平兩人聯手之力嗎？」

徐元平豪壯地接道：「晚輩今生一世，旨在為父母報仇，只要能手刃親仇，縱被亂刃分屍，亦是死而無憾。老前輩只請把晚輩這位叔父帶出險地，尋找一位名醫，療治好他的傷勢，要他把晚輩復仇經過，書焚我父母、恩師靈前，晚輩就感激不盡了。」

左手一送，硬把背上的金老二送了過去。

神丐宗濤微一沉吟，終於伸手把金老二接了過來。

徐元平一揮手中戮情劍，肅容道：「易天行，你已經知我是誰了！不用再多費口舌解說，我親耳聽到你口述殺害我父親的情形，親眼看到你殺害我恩師的經過，你快些亮出兵刃吧！」說罷，誠誠敬敬地捧劍而立。

易天行一看他捧劍而立的姿勢，心頭微微一凜，暗道：此人武功不知來自何人傳授，對劍道一門，似是有著甚深的素養。

宗濤背著金老二，一連兩個飛躍，趕上丁玲，叫道：「小鬼女！」

丁玲回頭說道：「乾爹麼？」

宗濤道；「你把這人揹上……」他突然放低了聲音：「到那日我和徐元平動手的廟裡等我。」

丁玲一臂受傷，但她仍然強忍著傷疼把金老二接了過來。

宗濤突然一躍，凌空而起，探手折下一枝松枝，掂在手中，重又大步走了回去。

這時，那帶先而行的紫衣少女突然停下來，牽著查玉一隻手，笑道：「咱們瞧瞧熱鬧再走，好麼？」聲音柔媚，動人悅耳。

查玉連聲應道：「好啊！」只覺她抓著自己手的纖腕微一用力，竟然又重走回去。

楊文堯、查子清等，都已脫出了那黑衣人的包圍，膽氣大壯，個個停步而觀。

只有冷公霄和丁炎山頭也不回一下，仍然大步直行。

兩人受傷甚重，必須早些脫離此地，才能想法子治療。

丁玲緊隨在丁炎山身後，走過紫衣少女身邊時，忽聽那紫衣少女說道：「這人全身火毒已攻內腑，三個時辰內不予救治，非死不可。」

丁炎山側目望了那紫衣少女一眼，欲言又止。

紫衣少女忽然大笑道：「你瞧什麼！當今之世，只有我一個人能夠救你。」

丁炎山似是自知傷勢無救了，重重地咳了一聲，低聲對丁玲說道：「玲兒，你快回鬼王谷去吧，我是沒有救的了，縱然有救，這等活罪，我也難以忍得下去。」身子一轉，直向正東走去。

丁玲回目望了那紫衣少女一眼，看她嬌軀依偎在查玉肩上而行，心中忽然一動，暗道：此女縱是一代天人，不拘俗凡禮法，也不致在這等眾目睽睽之下，故意做作出這等勁兒，只怕是另有作用。

心念一轉，高聲說道：「姑娘請暫留一步，小女有事請教。」

那紫衣少女果然停了下來，回頭說道：「丁姑娘有什麼事？」

丁玲道：「小女叔叔火傷極重，舉世間既只有姑娘可醫，不知可否一發慈悲心腸。」

紫衣少女道：「你求我救他嗎？」

丁玲道：「我求姑娘。」

紫衣少女格格的嬌笑聲，從那濃重的垂面黑紗中傳了出來，道：「我如果答應你救他性命，不知你如何感謝於我？」

丁玲道：「姑娘只管吩咐，只要我力所能及，無不答應。」

紫衣少女道：「可惜我需要別人的幫助太少了，這麼吧，咱們先記到帳上，等到以後我有需人之處，再請你幫我做一件事，好嗎？」

丁玲想到丁炎山垂危的傷勢，不假思索地接道：「好吧！」

那紫衣少女突然轉過頭去，說道：「梅娘，用咱們南海獨門手法，閉住那人全身穴道，再把咱們南海神丹，餵他一粒，別讓他元氣散去。」

梅娘微微一怔，道：「怎麼？你當真要救他嗎？」

紫衣少女緩緩點頭，答道：「梅娘，難道現在你還忍心拂違我的心意嗎？」聲音柔婉淒涼，聽得人默然神傷。

梅娘突然舉起左袖，蒙在臉上，說道：「孩子，你隨便吧，我一定盡我的力量為你效命。」縱身一躍，落到了丁炎山身側，舉手一掌，拍了出去。

丁炎山運起功力，大步而行，但覺全身傷疼如割，難以忍受，正想自碎天靈要穴一死，忽

覺一陣疾風撞了過來，只覺全身幾處要穴一麻，人就暈了過去。

梅娘探手入懷，摸出一粒丹藥，放入了丁炎山的口中。

那紫衣少女突然舉手一招，道：「歐駝子，你把這人送到林外，交人好好看管。」

駝背老人大步走了過來，抱起滿身重傷的丁炎山，疾奔而去。

丁玲輕輕歎息一聲，道：「多謝姑娘慈悲，此恩此德，我將永銘肺腑之中，目下既無事情吩咐小女，我要先走一步了。」

紫衣少女道：「你不能走，你必須留在這裡照顧他的傷勢，我答應你只替他療治好身上所受的火毒，可不能幫你看顧他。」

丁玲望望背上的金老二，爲難地一聲長歎，不知所措。

這時，易天行的屬下全都自行集中過來，團團把徐元平和宗濤圍了起來。

楊文堯低聲向查子清道：「查兄，看來那徐姓少年和易天行這仗是打定了，這兩人不論誰勝誰敗，都對咱們有利，不過目下還有南海門這一干人，縱然是可收漁翁之利，咱們也不能隨便出手。」

查子清道：「目下的情勢十分微妙，實叫人無法預測大局變化，看樣子只有見機而行了。」

忽聽徐元平大聲喝道：「諸位請站開一點，免得被我誤傷……」

易天行冷冷地接道：「你們都站開，最少要站在兩丈開外。」

他朗朗大笑一陣，又道：「當今武林之世，用劍的人很多，但能夠馭劍擊敵的，只怕難得

找出一、兩個來，你們今天可以開開眼界了……」

他聲音說得很高，顯然他是有意讓全場中所有的人一齊聽到。

宗濤愕然一呆，低聲問徐元平道：「你習過馭劍的武功嗎？」

徐元平淡然一笑道：「沒有，但在用劍之上，我得別人傳授過此種武功，不是易天行說出來，還不知道這就是馭劍之術。」

宗濤手中松枝一橫，目光環掃了四周一眼，笑道：「好！今日一戰，不論你生死，但你的英風豪氣將永垂於武林了。六十年來，沒有一個人，在你的年齡裡有著你這樣的成就！」

這幾句話對徐元平有著無比的鼓勵，只見他劍眉軒動，豪氣飛揚，仰天一聲長嘯，說道：「老前輩過獎了，晚輩也許要在今日一戰之中，傷死對方手中，含恨九泉；但我確信，易天行亦將付出極大的代價……」

他忽然輕輕歎息一聲說道：「晚輩有一事相求老前輩，不知老前輩能否答應？」

宗濤笑道：「你說吧！只要老叫化能夠辦到，決不推辭！」

徐元平目光閃閃，投注到丁玲身上，道：「老前輩請即帶著你的義女立即離開此地，晚輩才能安心一戰！」

宗濤笑道：「老叫化這一生中，可算得相識滿天下，知己無一人，年登古稀，才遇上了你這位忘年之交……」

徐元平黯然一歎，道：「晚輩未習劍道，但憑胸中一點記憶，和人動手，勝負之數，可想而知。老前輩俠名滿武林，犯不著陪我作此一戰。」

易天行似是被徐元平的豪氣和宗濤的至情所感動，微微一笑道：「在下也沒有勝你的把握，不過我卻習過劍道一門武功，咱們生死勝敗的機會各佔一半！如果你有事待理，咱們不妨把此戰延緩一些時日，訂個後會之約。」

只見丁玲大步奔了過來，直衝到宗濤身側。

宗濤皺皺眉頭，道：「你來幹什麼？」

丁玲婉然一笑道：「乾爹不走，我也不要走了。」

徐元平看她背上的金老二，只餘下奄奄一息，不禁心頭一陣感傷，緩步走了過來。

丁玲緩緩把在背上的金老二交給徐元平道：「我三叔身受重傷，必須及時療治，我必須留在這邊照顧他的傷勢……」

徐元平接過金老二，揹在背上，接道：「有勞姑娘之處，在下深銘肺腑，異日定當補報。」右手一揮戮情劍，大喝道：「避我者生，擋我者死。」奮身一縱，直向外面衝去。

他衝出的方向，正是拂花公子所守，此人雖非渾渾噩噩，但因幼小就在父親餘蔭庇護之下，縱橫於白山黑水之間，養成一種目中無人的性格，眼看徐元平逕向自己停身之處衝來，不覺大怒，長袖疾揮，飆然拍出一掌。

徐元平健腕振處，戮情劍劃出一片冷芒，橫掃劍氣劈向了拂花公子揮擊而來的長袖，右肩一抬，硬接了拂花公子拍來的一掌。他躍起的身子，吃拂花公子那強猛的掌力一震，由空跌落實地。

宗濤一皺眉頭，雙肩晃動，直搶過來，準備出手救援。

忽聽拂花公子大叫一聲，身子忽然向後退了四、五尺。

神丐宗濤看得一怔，停下了腳步。

他閱歷豐富，一望之下，已然看出拂花公子是被徐元平的內家反彈之力所震。

易天行心中微生凜駭，暗道：這等強猛的反震之力，除了玄門罡氣之外，只有佛門中般若禪功，才能有此威力……

忖思之間，忽覺杖風嘯空，拂花公子身後四個五旬左右的老人一擁而上，四支蛇頭杖，一齊掃出。

徐元平劍眉怒聳，星目圓睜，在四人排山倒海的蛇頭杖進擊之下，不退反進，戮情劍一招「天河倒瀉」，幻起層層青芒，護住身子。

只聽一陣金鐵交鳴，四支蛇頭杖，一齊被從中斬斷。

徐元平神威大發，反手一劍，橫削過去。他手中的寶劍雖短，但劍上放射出的青光，長及數尺，揮動之間，劍風襲人。

四個老人想不到一回合之間，兵刃就被人削去，微一怔神間，劍風已直逼過來。四人驚愕之間，一齊縱身後退。

徐元平神威凜凜，飆然又發一劍。青芒掄轉，劍風直逼六尺開外，四周之人紛紛向後退去，讓開一條去路，徐元平借勢破圍，疾奔而去。

那紫衣少女目睹徐元平的神勇，忽然茫然一歎。

這歎息淒涼無比，使站在她身側的查玉，心神為之一動。

但那歎息聲仍然圍繞在耳際未絕的當兒，那重重黑紗中，又傳出來那紫衣少女憤怒的聲音道：「胡一書，快截住他！」

胡矮子胡一書眼看徐元平去勢如箭，無論如何都難追趕得上，心頭一急，大聲喝道：「站住！」

這一喝幾乎是用盡他全身之力，聲如雷鳴，震得眾人耳鼓嗡嗡作響。

徐元平人已到七、八丈外，聽得他大喝一聲後，突然停下了腳步。

胡一書喝聲出口，人已飛縱而起，徐元平剛剛轉過身子，胡一書人已追到。

他已目睹徐元平的武功，哪裡敢存大意之心，長袍一撩，探手摸出一支金筆。

徐元平一臉茫然地問道：「你幹什麼？」

胡一書對徐元平的豪壯之氣，早已心折，當下金筆一擺，說道：「在下奉令領教閣下幾招武功！」

徐元平奇道：「你奉誰之命？」

胡一書微微一笑道：「自然是我們小姐了。」

徐元平道：「可是那穿紫衣的少女嗎？」

胡一書恭恭敬敬地說道：「南海神叟之女，身分何等尊貴，你怎能隨口胡說。」

徐元平呆了一呆，仰臉望著天上的悠悠白雲，自言自語地說道：「她爲什麼要攔我呢？」

一股寂寞的感覺，襲上心頭，只覺世界上所有的人，都和自己相隔的那麼遙遠，生身的父母、教養的恩師、還有那賜恩如山、情義似海的慧空大師，一個個都逝別而去……

他感覺自己是這樣的孤寂，茫茫的人海中沒一個知己，丁玲在自己準備和易天行決一死戰的時候，竟然把金老二交還自己，似乎這些人和自己交往，都有著另外的用心，一旦面臨艱苦、危險時，立時情義全絕，獨善其身。

徐元平陷入了所有的英雄、豪傑都無法克服的痛苦寂寞、冷落之中，他有著被世人遺棄的感覺，這感覺愈是英雄的人物愈是強烈。他悲慘的身世，淒涼的經歷，使他的被冷落的感覺，尤比他人強烈、敏感。

如果，這時胡一書突然一筆點去，徐元平勢非被傷在金筆之下不可，但他卻沒有突然下手，搖動一下金筆，高聲說道：「戰陣之間，生死一髮，你在想的什麼心事？」

徐元平似是被他的喝問驚醒，目光轉投胡一書身上，說道：「你想和我交手，並非什麼難事，等我去問問她，咱們再動手不遲。」

胡一書怔了一怔，道：「你去問誰？」

徐元平道：「我去問那紫衣少女，我和她無冤無仇，為什麼要你出手攔截於我？」說完一笑，大步直向前面走去。

胡一書看他那一笑中，流現出無比淒涼，英雄氣短，使人油然而生酸楚之心。

胡一書自命不凡，昔年縱橫大江南北，數十年未遇過敵手，歐駝子、胡矮子，被江湖武林同道並稱為駝矮二叟，聲譽卓著一時。他有著甚大的成就和聲譽，也同樣受過英雄的寂寞，他深深領會到徐元平那微微一笑中流現的愁苦和寂寞。

那笑容給他的感受，十分強烈，他不自覺地向一側橫跨三步，讓開了去路。

徐元平昂首挺胸，豪氣飛揚地大步而行，在百道目光注視之下，更顯得他的神武，威風凜凜，不可一世。

不少人為他的膽氣、英風心折，但有幾人知道這樣豪情懾人，鐵膽俠風令人心折的英雄人物，內心中卻是無比的虛空，無比的寂寞……

那紫衣少女面上垂遮著重重的黑紗，沒有人知道她是否也把目光投在徐元平的身上，但她卻有無比的鎮靜。

徐元平眉宇間泛起的怒意，和那凜然懾人的豪風，經過之處，無不紛紛避到一側，替他讓開了一條去路，但那紫衣少女卻亭亭玉立原地，動也不動一下，秋風吹起她紫色的衣袂。

徐元平直逼那紫衣少女身前兩尺，兩道凌厲的目光，像閃電一般，盯注在她的臉上，他是要穿過那蒙面黑紗，看清她臉上神情，是喜是怒。

滿頭白髮的梅娘，站在三尺開外，她已提聚了全身的功力，扶杖而立，只要徐元平一有不利那紫衣少女的舉動，立時將以排山倒海之勢，衝擊過去。

這時，全場所有之人的目光，都投注在徐元平和那紫衣少女的身上。

那紫衣少女突然開口說道：「你瞧著我幹什麼？快滾開去！」

徐元平突然揚起手中的戮情劍，道：「你罵哪個？」

那紫衣少女嬌若銀鈴的聲音，透出重重的黑紗道：「你敢殺我嗎？」

徐元平呆了一呆，垂下高舉的戮情劍，冷笑一聲，道：「好男不跟女鬥，我也懶得問你了。」一轉過身子，大步向前走去。

那紫衣少女嬌軀突然向後退了兩步，全身顫抖，倒在了查玉懷中，低聲叫道：「梅……娘……殺……了……他……」

她的聲音不停地抖動，這幾個字，似乎用了她全身的氣力，話出口後，人已暈倒在查玉的懷中。

梅娘竹杖一點，白髮飄飄地喝道：「截住他。」

駝、矮二叟齊應了一聲，猛向徐元平撲了過去。

梅娘卻大邁一步，走到了那紫衣少女的身側，問道：「孩子，你怎麼了？」舉手按在她前心之處，滿臉都是焦急之情。

胡一書金筆疾點，一招「鳳凰點頭」，金筆幻起了數點光影，直向徐元平點擊過去。

歐駝子卻疾發一記掌力，帶起了一陣嘯聲。

徐元平右手斜斜一揮，戮情劍蕩起一道青虹，封住了胡一書點來金筆，飛起一腳「魁星踢斗」，迫退了歐駝子撲來的身軀，冷冷喝道：「我和兩位無仇無恨，不願和你們動手……」

歐駝子大聲喝道：「動手相搏，強存弱亡，哪裡還有不願意這回事。」兩掌交替搶攻，倏忽之間，連發了四掌。

胡一書揮筆疾攻，金筆化爲點點寒芒，迫得徐元平一連後退三步。

神丐宗濤手提一松樹枝，急急奔了過來，高聲喝道：「譽滿武林的駝、矮二叟，合手對付一位後生晚輩，你們要不要臉？」

歐駝子突然停下手，目注宗濤，怒聲說道：「你如不服氣，不妨上前試試！」

徐元平回目一顧宗濤，說道：「老前輩請站開去，別管晚輩的事。」

神丐宗濤微微一怔，道：「什麼？」

徐元平淒涼一笑，道：「今日之局，晚輩已四面楚歌，南海門無緣無故的要和我動手，老前輩犯不著陪我樹此強敵。」說完之後，也不容宗濤答話，接道：「刀劍無眼，兩位要當心了！」

三人交手不過二招，已是生死驚險，觸目驚心。

這時，那暈倒在查玉懷中的紫衣少女，經梅娘施展推宮過穴的手法一陣推拿，吐出長長一口氣醒了過來，緩緩挺身坐起。幾滴鮮血，由那重重覆面的黑紗上，滴落在查玉身上和她紫色的衣服上。

查玉自那紫衣少女倒臥在懷中之後，全身如觸電流，有一種極特殊的感覺，心中想著她那絕世無雙的容色，鼻息間嗅到一陣陣醉人的清香。玉人在懷，心波蕩漾，心中也不知是苦是樂，他幾次用手指捏住那紫衣少女覆面黑紗一角，想揭開再瞧瞧她動人的美貌，但見梅娘施救時沉痛神情，強自按捺下心中的衝動。

當他眼看紫衣少女醒來後，滴出的點點鮮血時，心頭才大感震動，迷亂的神智驟然一清，急急說道：「你受了傷嗎？可是徐元平暗發內力，震傷了你的內腑？」

他已對徐元平的武功十分佩服，覺著以他的武功，足可無聲無息地發出暗勁傷人。

那紫衣少女搖搖頭說道：「不是，如果他動了手，只怕我已……」忽然覺著說溜了嘴，趕忙住口不言。

凝目望去，只見徐元平疾如流星的背影，閃了兩閃，消失不見。

原來駝、矮二叟在兩招交接之下，已然知道對方武功高強，再加上戮情劍的威力，想攔住他，決難辦到。兩人微一猶豫，徐元平已藉機飛奔而去。

他的身法迅快絕倫，去勢如箭，眨眼之間，人已到四、五丈外。

神丐宗濤眼見徐元平已脫圍而去，低聲對丁玲說道：「咱們也該走了！」縱身而起，一連幾個飛躍，直向正東而去。

丁玲自知輕功難以和徐元平、宗濤相比，在場之人，不論哪一個要追截於她，都非難事，故而並未隨宗濤而行。

梅娘手扶竹杖，緩步走向駝、矮二叟，冷冷說道：「兩位平時都是極為自負的人，聯手合力，也攔不住一個不過弱冠之人，實在替我們南海門丟人現眼。」

這幾句話，說得甚重，只聽得駝、矮二叟都面現羞愧之色，垂首而立。

那紫衣少女慢步行來，歎一口氣，接道：「梅娘，不用責備他們了，那人的武功，實非他們能敵，而且他手中又有削鐵如泥的寶劍，更是如虎添翼，如今人已走遠，追趕不及，再說他們幾句，也是無補於事。」

梅娘一頓竹杖道：「下次再和他們相遇之時，我該親身臨敵了，免得節外生枝，再被他逃離開去。」

紫衣少女道：「他的武功很奇怪，我們每次遇到他時，他都像進步了很多，一個人天賦再好，也不能有這等驚人的進境！」

梅娘嗯了一聲，道：「不錯，這確叫人百思難解。」

這時，易天行也緩步走了過來，查子清、楊文堯卻仍站在原地不動。原來他們擔心再陷入易天行的天罡陣中，所以不肯涉險，遠遠地監視著那些黑衣人的舉動，只要對方一有舉動，立時見機而逃。

丁玲自忖已無逃走之能，索性也大大方方地走了過來。

查玉一直跟在那紫衣少女的身後，寸步不離，那紫衣少女移動一步，他就跟上一步。

拂花公子目睹群豪一場龍爭虎鬥，心中狂傲之氣減了不少，默然不言地和易天行手下的四老六童站在一起。

易天行走近那紫衣少女跟前，拱手一禮，笑道：「姑娘相囑之事，在下無不遵辦，不知咱們的合作前約，是否有效？」

紫衣少女道：「此一時，彼一時，前約縱然有效，但相約內容，也得有所修正。」

易天行道：「姑娘只管提出，只要在情理之內，在下縱然吃些小虧，也不要緊。」

紫衣少女道：「你這般遷就於我，只不過想早進孤獨之墓，入墓之後……」

易天行微微一笑，道：「姑娘多慮了。」

紫衣少女道：「你不用對我多用心機，那孤獨之墓中除了機關布設之外，還另有其他的埋伏。」

易天行道；「什麼埋伏？」

紫衣少女道：「我仔細看那戮情劍匣之上的原圖，覺出有幾個地方很奇怪，應該有機關布

設才對，但卻沒有，這和那其他地方的精巧布設大相違背。不過，我一直也無法想得出來，必需要身臨其境，才能觸動靈機。」

易天行目光環掃了四周一眼，道：「姑娘估計咱們進入墓中，破除各機關，直達核心，這一去一回，大概要多少時間？」

紫衣少女微一沉思道：「如果事情順利，十二個時辰以內就可退出古墓……」

易天行接道：「如果事情不順利呢？」

紫衣少女道：「那就難說了，三天五日，很難預料，但卻不致超過七日。」

易天行道：「姑娘如果有興，咱們今夜就進此墓如何？在我計算之下，三日內難有武林高手趕來，除非他們早日聞得風聲，已經動身來此，現在行途之中……」

那紫衣少女不容他說完，立時搖頭接道：「平分孤獨之墓中存寶，那是進入墓前的事，入墓之後，生死難卜，縱然倖存，只怕那時候你已不肯聽我之命了。」

易天行笑道：「在下不過是珍視、尊重姑娘的才智，如若說到聽命，未免有傷大雅了。」

紫衣少女緩緩伸出手來，扶在查玉的肩上，格格嬌笑道：「你急於早進孤獨之墓，謀得墓中存寶，不外兩種用心……」

易天行笑道：「不知是哪兩種用心？願聞高論。」

紫衣少女回過臉去，低聲對查玉說道：「請令尊和楊文堯過來。」

查玉略一猶豫，急步奔了過去，說道：「爹爹、楊叔父，請去一趟。」

查子清一皺眉頭，道：「什麼事？」

查玉道：「那紫衣姑娘要揭穿易天行進入孤獨之墓的用心，請爹爹和楊叔父做個見證。」

楊文堯目光轉動，打量了四周一眼，見四老六童和那些黑衣人環站一側，列隊而立，心中一寬，笑道：「事關武林大局，咱們就過去聽聽吧！」他微微一頓，回頭對查玉一笑，低聲說道：「你要好好的用心了，莫讓好花落別家，不但你可得一位如花嬌妻，貴堡如能得到南海門全力相助，號令天下武林，並非什麼難事。我這做叔叔的也可附隨驥尾，在江南為貴堡略盡綿力。」

查玉道：「晚輩一介武夫，只怕難以入雀之選。」

談話之間，已到了那紫衣少女和易天行不遠之處。

楊文堯輕輕咳了一聲，拱手說道：「姑娘相召，不知有何見教？」

紫衣少女笑道：「特請兩位來做個見證。」

查子清道：「什麼見證？」

紫衣少女緩緩地退到查玉身側，提高了聲音說道：「易天行，你那兩種用心，一是想從孤獨之墓中找到那孤獨老人遺留下的武功，習成絕技，以遂你爭霸武林之願……」

易天行笑道：「當今之事，又誰能確知那孤獨老人把生平的武功，錄留在孤獨之墓，姑娘才智一向使在下敬佩，但這幾句話，卻有些捕風捉影了。」

紫衣少女笑道：「縱然那墓中沒有孤獨老人錄遺的武功，你也可以偽造一本秘錄，欺騙世人，用以炫耀同儕，籠絡人心。」

易天行拂髯大笑，道：「不論猜得對與不對，姑娘這等高人一等的卓見，仍然使在下敬

服。」

紫衣少女道：「至於你第二個用心，那就險詐無比，駭人聽聞，我看不說也罷！」

易天行臉色一變，但剎那之間，又恢復鎮靜之色，笑道：「姑娘儘管請說。」

紫衣少女道：「你要借孤獨之墓的驚險布設，一網打盡武林高手……」

楊文堯長長一歎，接道：「好辦法，世人誰都知那孤獨之墓中機關重重，入墓之人，九死一生，但誰也按捺不下好奇之心，只要能接得邀請之柬，勢非冒險赴約不可。」

易天行突然對那紫衣少女拱手一禮，道：「得蒙指點，茅塞頓開，姑娘之才，確有過人之處，可惜的是……」

他緩緩把目光移注到查子清和楊文堯的身上，眉宇間泛現殺機。

楊文堯接道：「可惜被兄弟和查兄聽到了？」

易天行淡淡一笑，道：「兄弟爲使此一秘密不致外洩，只有殺兩位以滅傳言之口。」

查子清道：「易兄想得雖是不錯，只怕事實上難以如你之願。丁炎山雖傷未死，鬼王谷一定不肯就此罷休；冷公霄乃千毒谷主之弟，谷主決不致袖手不理乃弟受傷之事……」

易天行大笑接道：「除了千毒、鬼王二谷之外，還有你們楊家、查家二堡……」

那紫衣少女身軀忽然向前一傾，舉手按在額角，說道：「我頭痛死了，梅娘扶我上轎。」

梅娘伸手，把那紫衣少女抱了起來，送入小轎之中，放下垂簾。

查玉急步奔了過去，高聲問道：「你頭痛得很厲害嗎？」

垂簾中傳出那紫衣少女微弱的聲音道：「你要耐心的等我，我要先走一步了……」

一陣和風吹過，查玉只覺秋日已殘，嚴冬將至，因此在他心底深處，突地泛起了一陣濃重的寒意。

他呆望著這垂簾的小轎，逐漸在秋風落葉中遠去，逐漸消失無影。西落的殘陽，雖然仍留戀地拖著它長長的影子，但她畢竟去了，匆匆地來，匆匆地去，來時沒有帶著什麼，去時，卻似已帶去了查玉的生命與靈魂。

良久，他黯然歎息一聲，忖道：她若是真心對我，爲何對我這般輕視，要來就來，說去便去，難道她不知道我的感覺，不知道我會難受嗎？她若非真心待我，那卻又是爲什麼要對我如此……

他本乃絕頂聰明之人，是以在如此深沉的迷惑中，猶能冷靜地爲自己分析，但不管他如何冷靜，紫衣少女那似有情又無情的言語，都仍時時刻刻在他耳畔響著。

易天行手捋長鬚，目光一轉，突地哈哈笑道：「查世兄此刻心裡，是否還在想著那位驚世絕艷，並世無雙的女子！」

查玉呆了一呆，只聽見易天行又自朗聲笑道：「查世兄是否在心中暗自猜測，不知道這女子是多情，抑或是無情！」他突又長歎一聲，搖首道：「真真假假，愛愛恨很，真難爲了你。」

查玉心房跳動，面色厲變，只見易天行語聲未了，突地拂袖轉身，走了開去。

他緩緩走到楊文堯身前，嘴角又復泛起了一絲難測的笑容，緩緩道：「至於楊兄你的心裡麼……嘿嘿，想必是在思忖，不知今日能否生離此處。」

楊文堯心頭一震，但口中卻淡淡道：「是嗎？」

他目光一掃，便已將當場情勢看清，那些黑衣人以及四老六童僅都遠在一邊，一時之間，萬萬無法趕來，是以他心中極爲鎮定，深知單憑易天行一人之力，絕對無法將自己困在此間。

易天行微微一笑，道：「此刻敝下屬俱都遠在三十丈外，以他們的腳力，縱然兄弟呼喝，亦無法在刹那之間趕來，是以楊兄此刻必定十分鎮靜，深信單憑在下之力，必定無法留得住兄台們的大駕，是嗎？」

他輕描淡寫地反問一句，楊文堯心機縱然深沉，面色亦不禁爲之一變，冷冷道：「易兄卓見，當真叫人欽佩得很，只是在下愚昧，實在還沒有如此遠見。」

易天行仰天一笑，道：「兄弟雖無知人之明，但對楊兄的心意，卻自信還不致猜得太錯……」笑聲一頓，突地抬手劈出一掌。

楊文堯目光轉處，只聽「呼」的一聲，一股掌風電奔而來，自身側掃過，其強猛剛烈之力道，竟是自己生平未見。

回首一望，但見遠遠的荒草砂石，竟被他這遙遙一掌，擊得四散飛揚，就連那蒼蒼古柏的樹幹，亦自劇烈地震盪起來。

耳際間響起了一聲悶哼，查子清向前移動的身軀，疾快地向後退了三步。

楊文堯心頭劇烈地一震，他意識到這一掌才是易天行真實的功力……

只聽易天行哈哈大笑道：「查兄自覺有沒有能力接得兄弟之掌力，如果查兄自信有能力接得在下之掌力，那就儘管請便。」

查子清滿臉凝重之色，一語不發地緩步走了回來。

顯然，他對易天行相詢之言，無法回答。

楊文堯身軀一個掄轉，閃到查子清的身側，和他並肩而立。

易天行目光如電，一掠兩人冷冷地說道：「兩位可要聯手一試兄弟的掌力嗎？」

楊文堯仰天長長吸一口氣，道：「如若易兄苦苦相迫，兄弟等不得不一試銳鋒了。」言詞之間，一派無可奈何之情。

易天行面色肅然地向前走了兩步，道：「兩位都是極爲熟悉武林情形的人，兄弟有幾句相勸之言，不知兩位是否肯聽。」

查子清道：「大丈夫寧死不屈，兄弟等目下雖然陷身在易兄重重包圍之下，但也不甘心忍受屈辱。」

易天行笑道：「兩位但請放心，兄弟決無強人所難之意……」

他忽然拂髯一歎，道：「南海門的勢力，已經深入中原，那紫衣丫頭挾絕世智慧，和詭異的武功，欲問鼎中原武林霸業，可笑我中原武林同道，都還像沉睡正酣，毫無警惕之心……」

楊文堯一皺眉頭道：「易兄不是和南海門相訂有約，先謀孤獨之墓中的存寶，再共圖武林霸業二分天下，怎的又忽然改變心意了？」

易天行淡淡一笑道：「兄弟如若真要和那紫衣丫頭聯手結盟，只怕眼下兩位不是橫屍濺血於此，亦將身受重傷就縛了。」

查子清、楊文堯雖聞此言不大順耳，但仔細一想，倒是實情，不用南海門下之人出手，單是易天行的手下，就足以使兩人傷亡當場。兩人相互望了一眼，默然不語。

易天行略一思忖，接道：「兄弟直言出來，或有傷到兩位之處，甚望兩位大量包涵……」

查子清道：「在下和楊兄，自信還有點容忍之量，易兄請說不妨。」

易天行道：「千句總一句，中原武林同道如不早謀結盟，必將為南海門那紫衣丫頭所用，她可以兵不血刃，把中原武林攪成一個互相殘殺的慘局。」

查子清沉思了良久，道：「易兄話是不錯，但此事關係整個武林，並非兄弟和楊兄一、二人力量能予解決。」

他雖已聽出易天行話中弦外之音，但卻不願由自己說出口來，故作聽不懂的樣子。

易天行微微一笑，道；「此時此地，已非身分、顏面之爭，兩位故作不懂，兄弟只有明說了！」

楊文堯、查子清聽他一開口，就揭露了兩人胸中之秘，不禁臉上一紅。

易天行淡淡一笑道：「眼下南海門的勢力，尚未在中原開展，據兄弟所知，他們眼下能夠算上高手的，不過六、七人而已。

「如若查兄、楊兄，能夠捐棄成見，和兄弟攜手合作，對付南海門中人物，決不致輸與他們。」

查子清哈哈一笑道：「易兄話是不錯，只是捐棄成見一事，說來容易，做來甚難。」

易天行道：「這麼說來，兩位是不願和兄弟合作？」

楊文堯道：「不是在下不願和易兄合作，而是易兄心機太深，實令我等難以相信。」

易天行道；「不知如何，兩位才能相信兄弟？」

查子清道：「這個，很難說清楚了。」

楊文堯道：「兄弟倒是有一個辦法，可以證明易兄確有和南海門爲敵之心。」

易天行道：「願聞高論。」

楊文堯道：「那紫衣少女眼下走得不遠，咱們追上前去，易兄如能先和他們動手，在下和查兄立時出手相助。」

易天行笑道；「兩位可是覺著咱們眼下的實力，定能勝得南海門嗎？」

查子清道：「以兄弟所見而論，南海門中最是難纏的，是那滿頭白髮的老嫗，除了那老嫗之外，其他之人，均不足畏。」

易天行道：「兄弟之見，和查兄略有不同。」

查子清道：「兄弟洗耳恭聽高論。」

易天行歎道：「兄弟顧慮的倒是那紫衣丫頭，其人不但智慧絕世，而且行動言詞之間，都教人莫測高深。」

查子清道：「那紫衣少女麼……」

楊文堯笑道：「分由令郎對付！」

易天行道：「對付南海門，除了武功之外，還得有一番詳細策劃才行，如若兩位願和兄弟共圖大舉，不妨到兄弟行館之中休息一下，順便食用一餐酒飯，也好藉機計議一下，對付南海門的辦法。」

楊文堯道：「易兄盛情，兄弟等卻之不恭，只好叨擾。」

易天行拱手說道：「兄弟走前替兩位帶路了。」轉身向前走去。

查子清目光一轉，只見四老六童和那些黑衣人已齊齊退走，不禁膽氣一壯，伸手一把抓住丁玲，大步隨在易天行身後而進。

走約四、五里路，到了一片滿生翠竹的山坳中。

易天行遙指那翠竹林中隱現的屋頂樓角，笑道：「這就是兄弟的行館了。」微一欠身，長揖肅客。

且說徐元平背負金老二，一陣急奔，一口氣跑出了十幾里路，回首不見有人追來，才停下了腳步。

他緩緩地放下背上的金老二，無限悲苦地叫道：「叔叔，叔叔。」

奄奄一息的金老二，慢慢地睜開了一雙失去神采的眼睛，淒涼一笑，道；「孩子，扶我坐起來，我有幾句緊要的話，要對你說。」

徐元平搖頭苦笑道：「叔叔傷勢慘重，此刻不宜費神說話，先療治傷勢要緊。」

金老二苦笑道：「你不用多費心了，除了你爹爹之外，當今之世，知道易天行隱秘最多的就是我了，他必欲殺我而後甘心。所以，他下手極重，趁現在我還有一口氣，把幾句緊要之言告訴於你，你也可知道你爹爹如何的死去。」

徐元平道：「這些都已由三叔父告訴我了，而且我也曾聽過易天行親口所述，雖然中間還

有幾點疑竇未明，但那不關緊要，易天行是兇手，已是千真萬確的了。」

金老二道：「唉！孩子，我目下半身已經麻木了，除了易天行或有能救我之法外，當今之世，只怕再也沒有人能夠把我由必死之路拖回來。」說完一聲長歎，又緩緩閉上眼睛，好像他說這幾句話，已用盡了他的氣力。

徐元平看他閉上雙目之後，臉上的肌肉動也未動一下，一副等死的神態，不禁心頭一震，暗道：他心中已存了必死的念頭，縱然給他服用下起死回生的靈丹，也是難以收效，必得先行讓他動了求生之念，然後才能設法救他……

心念一動，黯然道：「易天行點穴手法雖然毒辣，但如說除他之外無人能解，那倒未必見得……」

金老二閉著雙目，搖搖頭，道：「你不用白費心思……我已經不行了！」說話有氣無力，一副生機全絕，行將就木的神情。

徐元平忽覺一陣幽傷，泛上了心頭，只覺天地之間，所有的人，都棄他而去，心中一陣激動，熱淚奪眶而出，淒然說道：「叔叔當真要棄我不顧，撒手而去嗎？」這幾句話，字字句句由肺腑中彈震而出，語音神情，充滿無比的痛苦，無比的淒傷。

金老二那緊閉的雙目，突然睜開，眼中神光閃閃，歎道：「易天行的獨門點穴手法，不但別人難以解救，而且慘酷無比，全身經脈，逐漸硬化而死，行血不息，經脈硬化，那痛苦實非常人能夠忍受。孩子，我縱然願忍受痛苦，但無人能解他點傷的穴道，也是枉然！」

徐元平道：「容小侄一試，叔叔心存求生之念，小侄或可奏功。」他近來武功大進，把慧空口授的《達摩易筋經》原文，逐漸地融會貫通，想到真經上有一段易筋洗髓之法，或可用來療治金老二的傷穴。

金老二雙目眨動，肅然說道：「好吧！你就試試吧！」他被徐元平的誠摯感動，啓發了求生之念。

徐元平精神一振，抱起金老二，就附近選擇了一片隱僻所在，立時運起功力，推拿起金老二的傷穴。

他一面默誦真經原文，字字求解，一面耗消真元，以透肌過膚的真氣，推拿金老二的傷穴。

兩個時辰之後，人已經累得全身大汗，頭暈腦脹。就在他頭昏力盡的當兒，同時把經中原文含義融通於胸。他仰起臉來，長長吸一口氣，使昏昏欲睡的神智爲之一清，默思經文含義，不禁心神微震。

原來經文中的推拿脈穴手法，雖可療治金老二的傷勢，但必須連續三十六時辰的不停推拿；中間雖有小息，但雙手不能離開那受傷脈穴。

徐元平自忖成就，難以連續不絕三十六個時辰推拿金老二的穴道，何況這三日三夜之久的時間裡，無能抗拒任何襲擊，只要一個普通的人，都可把兩人一齊殺死……

一直閉目側臥的金老二，忽的睜開眼來，望著徐元平滿頭滾落的汗水，不禁黯然一歎，道：「孩子，你很累嗎？」

徐元平心頭一凜，振起精神答道：「平兒已想出解救叔父受傷穴脈的辦法了……」

金老二道：「孩子，難爲你了！」

徐元平裝出歡愉的微笑，道：「不過需要時間稍長，還要叔叔多多忍耐。」

金老二道：「這一點不用你擔心了，我要看你手刃易天行替大哥大嫂報了仇，才能死得瞑目九泉。」

徐元平怕他看出自己疲累之態，趕忙說道：「在療治傷勢之時，叔叔需得閉上眼睛，絕對不能隨便睜開。」

金老二微微一笑，道：「好！平兒，你不要太累了。」緩緩閉上雙目。

徐元平仔細看去，只見他臉上泛現起一片祥和冷靜，似是對徐元平療治他傷勢一事，充滿著信心。

他仰起臉來，長長吸了兩口氣，心中暗道：徐元平啊，徐元平，當今之世，你只有這樣一個親人，不論如何的艱苦，你也要把他救活，縱是力盡而死，也該在所不惜……當下一振精神，雙手加力，又開始在金老二身上推拿起來。

他身上汗水如雨，滾滾而下，精神上也感到無比的睏倦，在恍忽的神智中，一直清晰地記著，手指不能停下……

不知過去了多少時間，徐元平突覺全身一涼，暈迷的神智突然一清。抬頭看去，只見滿天烏雲，不知何時，已經下起雨來。

只聽金老二微弱的聲音，傳入了耳際，道：「平兒，天可是下雨了嗎？」

徐元平道：「是啊，不過叔叔的傷勢，必需要一口氣療好，雖然下雨了，咱們也不能移

動。」

金老二道：「唉！孩子，這不是太苦了你嗎？」

徐元平道：「平兒只恨本身功力不夠，不能在短時間中，替叔叔治好傷勢……」

金老二道：「不知要多長時間，才能療好我受傷的脈穴。」

徐元平暗暗忖道：我如直言相告於他，只怕他會想到很多困難之事，看來只有騙他一騙了。當下答道：「要一十二個時辰吧？」

金老二長長歎息一聲，不再言語。

徐元平低下頭來，在衣袖上擦拭一下汗水，當他抬起頭來，忽覺項頸之間一涼。

他覺出那森森涼意，不似雨水，不禁心頭一凜，睏倦之意，頓然消去。一陣輕微的疼痛，一行鮮血，緩緩由項頸間，滴落在地上。他意識到一把鋒利的兵刃，正架放他的項頸上，而且已劃破了他頸上的肌膚。

但他只輕輕地咳了一聲，施展傳音入密的工夫，問道：「你是誰？……」忽然心中一動，怕對方答話的聲音，驚動了金老二，急急又接了一句道：「你施展傳音入密的功夫和我交談，別驚擾了病人。」

身後果然傳過來一個冷冰冰的聲音，道：「你可猜想得到我是難嗎？」

徐元平仔細分辨那聲音，甚覺耳熟，但一時之間卻又想不起來是誰？

三十　七步干戈

這時，徐元平已然累得筋疲力盡，縱然對方不用利刃架在他項頸之上，也是無傷敵之能，當下輕輕一歎，道：「你的聲音我很熟悉，但我一時間卻又想不起來，不知我可否回頭瞧瞧？」

身後傳來了一聲輕笑，道：「你想死得明明白白，那也是人情之常，你就回頭看看吧！」

徐元平停下手指，正待回頭看時，心中忽然一動，暗道：我如回頭看到了他面貌，他勢非殺我不可，不禁猶豫起來……

相持大約一盞熱茶工夫，徐元平尚未回首，那身後之人，已等得有些不耐起來，說道：「你怎麼還不回過頭來看我呢？」

徐元平道：「如我不回頭瞧你，可否延長我三日死期？」

那人似是聽得甚覺奇怪，說道：「什麼？延長你三日死期？」

徐元平道：「你現在殺了我，我叔叔亦將傷發而死，豈不是一刀二命？寬限我三日時間，先讓我把叔叔的傷勢療好，你再殺我也是一樣。」

那人沉吟了一陣，道：「這麼辦吧！我身上攜帶有一種藥物，服用之後，三日後才能夠發作，你把這毒藥服下，我才能信你！」

徐元平道：「好吧！你把那藥物拿來！」

身後伸過來一隻潔白的玉手，掌中托著兩粒紅色丹丸。

徐元平微微一皺眉頭，暗道：此人膚色如玉，手指纖纖，看去不似男人，難道是個女孩子

……

心中忖思之間，緩緩伸手取過兩粒紅色丹丸，正待吞下，心中一動，問道：「你這毒藥服下之後，不知我的功力，是否會受影響？」

那人嗤的一笑，道：「三日後毒發必死，無藥可救，但在三日之內，不會影響到你的功力。」

徐元平道：「在下相信大駕之言。」張口把兩粒紅色的藥丸吞服下去，接道：「你現在可以離開了，或是隱身在附近暗處監視著我。」

那身後人沉吟了一陣，歎道：「你的言詞，字字句句，都令人無法不信，果然是一位誠篤可信可托的君子。」

但聞步履之聲，逐漸遠去，漸不可聞。

徐元平服用下藥丸之後，心中不禁泛生出黯然的感覺，想到父仇未報，母恨未雪，慧空大師遺托之事也未能辦好，自己卻要在三日之後告別人間，也許要死得不明不白，連逼自己服藥而死的人，也難看上一眼。

他歎息一聲，目光投注到金老二的臉上，只見他雙眉輕皺，臉上一片痛苦之色，但嘴角間

卻又微微帶著笑意，分明他在忍受著極深的痛苦，但又深信自己能夠重傷復癒，兩種神情混合在一起，顯出他內心中堅決的求生意志。

徐元平振作精神，連吸兩口長氣，閉上雙目，排除雜念，一意調息。

他得天玄道長無意一腳，踢活了生死玄關，雖然任、督二脈未通，但真氣已可旁通奇經八脈，直上十二重樓，適才替金老二療傷之時，雖亦常運氣調息，但心中一直百感迴旋，雜念未除，此刻，雜念澄清，神意集中，頓覺真氣暢行經脈，內力源源而生。

原來他預知了三日後必死無救，報仇雪恨之事，都成了夢幻泡影，一心一意，只想救活金老二，反而有助他神意集中。

風雨漸大，大滴如珠，徐元平真氣流轉不息，內力綿綿不絕，人已進入渾然忘我之境，心中唯一的念頭，就是早些療治好金老二的傷勢，對風雨的侵襲，渾似不覺。

又不知過了多少時間，落雨已住，雲散天晴，夕陽返照來一抹陽光，積水反映，霞光閃閃。

忽然身後傳過來一聲歎息道：「天色又入夜了，你還不休息一下嗎？」

徐元平抬頭望望天色，道：「已經過去一天一夜了？」

那聲音輕柔地接道：「可不是麼，已經過去了一天一夜，我送給你的食用之物，你一點也未食用，都給大雨沖走了！」

徐元平目光一轉，果見身側放著兩個瓷盤子，盤中一片瑩潔，想那盤中食物，都已被大雨沖刷去了。

目光回轉，向後望去，剛剛看到一角黑衣，心頭突然一震，趕忙又轉了回來，暗道：好險啊，好險！我如回頭望他一眼，他藉故說我看到他的面貌，變卦不守三日信約，豈不是其咎在我嗎？

那身後之人，等了一陣之後，忽然緩步而去。

徐元平不敢回頭張望，只能從那人的腳步聲中，辨出他逐漸遠去。

這雖是一件極爲簡單的事，但卻要極大的忍耐之力，克制住好奇的衝動，只要他回頭一看，立時可以辨出來人是誰，但他爲了金老二的安全，必須強忍住心中的好奇和衝動。

他仰天長長吸了一口氣，又復運氣調息，調息好精神，又開始用手推拿金老二的穴道。

大約又過了一個時辰工夫，忽然覺到那股綿綿不絕的內力，倏然中斷，不禁心頭一震，停下手來，暗道：這一日一夜的工夫，我一直覺著內力綿綿不絕，何以此刻突然中斷不繼？

心念一動之間，忽然覺著饑腸轆轆，饑餓無比。

他回頭望了那兩個大瓷盤子一眼，心中暗暗忖道：如果這兩盤子中的食物，不被雨水沖走，我也不致受這饑餓之苦了。

他發覺了後力不繼的原因，是因饑餓所致時，才想到自己已經兩日一夜，未進飲食了。一念動心，只覺那饑餓之苦，愈來愈重，如果不能及時進些食用之物，別說後力難繼，無法再繼續替金老二療治傷勢，單是這份痛苦，已是不易忍受了。

他嚥了兩口饞涎，自言自語地歎道：還有兩日夜時光之多，難道我能撐過這一段時間麼？

忽然由身後遞過來一個白色瓷盤，一個嬌柔的聲音，隨著傳了過來，道：「你腹中定然是很饑餓了，快把這半隻烤雞吃下去吧！」

徐元平凝目望去，只見那磁盤中除了半隻烤雞，還有兩個饅頭，一股肉香，直撲鼻中，本待伸手取食，忽然想起一件事來，歎道：「閣下的好意，我只能心領了。」

那人奇道：「你不餓嗎？」

徐元平道：「很餓，但我兩隻手不能離開我叔父身上穴道，無法取食。」

那人似是極爲憤怒，冷哼一聲，將那瓷盤收了回去。

徐元平嚥下一口饞涎，咬緊牙關，閉上雙目，勉強忍耐著饑餓之苦，繼續運氣調息，但覺腹中饑餓難挨，竟然難以提聚真氣。

過了有一盞熱茶工夫之久，忽覺肉香濃郁，直衝內腑，睜眼看去，只見一隻雞腿，正放自己唇邊，身後傳來一個平和的聲音，道：「好吧，那我就餵你吃下去。」

徐元平腹中饑餓，也不再謙辭，張開口來，很快把雞腿吃完。

只聽那身後之人，笑道：「你餓了很久嗎？吃得像狼吞虎嚥一般。」緊接著又送過來夾著雞肉的饅頭。

徐元平一口氣吃了半隻烤雞和兩個饅頭，肚內饑火已消，嘴巴在衣袖上擦了兩下，說道：「雖然兩日之後，你要把我殺死，但今日一飯之恩，我仍然感激不盡。」

那身後之人默然不語，沉吟了良久之後，突然幽幽一歎，起身而去。

徐元平聽他那移動的腳步之聲落地甚重，似是有著很沉重的心事……

他微一思索，立時屏棄雜念，運行真氣，替金老二療治傷勢，不大工夫，已入渾然無我之

境。

當他再度停下休息時，忽然覺著頭頂之上，多了一些什麼，抬頭看去，只見一個茅草結成的頂蓋，四面用竹子撐住，用以遮蔽烈日風雨。

三日時光，轉眼過去，他有了茅棚遮日蔽雨，又有人及時送上飲食，得以維持他的體力，才算把一件艱苦的療傷工作完成。

那送給他食物之人，對他似乎愈來愈關心了，單見那餐餐不同而可口的佳餚，已顯示出對他的關懷。

第四日早晨時分，徐元平已覺出金老二幾處受傷的脈穴，完全通達，療傷大功告成，心中甚爲喜悅，低聲說道：「叔叔你可以睜開眼睛瞧瞧了。」

金老二自得徐元平啓動生機之後，一直忍受著痛苦。但因徐元平綿綿不絕的內力，使他承受的痛苦大減，暈暈糊糊地過了三日夜的時光，有時神智全失熟睡不醒，醒來亦是暈淘淘地茫無所知，但他心中一直記著不能睜眼之事，始終閉目未睜，感覺之中好像發生了很多事情，但他均棄絕外念，不理不想，直待聽到徐元平呼叫之言，才緩緩睜開雙目。

徐元平滿臉微笑之容，說道：「叔叔可暗中運氣試驗一下，看看受傷的脈穴，是否已經完全通了。」

金老二依言運氣相試，果然傷穴全通，忽然挺身而起，抓住徐元平一隻手腕，熱淚盈眶地說道：「孩子苦了你啦……」他生平之中，極少有這樣激動，只覺千言萬語要說，但卻不知從何說起，一時之間，反而默然無語！

徐元平仰天長長吸一口氣，勉強壓制下心中的激動，說道：「平兒替叔叔療傷，真氣損耗甚大，必須要十日靜養，想請叔叔替我配幾劑藥物，以便我靜養時服用。」他想到今日已是相約三日死期，必須想個法子，讓金老二離開此地，免得他看到這一幕慘劇。

果然金老二爲之一駭，霍然站起身來，說道：「你知道什麼藥物嗎？我立刻就去配製。」

徐元平淡然一笑，隨口說了幾樣藥物，他曾經看了那紫衣少女開給丁玲療治傷勢的藥單，腦際之中，還隱隱記得兩樣，隨口說了出來。

金老二久在江湖上走動，見聞極是廣博，那紫衣少女開的藥物，都是療傷聖品，徐元平說了兩樣，果然把金老二給騙過，當下默記心中，說道：「平兒，你就在此地等我……」仰臉望望天色，接道：「在天色入夜之前，我一定趕回此地。」

徐元平微微一笑，道：「叔叔不用太急，我只不過是損耗一點真氣，你大傷初癒，不宜急急趕路。如果今夜趕不回來，明天回來也是一樣。」

金老二似是急於徐元平復原，說道：「不論如何，我今天一定可以趕回。」也不待徐元平再答話，急奔而去。

徐元平望著金老二急奔而去的背影，心中泛起了一陣淒苦之感，低聲說道：「再見了，叔父，當你購藥歸來的時候，平兒已經身首異處了……」

他說的聲音異常低沉，但金老二卻似受到了感應一般，突然停下了腳步，回過頭來，徐元平只道被他聽到，不禁心頭一驚。

只見金老二高舉右臂揮手說道：「平兒，不要離開此地，天黑之前，我一定可趕回來。」

縱身躍起，施展開陸地飛行功夫，急奔而去。

徐元平眼看金老二背影消失不見，緩緩地站了起來，步出草棚，只見草色枯黃，落葉紛紛，一片肅殺之氣。

三面青山環抱，正西方卻是一片黑黝黝的密林，這是一個很少人跡的荒涼所在。

一叢及人的青草，矗立在丈餘外處，那方圓數尺之地，似是得天獨厚，仍然有些青翠之色。

徐元平此時的心情有如洶湧的長江大河，萬念滾滾閃過心頭，他緩步走近草叢，凝目相注，自言自語地說道：「這地方倒是一處大好的埋身之地。」

他呆呆地站了一陣，緩步走回那草棚之中，盤腿而坐，閉上雙目，想以內家調息之法，使雜亂的心情平復下來。但他卻失敗了，千古艱難唯一死，他雖有著視死如歸的豪氣，但這死前的一段折磨，卻不是豪氣所能抗拒，但覺往事如電閃過心頭，一直無法使心情平復下來。

忽聽一陣沉重的步履之聲，急急走了過來，停在身側之處。

徐元平只道是相約之人，暗道：既願束手就死，何須再見仇人形貌。於是眼也不睜地說道：「你動手吧！」

這四個字說來雖是簡簡單單，卻不知摻揉著多少種複雜的感情，未了的恩仇、常憶的友情，以及他這一生中曾遭遇到的悲歡離合、辛酸苦辣，他似乎都要在這一刹那間體會、宣洩出來，因為自今而後，世上的成敗榮辱，俱都不再與他有關，就正如墜下的果實與生長的枝葉一樣，他也將悵惘而無可奈何地離開了這多姿多彩的世界。

只聽那沉重的腳步聲，突地一頓，然後一步一步地向他走了過來。

他仔細地分辨著這腳步聲，冀求能在這單純的聲音中，尋找出自己的答案：「此人究竟是誰？」但他轉念一想，又不禁暗笑自己，暗笑人類的情感爲什麼永遠是這麼矛盾？一種根深柢固的理智，與另一種無可奈何的情感，永遠是在互相爭鬥著，直到他死前的一刻，仍無法終止。

就在這一刹那間，他對於生命的存在與人類的通性，似乎又瞭解了許多。

腳步之聲更近，終於停在他身側，他心中暗歎一聲，緩緩說道：「三日之限已至，你只管快些動手。我……死亦無憾。」

他突然想到他憑自己的力量，救活了他世上唯一的親人，嘴角霎時泛起一絲安慰的微笑。

秋風簌然，立在他面前之人，似乎輕輕驚歎了一聲，然後一個沉重嘶啞的口音詫聲說道：「動手？動什麼手？」

徐元平微微一笑，緩緩道：「我既已與你訂下三日之約，你便是將我千刀萬剮，我也不會怪你，此時此刻，我早已將生死置之度外，你大可不必在我臨死前還這般折磨侮辱於我！」

他語聲竟是那般誠懇而無畏，叫人聽了，無法不由衷地發出敬佩與感歎。

哪知那沉重嘶啞的聲音竟又輕咦了一聲，吶吶道：「公子，你……究竟說的是什麼，小的……小的實在聽不大懂。」

徐元平心中一動，沉聲問道：「閣下究竟是什麼人？」

直到此刻，他猶未張開眼來，那嘶啞的語聲「呀」地一聲，感歎道：「原來公子竟是個……竟是個……」

他終究不敢說出「瞎子」兩字，改口說道：「小的名叫張忠，又有人將我喚做張一爺。公子若有什麼吩咐，只管吩咐好了，小的還有兩膀子氣力，叫我做『動手』的事，再好也沒有，叫我用心思，那卻是……」

他「嘿嘿」乾笑數聲，倏然頓住語聲。

徐元平心中思潮反覆，不知面前之人是戲弄自己，抑或是真的與此事無關。心念數轉，他終於忍不住霍然張開眼來。

凝目看去，只見一個三十歲左右的大漢，肩上挑著一擔木柴，腰中斜插著一柄巨斧，只看那巨斧要大於平常樵夫所用的兩倍，就了然此人有過人的臂力。

張忠驚噫了一聲，向後退了兩步，放下柴擔。

他原想徐元平是個目難睹物的瞎子，不料他睜開眼睛之後，卻暴射出懾人的神光，像兩道挾著霜刃的冷電，看透了人的肺腑心肝。

徐元平輕輕一皺劍眉，茫然一笑，說道：「你當真是行樵之人嗎？」

張忠乾咳了一聲，道：「是啊？小的打柴爲生，已近十年了。」

徐元平道：「你每日都由此處經過麼？」

張忠搖頭笑道：「沒有，這條路我已經一個多月沒走了。」

徐元平輕輕歎一聲，道：「那你是不知道了……」他這話似是對張忠說，但又似自言自語。

張忠茫然一笑，道：「公子是讀書之人，說的話我自然是聽不懂了。」挑起柴擔，舉步欲去。

徐元平看那一擔柴，大約有兩百餘斤，但他隨手一提，竟然放在肩上，毫無吃力之感，不禁讚道：「你的氣力不小啊？」

這次，張忠似是聽懂了徐元平說的什麼，咧嘴一笑道：「我娘老是說我像頭蠻牛，一把死氣力，除了打柴之外，什麼也不會。」

徐元平心中一動，問道：「你家中還有些什麼人？」

張忠道：「除了老娘和我之外，再無他人了。」

徐元平淒涼一笑，道：「你很好福氣，還有個媽媽照顧你……」

探手入懷，摸出一把碎銀，和兩個金錠，道：「你拿去用吧！」

張忠有生以來，從未見過金錠，和那樣多的銀子，不禁爲之一呆，雙目盯在金銀之上，全身輕微地顫抖，顯然，這一堆金銀，使他十分動心。

他呆呆地瞧了良久之後，突然歎一口氣，道：「我未替相公做一點事情，如何能受此重金，就算替你家做上十年長工，也用不了這多金銀。」

他的純厚樸實，勾起徐元平的感傷，暗道：我如不是身負有血海深仇，我如有雙親在堂，倒寧願像他這樣，平平淡淡地過了一生。

心念轉動，黯然一歎，道：「這些金銀，對我來說，已是無用之物了……」

張忠瞪大雙目奇道：「金銀怎會無用，可以買牛耕田，買馬拖車，置房買田討媳婦，樣樣都用得上，哪裡會沒有用呢？」

徐元平淡然一笑道：「我已快要死了，這些金銀你拿去替我買口棺木，明天來此地收我屍體，埋在那深草之下，餘下的，你就買些田產、牛馬，討個媳婦，奉養老母，好好的過日子吧。」

張忠凝目望了徐元平一陣，伸出顫抖的手，接過金銀，說道：「我先把金銀帶去，回去問問我娘，該怎麼辦？」這位純厚的樵人，顯然已爲他生平僅見的財物動心了。

徐元平望著他急奔而去的背影，心中暗暗忖道：看來人生名利之關，實是不易看破，此人這般忠厚純樸，也會爲財帛動心。

他安詳地微微一笑，似是對人生又深入了一層認識，緩緩閉上了雙目。

人在將死的時候，不是萬念湧心，思緒如潮，不然就會特別的平靜。徐元平經過一陣躁急不安之後，變得特別平靜，心如止水，萬念俱寂，慢慢地運氣調息。

要知一個人在整個的生命過程中，難得有幾次真正的胸無雜念，不論如何調息求靜，潛意識中，總難免有所掛念。此刻，徐元平卻進入了確無雜念之境。

調息一陣之後，突覺一股真氣由丹田之中向上面衝去，有如渴驥奔泉，不可遏止。如在平常之時，徐元平必會爲此一特異情形，停下行功，但此刻，他卻置之不理，暗暗忖道：是啦！我服用那人的毒藥，也該到了發作的時候，想是藥性發作了。仍然運息如故，只覺那向上疾衝的真氣，衝過了十二重樓，直向生死玄關逼去。

全身的血液，也隨那向上衝動的真氣，沸動起來，躁動起來，一種忽升忽沉的感覺，使他心中起了無比的憂急和不安。

這時，忽然又響起了一陣腳步之聲，直行過來。

徐元平正爲體內一種真氣忽升忽沉的衝突干擾，好像一隻大鵬被關在一座鐵籠之中，久思破籠而出，此刻那鐵籠破損了一個大洞，牠正用盡全力向外掙動，但那破損的洞口甚小，卻無法容牠展翼而去。

他雖隱隱感到又有人向他走來，但體內氣血強烈的衝突，使他無暇去想這件事情，反正他覺得今日非死不可了……

忽然覺著氣血強猛向上一衝，腦際之間，轟然一聲大震，那躁急和不安的情緒，頓時爲之消失，一種飄飄欲飛的感受，使他又生出輕鬆之感。

這當兒，忽然感到右腕脈穴，被人一把扣住，耳際間響起了一個陌生口音，道：「好啊！踏破鐵鞋無覓處，得來全不費工夫……」

徐元平聽那口音不對，霍然睜開了雙目。

只見一個身體高大的和尚，用左手扣著他的右腕脈門，放聲大笑。

徐元平仔細地瞧了一陣，忽然憶起此人，乃是少林寺中慧字一輩，僅存的兩位高僧之一，慧果大師。

慧果笑如龍吟，直沖霄漢，餘音迴盪在山谷之中，滿山回鳴，盡都是哈哈大笑之聲。

他似是有著無比的歡愉，也有著無比的激動，長笑聲綿延了一刻工夫之久，才停了下來，

冷冷說道：「你終於被老衲找到了，哈哈，為找你踏破三雙芒履。」

徐元平神色鎮靜，毫無脈穴被拿住的驚慌，淡淡一笑，道：「老禪師找到了在下，也不值得這般高興啊！」

慧果滿臉泛布起殺機，道：「小施主不用裝癡作呆，拿出來吧！」

徐元平道：「拿出什麼？」

慧果道：「戮情劍。」

徐元平暗暗忖道：我已是將死之人，留下寶刃，也是無用，此劍取自少林，還於少林，總比落於他人之手好些。左手緩緩伸入懷中，摸出戮情劍來，說道：「拿去吧！」

慧果接過寶劍，隨手放入懷中，道：「劍匣呢？」

徐元平道：「遺失啦！」

慧果臉色一整，冷然說道：「此劍雖有削鐵如泥之利，但劍匣尤為珍貴，眼下施主的生死，已在老衲掌握之中，一個人死了之後，萬事皆休，留得劍匣，也是無用，小施主要三思了！」

徐元平仰臉一聲輕笑，道：「生死之事，在下早已置之度外，老禪師如果想藉此要挾，那可是失算之策……」他微微一笑，又道：「不過此劍乃貴寺之物，還於貴寺，乃理所當然之事，戮情劍匣，現在南海門那紫衣少女手中，老禪師找她去討吧！」

慧果微微一笑，道：「劍在你的手中，劍匣卻被人拿走，此言叫老衲如何能信？」

徐元平大聲說道：「我說的字字真實，你不信那有什麼法子，慧空、慧因兩位老前輩，他

們人格何等清高，你卻這般貪心，同出一門，一樣的修爲，優劣之分，有如天壤之別，我還劍於你，也無非是看在慧空、慧因兩位老前輩的份上而已，哼！我懶得再理你！」說完緩緩閉上雙目。

慧果凝目望去，只見他臉上一派莊嚴，毫無一點畏死的神情，使人一瞧之下，竟有著一種凜然難犯之感，不禁心中一震，暗道：此人小小年紀，卻有這等視死如歸的豪氣。一陣惶愧之感襲上心頭，緩緩鬆開了徐元平右腕脈穴。

徐元平緩緩睜開雙目，淡然一笑道：「戮情劍匣確在那南海紫衣少女的手中，大江南北的武林道上，都已爲此女進入中原，不遠千里趕來，想來老禪師亦必早有耳聞了！眼下二谷、三堡中人物，都在勾心鬥角，想從紫衣少女手中取得劍匣，老禪師定要尋找此物，那就快些趕去，遲恐生變，也許會被人奪走！」

慧果大師道：「不知那紫衣少女現在何處？」

徐元平道：「我離開之時，她們都還留在孤獨之墓，眼下行蹤何處，我就不知道了！但她在中原根據之地，在邙山『碧蘿山莊』，我已把胸中所知，盡皆相告。你要去，可以去了。」

慧果雙眉一聳，說道：「老衲有一句不當之言，不知是該不該問？」

徐元平道：「老禪師儘管請說。」

慧果道：「施主坐在此地，可是等什麼人？」

徐元平笑道：「等死！」

慧果聽得一怔，道：「什麼！等死？」

徐元平道：「不錯，我是等死。」

他微微一頓之後，又道：「如非等死，我也不會把戮情劍還給你了！此劍雖是你們少林寺中之物，但慧空老前輩已經打賭輸給我了。我如能活在世上，必要保有此劍！」

慧果道：「但眼下你並未死，為何有心放棄此劍？」

徐元平笑道：「快啦！我已經活不了多久啦！最長也不會到日落時分，也許頃刻之間。」

慧果道：「老衲雖然不通星卜之術，但就你氣色而論，既不像身受重傷，也不像中了什麼奇毒。但聽你言來，卻是非死不可，實叫老衲猜測不透了。」

徐元平笑道：「天下的事，有很多是出人意料之外，在下不願把此事告人，老禪師……」

師字未完，突然急聲吼道：「閃開！」

一道銀芒，疾如流星般急射而到，掠著徐元平耳根擦過。

慧果頭也未轉，冷冷喝道：「什麼人？膽敢暗算老衲？」

只聽一聲嬌脆的冷笑，道：「你再試試我滿天花雨的手法！」

慧果肩頭微聳，身形突地斜斜飄起，只見他寬大的袈裟，飄拂飛舞，有如一朵輕雲般冉冉升了上去，去勢似乎並不甚急，但那來勢急快的銀芒，竟未能接近他身形三尺以內。

日光強烈，但這一蓬銀芒，比日光尤覺強烈，帶著絲絲縷縷尖銳的風聲，閃電般掠過慧果的腳下，擊向徐元平身上。

徐元平眼瞼微垂，有如一尊石像般，竟似全然沒有將這一蓬致人死命的暗器放在心上，直

到他身形一尺開外，這一蓬銀芒突又一散，驚虹電掣般自他身側擦過，尖銳的風聲，震得他衣衫爲之拂動起來。

慧果真氣一沉，雙足落地，情不自禁地轉目一望，見到徐元平這等鎮靜的功夫，心頭不禁湧起一陣敬佩之意，暗歎忖道：此人性命若真的無法活過今日，倒的確是武林中一大損失。

他雖然心胸狹窄，但見了徐元平這種恢宏氣度，英雄本色，心下卻也不禁暗中傾倒。

心念一閃便過，只聽身後又是響起一聲冷笑，慧果濃眉一揚，沉聲道：「漫天風雨，又當如何？」

身後那嬌脆而冷峭的聲音，一字一字地緩緩說道：「還有子母流星呢！」

話聲落地，身後竟有暗器破風之聲擊來，慧果雖然自恃身分，至今未曾回首，但此刻只覺心弦震動，忍不住霍然旋過身子去，眼角斜瞟。只見一串銀光，筆直襲來。

這一串銀芒聚而不散，薄而不急，比方才那一蓬銀雨的來勢，竟是大不相同。但光芒閃動之間卻似隱含著一種令人不得不爲之緊張的意味。

慧果只覺心頭一震，不待銀光襲至，身形又自一旋，的溜溜旋開五尺以外。

他身形方動，突聽「叮」的一聲輕響，當頭一點銀星，突地急射而出，有如一匹乍放轠繩的驚馬，突地由緩行而急奔，速度之差異，竟無法以言語文字描述。

接著又是兩聲輕響，三點銀星，由直襲變爲橫飛，然後便是一連串的「叮叮」聲響，一串銀光，又自變爲一蓬銀芒，四面八方，亂雨般擊至端坐如山的徐元平身上。

這一陣「叮叮」聲，一聲接著一聲，有如喪命之鐘，又有如攝魂之鈴，暗器未至，已足以令人驚心動魄。

徐元平雙目一張，目光利箭般注向當中的那一點銀星之上，對四散擊來的銀雨，竟似不聞不見。

慧果身形頓起，目光立刻轉向徐元平望去，只見那當先激射而出的一點銀星，在這微一眨眼之間，已將觸及了徐元平的胸邊要害之處。

這生死存亡的一剎那，徐元平忽然疾快地伸出了右手，屈指輕輕一彈，只聽一聲波然輕響，那激射而至的銀芒，斜斜向一側飛去。

緊接著一提真氣，原姿不變地凌空而起，寒芒閃閃，分由他身外四周劃過。

慧果輕聲讚道：「好膽氣……好身法！」

徐元平仍然盤膝而坐落在原地，淡然一笑，道：「老前輩過獎了。」

慧果目光一轉，投注到丈餘外一片叢草之上，高聲說道：「老衲已領教了漫天花雨，子母流星，不知還有什麼驚人手法嗎？」

草叢後響起了一個銀鈴般清脆的聲音，應道：「你向左面走上五步，再試試我『三元聯第』和『一天飛蝗』手法如何？」

慧果大師臉色一整，道：「要老衲再試你兩樣手法不難，但得讓老衲見識一下女施主是何等人物？」

草叢後緩緩走出來一個全身的黑衣少女，背插雙劍，漫步而來。

徐元平目光一轉，只覺此女似曾相識，但卻一時間想不起何時見過。

只見那黑衣少女目光轉動，一瞥徐元平微笑說道：「你的膽氣實在叫人佩服！」目光一轉，凝注到慧果大師臉上，道：「你可是少林寺中的和尚吧？」

慧果道：「老衲乃嵩山本院慧果。」

黑衣女道：「天下武林人物能夠躲得我漫天花雨和子母流星兩種手法之人，難得挑出幾人。你這老和尚武功不錯，因此我料想你必然來自少林。」

慧果看她一身黑衣，容色絕倫，年紀不過二十上下，能打出那等懾人魂魄的手法，決非平常之人。當下正容說道：「不知女施主高名上姓？」

他目睹徐元平擊打暗器的手法武功之後，心中狂傲之氣，忽然稍減甚多。他忽然想到如若把徐元平換成自己，決然不會有那等沉著的豪氣。

只見那黑衣女淡然一笑，道：「我叫上官婉倩……」

徐元平心頭一動，忽然想起和她拚掌受傷之事，接口說道：「在下和姑娘原有三年之約，只怕難以履行諾言，這裡先行謝罪。」

上官婉倩笑道：「不要緊，過去之事，已成過去，不用多想它了。」

徐元平凜然說道：「大丈夫立世之本，信義當先，既有承諾，豈能不放在心上，不過今日乃在下的死期……」

上官婉倩接道：「設若你死不了呢？」

徐元平道：「舊約定當踐履。」

上官婉倩笑道：「可惜你要死了。」

徐元平仰首望著天上一片變幻的雲彩，心中暗暗忖道：天色已近午時，那相約之人，仍然不見到來，難道他忘記了今日相約之事嗎？或是想我已服下毒藥，難過三日之限，讓我自行毒發而死呢？

他一心只想到自己生死之事，對眼下的情景，根本沒有留心。

只聽風聲呼呼，衣袂被風飄了起來，轉眼看去，原來上官婉倩已和慧果大師打了起來。兩人出手之勢，十分嚇人，每出一掌一招，必帶起強烈的破空勁氣。

轉眼一瞥之間，忽然發覺那高聳的叢草旁側，站著一個全身白衣的人。以他目光的銳利，一顧之間竟似未把那人看清，除了記得他穿著一身白衣之外，腦際之間，竟是未留下那人一點印象。

這時他不得不重新轉過頭去，仔細地向那白衣人望去，看了一陣之後，忽覺心底泛起來一股寒意。

那人長得並不如何難看，但全身上下卻是找不出一點生人的氣息，他臉上似是被一層青霜籠罩，掩藏了他內心所有的表情，有如從棺材中拖出來的一具屍體，使人一見之下，就有著一種陰氣森森之感。

徐元平長長吸一口氣，暗暗忖道：世上竟有這樣死人般的活人。

忖思之間，突見那白衣人右手一探，似是從懷中摸出一件東西，目光轉動，好像在計算上官婉倩和慧果大師兩人離他的距離。

徐元平愈看愈覺不對，忍不住高聲叫道：「你們不要打了！」

上官婉倩嬌軀一閃，脫開了慧果大師的掌勢，落到徐元平的身側，微微一笑，道：「怎麼？你可是擔心我打他不過嗎？」

徐元平搖搖頭，道：「不是。」

慧果和上官婉倩相搏了一陣，已知遇上了勁敵，只感對方武功路數詭異難測，而且內力充沛，乃生平僅遇的高手之一，打下去，決非一、兩百招之內可以分出勝敗，是以聽得徐元平喝叫之聲，立時停手不攻。

上官婉倩星目一轉，又道：「那你是怕我傷他啦！」

徐元平搖搖頭，道：「兩位動手相搏，勝敗乃必然之事，在下自是不用多管閒事。」

上官婉倩嗔道：「這也不是，那也不是，是你嘴巴癢了嗎？」

徐元平劍眉微微一聳，道：「兩位轉過頭去看看那草叢旁邊，再責怪在下不遲。」

上官婉倩回頭望了一眼，不禁一怔，道：「這些人是人是鬼？」她驟然見到這些裝束，不自覺地脫口而出，想到自己在武林中的威名，縱然是鬼，也不該這等害怕，趕忙住口。

徐元平目光一轉，不禁也是一怔，說道：「奇怪呀！怎麼一轉眼，變成了這樣多人？」

原來那草叢旁邊，一排站了五個衣著、身材一般的白衣人，他們都穿著一樣的麻布白衣，臉色同是一片青色，不論目光如何銳利的人，也無法在短時間內把他們分辨出來。

慧果也似是為五個白衣人的出現有些震動，但他究竟年齡較大，為人較為沉著，保持著平靜的神態，默然不言，心中卻在不停地忖思江湖之上，哪一處人物這般裝束？

片刻之後，上官婉倩的神情逐漸地平復下來，她身負絕世武功，膽氣自是要比平常之人壯

大甚多，冷笑一聲，說道：「我不信陽光普照之下，真的有鬼出現……」回目望著徐元平道：「你有膽子沒有，咱們一齊過去瞧瞧！」

徐元平搖搖頭，道：「我要在此地等人，那人未到之前，我決不離開此地一步。」

上官婉倩嗤的一笑，道：「你等哪個？」

徐元平心中忽然一動，但口中仍然應道：「和我相約的人！」

上官婉倩道：「那個人不會來了！」

徐元平道：「你怎麼知道？」

上官婉倩道：「要來早就來了，現在天已快過午時，自然是不會來啦！」

徐元平霍然站起來，道：「你見過那人嗎？」

上官婉倩道：「見過，而且從小就在一起長大，形影不離。」

徐元平忽覺心中一陣劇激的震盪，道：「可就是姑娘嗎？」

上官婉倩嫣然一笑，道：「不敢，不敢。」

徐元平輕輕歎息一聲，道：「不知那藥力幾時發作？」

上官婉倩抬頭看看天色，笑道：「早哩，要到太陽下山的時候，夕陽殘照。」

徐元平微微一笑，道：「這麼說來，我還有兩、三個時辰好活了。」

上官婉倩柔聲說道：「要是那藥物年久失靈了，你就永遠不死啦……」

忽聽慧果大聲叫道：「鬼王谷……」

耳際間響起了一陣夜梟悲鳴般的長笑，尖銳刺耳，難聽至極，突地，一個高昂的聲音混入了那長笑聲說道：「鬼王谷，鬼王駕到。」

這兩句話，一字一句，拖了一盞熱茶工夫之久，餘音蕩漾在山谷之中，回鳴不絕於耳，聽得人心頭泛起一陣冷森森的感覺。

上官婉倩罵道：「鬼王谷中的人，果是沒有一點人味。」

只見那草叢之後，一蹦一蹦地跳出來兩個頭戴白帽，身穿黑衣，腰繫麻繩的人來。

這兩人活像兩具殭屍，行動之間，雙腿並立，只用雙腳的強力跳動，手臂直垂，雙目圓睜，怎麼看也沒有一點生人味道。

慧果大師合掌當胸，高喧一聲佛號。

高喧的梵音，響徹雲霄，混入那淒厲長笑之中。

徐元平暗暗歎息一聲，忖道：丁玲、丁鳳在這等環境之下長大，自是難怪她們帶有幾分陰森之氣，但自和自己相識之後，兩個人都似在緩緩地轉變，尤其是丁鳳，出身鬼域，倒是難能可貴……

忖思之間，瞥見那兩個跳動的人突然停了下來，那淒厲的長笑聲，也隨著停了下來。

高聳的草叢後，緩步走出一個頭大如斗，巨目闊口，身披黑袍，身不滿五尺的人來。

來人雖然長得很不勻稱，但舉步行動之間，卻有著一種頤指氣使的高傲氣度。

慧果大師回首對徐元平道：「江湖上久傳鬼王谷谷主丁高生具異像，此人可能就是鬼王谷的首腦丁高了。」

徐元平道：「老禪師也不識得鬼王嗎？」

慧果道：「鬼王丁高很少在江湖上走動，老衲雖然久聞其名，但尚未見過其人。」

徐元平道：「這就是了，待晚輩問他一聲。」

上官婉倩卻似突然想起了一件重要之事，低聲對徐元平道：「鬼王丁高的寒陰氣功，已練到傷人於不知不覺之中，而且善施迷藥，天下無出其右，你可要小心一些了。」

只見丁高在兩個黑衣白帽，以蹦代行之人左右護衛之下，直對三人停身之處走來。

徐元平突然一側身，大步迎了上去。

上官婉倩回手一抓，沒有抓住，雙足一點實地，嬌軀疾射而出，後發先至地搶落到徐元平的前面，玉臂攔住了徐元平前行之勢，說道：「站住。」

徐元平微微一怔，但卻依言停了下來，心中暗道：這丫頭的舉動好生自負，也不想想憑什麼可以攔阻我的行動……

只見那黑袍大頭怪人，左手一揮，兩側隨行之人，應手停了下來。

上官婉倩不容徐元平開口，搶先說道：「你就是鬼王丁高嗎？」

那大頭黑袍怪人巨目中神光一閃，陰森森地說道：「你是什麼人，敢這般對老夫說話？」

上官婉倩笑道：「怎麼樣？我沒有開口罵你，已經算對你客氣了！」

黑袍大頭怪人冷然一笑，巨目一轉，說道：「給我拿下。」

左面那黑衣白帽之人，應聲出手，直垂的長臂突然一舉疾向上官婉倩抓去。

上官婉倩星目一瞥，看那人指掌盡成一片紫色，冷哼一聲，道：「好髒的手。」嬌軀一晃，閃了開去。

那人一擊不中，突然一跳，疾如流矢般直衝過來，雙臂齊舉合擊而下。

徐元平心中暗暗忖道：我連番奇遇，學成了一身武功，父母大仇未報，卻已死亡在即，現在，恐怕是我最後一次施展武功的機會了。

一股強烈衝動，泛上心頭，口中大聲喝道：「上官姑娘請讓在下一陣。」一提真氣，右手疾揮而出，一招「金索縛龍」，直向那黑衣白帽的怪人右腕之上抓去。

這時，上官婉倩已二度縱身避開那人的襲擊，兩手一揮，肩上雙劍一齊出鞘。

只聽慧果大師失聲叫道：「十二擒龍手法，這是我們少林寺不傳之秘啊……」

那黑衣白帽之人，身體雖然僵挺不彎，但動作卻是快極，第二度撲擊上官婉倩未中，人卻突然一跳，橫裡蹦開三尺，讓開了徐元平的一擊。

徐元平道：「這是少林寺的十二擒龍手法。」口中應話，人卻欺身而進，揚手一掌，拍向鬼王丁高。

站在丁高右面那黑衣人突然一蹦，搶到了丁高前面，雙手齊舉硬接了徐元平一掌。

徐元平只覺一股極強的暗勁，硬把自己的掌力給擋了回來，不禁心頭一震，暗道：看不出他還有這等深厚的功力。

那人擋開徐元平一掌之後，長臂一伸，五指若鉤地當頭抓下。

徐元平忖道：這兩人行動之時，一蹦一蹦的，手臂也似是異於常人，也不知練的什麼武功，接他一掌試試。心念一動，右手一抬硬向他手上抓去。

他一心只想到難以活過今日，縱然對方練有絕毒武功，也不放在心上。

兩人手掌相接，徐元平忽覺如觸冰鐵一般，不禁心頭一駭，暗道：這人手指怎麼這般寒冷。

就在他心神分動的工夫，忽覺腕脈一麻，右腕已被人一把扣住。

這時的徐元平，又非月前可比，慧空大師轉納於他的一口真元之氣，均已大部爲他引歸經脈，收爲己用，因此他的內力，陡然大進，一覺脈穴被扣，立時迫運一口真氣，貫注於右臂之上，即時行氣似珠，運勁若鋼，右脈間立時堅逾鐵石。

那黑衣白帽怪人，一把抓住了徐元平的脈門，心中甚是高興，縱聲大笑，道：「如此雕蟲小技，也敢賣狂……」突覺對方腕脈上泛起一股強猛之力，猛一擴張，緊扣的五指，登時被震得一鬆。

他正在洋洋自得，自擂自誇之際，陡然受此一震，立時警覺到遇上了生平未遇的強敵，笑聲中斷，神情大變，大張的嘴巴，突然合攏起來，神情尷尬至極。

這當兒，那攻襲上官婉倩的人，陡的轉過身來，舉手一掌，拍向徐元平的背心。

徐元平被扣脈穴一解，行動已恢復靈活，聽得身後掌風襲來，霍然轉身拍出一掌。

他不知本身功力，已入生搏虎豹之境，只想到右腕仍在人五指合扣之中，必須全力發掌拒敵，這反手一掌，用出了十成功力。

雙掌接實，砰然一震，那白帽黑衣人突然悶哼一聲，身子忽的向上一蹦，重又落在原地，雙手直垂，靜站不動。

徐元平暗暗歎道：江湖上的高人，當真是有如過江之鯽，這兩人不過是鬼王丁高左右手下，竟然能接了我全力一掌，而且原地未動，連一步也未後退……

心中忖思之間，忽見那人直垂的雙手，平平向上一舉，張嘴吐出一口血塊，全身挺直地跌倒在地上，呼的一聲，沙土橫飛。

原來他全力一擊，無意用出了慧空相授的般若掌力，一擊之下，把那人內腑心臟，震得片片碎裂。

此掌乃佛門無上心法，掌力擊出，毫無驚人的威力，專以傷人內腑，縱然練有鐵布衫一類橫練功夫之人，也無能抵受。

這驚世駭俗的一掌，使鬼王丁高和上官婉倩同時爲之一呆。

只聽慧果低聲地驚歎，道：「啊！般若掌力，這是不可能練成的事……」他顯然震駭得有些失了常態和鎮靜。

那扣著徐元平右腕的白帽黑衣人，似是已被嚇傻，呆呆地站著不動。

徐元平對自己驚人的掌力，也似甚感意外，滿臉茫然地望了那倒摔在地上的屍體一眼，緩緩地轉過臉去，低聲喝道：「鬆手！」

那扣著徐元平手腕的白帽黑衣人，驚嚇迷亂的神智，似是被徐元平一喝而醒，舉手一掌，當胸拍去。

徐元平橫臂一架，反手一招「五嶽困龍」，反扣住了對方手腕。

慧果大師低聲讚道：「好手法！」

只見徐元平雙目圓睜，沉聲喝道：「鬆手！」那白帽黑衣人，果然應聲鬆開了握在徐元平右腕上的五指。

原來徐元平反手扣制了他的右腕脈門，微一加力，那人登時感到半身麻木，不由自主地鬆開了手指。

這時徐元平如動殺機，右手一揮，立時可把對方傷在掌下，但他突然放開了那人脈穴，冷冷說道：「你不是我敵手，我要鬥鬥鬼王丁高。」

他出道以來，常聽鬼王之名，想在日落身死之前，和揚名天下的鬼王打上一架，也可多使這短暫的生命，留給武林道上一些回憶。

這是他生平中最後的一戰，說完話，立時凝神提氣，蓄勢待敵。

鬼王丁高就在他身前丈餘左右之處。

那黑衣白帽的怪人雖被徐元平鬆開脈穴，但並未馬上離開，微閉著雙目，靜站在原地不動，似是受了重傷一般。

只聽鬼王丁高陰惻惻地一聲冷笑，道：「你當真要和老夫動手嗎？先報姓名上來。」

徐元平朗然一笑，道：「在下徐元平。」

忽見那靜立不動的白帽黑衣人，突然睜開了雙目，右手一揮，疾快絕倫地向徐元平右手之上劃去。

徐元平怒聲喝道：「你要找死嗎？」手腕一翻，拍出一掌。

只聽砰然一聲，掌力正擊在那黑衣白帽怪人前胸之上。

那黑衣人慘叫一聲，向後倒去，但左手卻借勢掃出，劃在徐元平左手背上。

徐元平覺出手上輕微一疼，低頭看時，左手背上微見血痕，被那黑衣人的指甲劃破，傷勢輕微，也未放在心上。

這時，鬼王丁高向前移動了一下矮胖的身軀，冷然說道：「徐元平這三個字，在武林雖是藉藉無名，但你的武功，卻是老夫一生所遇的有限高手之一，能在舉手投足之間，打死了我護身之鬼，眼下江湖難以選得幾人。只此一樁，老夫也該和你動手幾招了。」

徐元平目光一瞥仰臥在身後的兩具屍體，正容說道：「有幸奉陪。」

鬼王丁高敞聲大笑，道：「小心了！」舉手緩擊一掌。

徐元平右手一招「手撥五弦」，斜裡發出一掌，人卻疾向旁側閃開五尺。

他在近月之中，連番和當代第一流高手相搏，對敵的經驗大增，心知以鬼王的盛名，這緩來一擊，必藏殺手，不是存心引敵，定是將暗發出絕毒的功力，斜發一掌，以測強敵實力，橫躍避開，以充裕的時間應付強敵詭變。

果然，兩股掌力一觸，鬼王發來掌力之中，蘊蓄了極強彈震之勁，徐元平只覺自己的掌力有如擊在一股暴射而下的激流上，柔軟中帶有強大的反彈之力。

鬼王丁高冷然一笑，左掌一揚，接連又劈出一掌。

徐元平試敵一掌，戒備之心更甚，肅容而立，誠誠敬敬，發出一掌。

這一次，他用出了八成真力，腳踏丁字步，原地未動，顯然，他已存心硬接鬼王一擊。

兩道破空的勁氣一接，激起了一陣氣旋，絲絲寒氣，有如針芒般穿透徐元平劈出的護身掌

勁，襲上身來，登時體內生寒，泛起一身雞皮疙瘩，不禁心頭一凜，縱身而起，飄出八尺。

鬼王巨目一瞪，暴射出兩道攝人心神的寒光，喝道：「再試我一掌如何？」右手疾急地推來一掌。

這一掌和前兩次的勢道大不相同，掌勢揮動之間，立時劃出了一道狂風，激射而到。

徐元平兩掌平胸推出，果然又硬接一擊。

但見人影一閃，鬼王丁高那矮胖的身軀，快若電光石火一般，緊隨著發出的掌力而到。

徐元平二度接實對方一擊，心頭忽然劇烈一震，不由自主地向後退了三步。

只聽冷笑起自身側，一雙巨靈之掌，斜肩抓下。

這驚人的迅快，迫得徐元平有著措手不及之感，匆忙之中，隨著那下擊的掌勢，疾向地上倒去，身子還未落實地，忽然一個轉身，橫翻五尺。

丁高冷哼一聲，道：「好一式雲裡翻身！」左腳一抬，疾欺而上，徐元平身子還未挺直，鬼王丁高右掌已到身前數寸之處。

形勢迫得徐元平無法選擇，不是挺受一擊，就只有硬擋他襲來的掌勢，當下右掌一翻，接住了鬼王丁高的一擊。

只覺對方掌勢來得雖快，但勁力並不強大，心中方自奇怪，忽覺一股陰寒凌厲的暗勁，循臂而上，衝向內腑。

原來鬼王丁高蓄勁掌中不發，只待雙方接實，才發出強凌的內勁，揉合著寒陰氣功之力，想一舉震傷徐元平的內腑。

徐元平吃那凌厲的反震之力一彈，身不由己地向後退了四步，全身搖顫，步履不穩。

鬼王丁高冷笑道：「螢火之光，也敢和日月爭輝，再試我一掌如何？」雙肩一晃，緊迫而上，右手一揚，當胸劈出。

徐元平只覺如置身在冰雪之中，寒意陣陣泛上心頭，眼看丁高又是一掌劈來，突然大喝一聲，振奮神威，又接一擊。

這次他全力出手，用出十成功力，但卻未帶一點破空風聲。

這正是佛門中至上心法的般若掌力。

第四度雙掌相接，有如輕絮相觸，聽不到一點聲息。

但聞鬼王丁高哼了一聲，矮胖的身軀，忽然向後暴退七、八尺遠。

徐元平卻欺身攻上，揮手搶攻，左掌右指，連環擊出。

鬼王丁高的高傲氣焰，似乎已被那一掌壓制下去，雙目圓睜，臉色凝重，顯然已毫無輕敵之念。

這時，兩人似都已存了以快速的掌勢變化決勝，攻拒之間，神妙無方，上官婉倩和慧果大師都被兩人掌招之上的詭譎變化吸引，聚精會神，凝目而視。

徐元平愈打精神愈好，拳路掌勢的變化，也愈來愈奇，鬼王丁高，卻是臉色越來越是沉重。

激鬥之間，見徐元平口齒啓動，一縷柔和的歌聲，裊裊飄起。

他的臉上，隨著那柔和歌聲，泛起一片莊嚴，急快的掌勢，也忽然慢了下來。

上官婉倩大爲焦急，暗道：怎的這人忽然瘋了，相搏正值緊要關頭，生死決於瞬息之間，他又搶得先機，只要後力能繼，終有勝敵之時，能夠一舉擊敗息隱江湖十餘年的鬼王丁高，那可是一件大大光彩的事，但他卻無緣無故地唱起歌來……

轉眼望去，只見慧果大師雙目圓睜，緩步向前移來，似是看得更入神了。

突聽鬼王丁高一聲厲嘯，迅急地拍出一掌，轉身急奔而去。

徐元平也不追趕，望著鬼王遠去的背影，呆呆出神，那飄蕩在耳際的歌聲，也隨之中斷。不遠的草叢處站的白衣人，也緊隨鬼王丁高身後而去。

徐元平回目一瞥那倒臥地上的兩具屍體，仰臉長長吸一口氣，看著夕陽殘照，低聲說道：「太陽就要下山了……」

上官婉倩蓮步姍姍地走了過來，說道：「你真的很怕死嗎？」

徐元平淡然一笑，道：「想到人世上還有很多事要我去做，眼下實是死非其時。」

慧果大師突然走了上來，手中搖動著戮情寶劍，耀目的寒光，在落日映照之下閃動著，說道：「此劍還是交由你暫時保存吧！」

徐元平搖搖頭，笑道：「此劍得於少林，還於少林，乃理所當然之事，還是由老禪師收著吧！」言詞之間，隱隱流露出將死的悲哀。

上官婉倩突然伸出雪白的玉掌，笑道：「交給我吧！我替他收存著。」

慧果一縮手腕，道：「女施主不覺太貪心嗎？」倒捏劍尖，把寶劍送入徐元平的手中，道：「你的武功，足以配用此劍，老衲告別了。」

轉過身子，大步而去。

徐元平望著他隨風飄動的衣袂，心中暗暗忖道：奇怪呀！此人一向貪心，天涯追蹤，志在求劍，怎的寶劍到了手，反而這等大方起來……

上官婉倩突然伸手一把搶過他手中寶劍，笑道：「人家既然不要，那就送給我吧！」

徐元平略一沉忖，道：「此劍乃少林寺之物，我不能答應送你，但我可以不向你討。」

上官婉倩流目四顧，但見荒山寂寂，四外無人，突覺一陣羞意泛上心頭，垂下頭去，說道：「你的武功，眼下我已自知不是你的敵手，咱們比劍之約，就此取消。」

徐元平道：「任憑姑娘裁決，在下無不從命……」忽然心中一動，接道：「咱們向那邊走走可不可以？」

上官婉倩道：「好啊！這我應聽你的了。」

徐元平道：「你等等。」急急跑到那草棚之處，用手寫了幾個大字，匆匆向東奔去。

上官婉倩緊緊相隨著他，放腿而行。

徐元平信步而奔，毫無目的，走了一陣，到了一處山腳之下。

但聞泉水淙淙，一溪青流，由山上倒瀉下來，就在斷崖下聚成了一個水潭，四周青松環繞，景物甚是清幽，立時坐了下來，閉上眼睛。

上官婉倩看他望也不望自己一眼，一副冷傲神態，心中甚是惱怒，當下冷哼一聲，別過頭去。

兩人僵持了良久工夫，上官婉倩再難忍耐，首先開口說道：「你怎麼不說話呀？」

徐元平身軀微微顫抖了一下，冷冰冰地說道：「你該走了，坐在這裡幹什麼？」

上官婉倩生平之中，從未受過此等羞辱，霍然躍起怒道：「是你叫我來的，哼！誰稀罕跟你一起？」

徐元平微閉的雙目，突的一睜，看晚霞只剩下一抹餘彩，不禁輕聲一歎，自言自語地說道：「金叔父該回來了！但願他不要找到此地才好。」他似是根本忘記了上官婉倩還在身側，看也未看她一眼。

這冷漠使上官婉倩受到了極大的傷害，她憤怒地拔出長劍，直向徐元平前胸刺去。

哪知徐元平渾如不覺，劍尖刺破了他的衣服，他仍然若無其事，閉目而坐，動也未動一下。

上官婉倩玉腕一挫，及時地收住了劍勢，無法宣洩的憤怒，化成了滿腹委屈，滴滴熱淚，奪眶而出。

她原想徐元平會和她大打一場，或是好言解說，要她放下寶劍，至低限度也該出言責罵她幾句，可是對方這不聲不響漠視生死的神態，卻大出上官婉倩的意料。她本可一劍把他殺死，但她卻又無法下得了手。她天性中潛在著無比的倔強、冷漠和羞辱，在她的感受上，重過生死。

徐元平緩緩地睜開了微閉的雙目，淡然一笑道：「你哭什麼？」

上官婉倩用力地把寶劍摔在地上，用衣袖拂拭一下臉上的淚痕，怒聲說道：「我高興哭，你還能管得了嗎？快些撿起地上的寶劍，我給你一個公平的取勝機會。這一次不分出生死，決不許住手。」

徐元平望了那寶劍一眼，道：「我在最饑餓的時候，你送給我食用之物，不用問那遮蔽風雨的草棚，也是你替我搭的了……」

上官婉倩尖聲叫道：「不要說了……」

徐元平微微一笑，繼續說道：「但我已答應不向你討戮情劍，做爲答謝。我們之間的恩怨，已經清結了……」

上官婉倩道：「誰稀罕你的戮情劍！」探手摸出戮情劍，振腕甩了出去，只見一道青芒，電射飛出，擊在一塊大山石上，深沒及柄。

她餘怒未息地拔出背上一支長劍，揮劍一挑地上寶劍，直向徐元平飛了過去，冷冷說道：「接住！」

徐元平伸手一把，接過長劍，但立時放在身側地上，說道：「比劍之約，姑娘已經親口取消了。」

上官婉倩嬌艷的嫩臉上，已變成一片青白之色，顯然，她心中仍有無比的氣憤、激動，目光凝注在徐元平的臉上，說道：「我不願殺死一個坐以待斃的懦夫，你如不願動手，那就用你身邊的劍自刎算啦！」

徐元平似是被她的羞辱激怒，伸手握劍，挺身而起。

上官婉倩冷笑一聲道：「好，這才像男子漢的氣概。」揮手一招「龍行一式」，連人帶

劍，一齊衝上。這一擊，似是發洩了她胸中所有的憤怒，衝刺之勢，凌厲無匹。

徐元平突然橫跨三步，避開來勢，投劍於地，挺胸一站，和顏笑道：「我已是垂死之人，提不起爭勝之心……」

上官婉倩柳腰一挫，硬收住向前衝擊之勢，大聲接道：「胡說八道……」

徐元平臉色一變，道：「你不信我的話，那也是無法的事，在下爲人最恨謊言。」緩緩閉上雙目，盤膝而坐。

上官婉倩呆了一呆，慢步走了過去，只見徐元平臉上，泛起了一層青氣，果已中毒甚深。但覺前胸之上，如受人重重一擊，手中長劍噹的一聲，跌落在地上，緩緩蹲下了身子，說道：「這是怎麼一回事呢？」

徐元平臉色莊嚴，冷冷地說道：「你快些撿起那戮情劍去吧！我自願服用下你的毒藥，我一點也沒有恨你的感覺……」他微一停頓，接道：「我現在正以本身的內功，和攻入體內的藥毒相抗……」

他莊嚴的臉上，忽然泛升起一縷微笑，道：「我不是你心中想像的懦夫，我不願和你動手，是因爲我感激你，在我最饑餓的時候送給我食用之物，如果不是你送食物給我，也許不用服你的毒藥，我已經早被餓死了，唉，那時候我如死了，還要拖累我金叔父一起死去。」

上官婉倩急道：「我給你服用的並不是毒藥，你怎會中了毒呢，天啊，要急死我了……」

徐元平霍然睜開雙目，兩道眼神炯炯如電地逼視在上官婉倩臉上，只見她淚眼眨動，滿臉惶急之情。

這位橫行在西北武林道上，倔強任性的女孩子，忽然間變得脆弱起來。

只聽她如泣如訴地說道：「自從我懂事之後，沒有人敢忤逆過我，父母寵愛，恩師情慈，我幼小就在嬌縱的環境中長大……」

徐元平泛起一個黯然的微笑，道：「你很幸福。」

上官婉倩用衣袖抹去臉上的淚痕，接道：「我記得我沒有流過眼淚……」

徐元平道：「我們男孩子，遇上了委屈傷心之事，也常會在無人之處，大哭一場，女孩子流上幾滴眼淚，那也算不得什麼丟人之事。」

他生平之中，最是不解女孩子家心事，說幾句慰藉之言，聽來也十分刺耳。

上官婉倩怔了一怔，歎道：「我藝滿出師後，一向橫行在西北道上，這些年來，從沒有遇過敵手，但在偃師郊外易天行那密府之中一戰，卻和你打了個兩敗俱傷，從那天起，我心中就恨上了你，我暗中不知發了多少次誓，一定要親手殺了你……」

徐元平道：「唉！女孩子的氣量當真是小，兩敗俱傷，你仍然這般記恨於心。」

上官婉倩道：「因此，當我再遇上你時，確存了殺你的心……」

徐元平淡淡一笑，道：「你現在該很快樂了，我仍然死在了你的手中，但我將死時的心情，卻一點也沒有恨你的感覺，殺一人並不太難，但一個被害人毫無恨你的感覺，那實是不容易了。」

上官婉倩急道：「可是我，我……我早就不願讓你死了，不知從什麼時候開始，我忽覺出我不是真的恨你。」

徐元平奇道：「你暗中發了無數次的誓，要殺了我，那還不是真的嗎？」

上官婉倩淒涼一笑，道：「我也弄不清楚，反正那不是真的，我給你服用的藥物，是我爹爹秘製的療傷靈丹，不但不會傷害到你，而且對你的身體，還有補益，可是你怎會中了毒呢……」

她眨動了一下圓圓的眼睛，兩顆晶瑩的淚珠，奪眶而出，黯然地接道：「但你中毒的事，卻又是千真萬確，你的臉色上已顯示出劇毒侵入了內腑，你真的是不能活了……」目光中流露出無限的乞求和渴望。

徐元平微微一笑，接道：「是真的，我也難再久於人世了……」

他仰臉望望天色，道：「天色不早了，你該走啦！」

上官婉倩期望在他的答話中，能找出一線生機，但她卻失望了，他漠然生死的神情，使人有著生機全絕的感覺。

她生性暴急，但此刻卻變得無比溫柔，低聲說道：「你當真要我走嗎？」

徐元平道：「我就要死了，你留這裡，可是準備替我收屍？」

上官婉倩笑道：「好吧！不論你如何譏諷我，我也會逆來順受。」緩緩站起身來，急步而去。

徐元平望著她的背影，自言說道：「唉，最是難解女人心，她迫我服下致命的毒藥，在我將死之前，卻又這般友善的對我……」

片刻之後，上官婉倩懷抱了一捆枯枝趕來，在七、八尺外，燃起了一堆野火。

天已入夜，黑暗中那一堆野火，更顯得特別明亮。

上官婉倩大膽地走到了徐元平的身側，傍著他左肩坐了下來，幽幽一歎，說道：「一個人沒有了求生之心，縱然有起死回生的靈丹，也無法挽回他的生命。你雖然中毒甚深，但尚未陷入生機全絕之境，只要你生意堅決，療治並非太難。」

徐元平淡淡一笑，道：「不錯，我也覺出受毒甚深，但如說在今夜中能要我的命，只怕未必見得。」

上官婉倩道：「那你為什麼一定要死？」

徐元平道：「如果你能早些離開，也許我還不致於死。」

上官婉倩臉色一變，揮手一掌拍了過去。

但聞砰然一聲，徐元平面頰上登時腫起了五個鮮紅的指印。

她生性暴急，雖然盡量想使自己變得溫柔，但火氣一衝，仍是無法控制得住。

徐元平睜開雙目，望了上官婉倩一眼，淡淡一笑，道：「打得好！」

上官婉倩尖叫一聲，突然伏在徐元平的懷中嗚嗚咽咽地哭了起來，口中低聲訴說道：「我沒有存心打你的，但我情不自禁。」

徐元平道：「你打得很好，時機選擇得恰當無比，在目下情景之中，你縱然再打我幾個耳光，我也不會還你一掌。」

上官婉倩道：「你如肯好好打我一頓，我也不會這樣氣憤了。」

徐元平笑道：「人之將死，其言也善，現在我心中平靜得很。」

上官婉倩輕輕歎息一聲，忖道：哀莫大於心死，他連一點反抗的意識也沒有，自然是難以活下去了。

一縷深沉的愁苦，泛上眉梢，她緩緩解下披在身上的黑緞斗篷，披在徐元平的身上，道：「你安心的死吧！我要坐在你的身邊陪著你，我會把你屍體運到甘南上官堡去，選一處山明水秀、風景幽美的地方，把你埋葬起來……」

徐元平搖搖頭道：「不要，待我毒性發作時候，我會跳下懸崖，摔個粉身碎骨，讓野獸和老鷹吃去我殘餘的骨肉。」

上官婉倩道：「我決沒有給你服下毒藥，但你又中了劇毒，在你死之前，應該弄清楚什麼人下的毒害你。是那少林寺的老和尚，還是鬼王丁高。」

徐元平心中一動，忽然想起掌斃丁高隨身二鬼時，手背曾被劃傷的事。

低頭看去，只見那受傷手背上的傷痕，只餘一道微白的痕跡，心中暗暗忖道：如果那人手上劇毒侵入了我的內腑，這傷處早該潰爛，決不會好得這等迅快，這想法實是多慮了。

忖思之間，忽聽上官婉倩怒聲喝道：「什麼人？」

徐元平轉頭看去，只見那一堆燃燒的野火之後，站著一個身軀魁梧的人影。

夜色朦朧，中間又有火光映照，無法看清那人的臉色神情。

突然間，由另一個方向中傳過來一聲冷笑，道：「別說你躲在這個淺山崖下，縱然是藏在天之涯、海之角，老身也能追查到你的行蹤。」

這聲音蒼勁尖厲，顯然是女子口音。

徐元平只聽那聲音有些耳熟，但一時卻又想她不起，冷然地掃掠了一眼，只見人影幢幢，在夜色中晃動，淡然一笑，閉上雙目。

上官婉倩星目一轉，忽然挺身而起，嬌軀閃動，迅快絕倫地奔到一塊大石旁邊，玉腕輕伸，拔出戮情劍，重又躍回徐元平的身側，倒捏劍尖，道：「快拿起兵刃。」

徐元平微一啓動雙目，接過寶劍，隨手放在身前。

上官婉倩迅快地撿起地上雙劍，握於左手，冷然喝道：「什麼人，快些報名上來，要不然別怪我暗器歹毒了！」

正西方傳來了一聲粗豪的大笑，道：「女娃兒好大的口氣。」

徐元平低聲說道：「趁他們尚未近身，姑娘快些走吧，咱們已經被包圍了。」

上官婉倩盈盈一笑，柔聲說道：「不要緊，你當真不能打架了嗎？」

徐元平疾睜雙目，神光一閃，但迅快地重又閉上，說道：「我恐怕是不行了，你快走吧！」

上官婉倩舉手理理被夜風吹亂的鬢前散髮，笑道：「那我更不能走了。」

徐元平道：「爲什麼？」

上官婉倩道：「我要留在這裡保護你。」

只聽正北方傳過來一聲歎息，接道：「只怕連你也活不成了，還要保護別人？」

這聲音有如黃鶯晨唱，動人至極，徐元平聞聲驚心，登時醒悟到來人是誰。

但見那野火之後的高大身形，緩緩地向前走動，片刻之間，已到了那高燒的野火前面。火光照耀下面目已清晰可見，只見他方面大耳，長髯垂胸，正是「碧蘿山莊」的莊主王冠中。

他神態肅然，眉宇間泛現出深沉的愁苦，但舉動卻十分緩慢，有如拖著千斤重鉛，走過那高燒的野火，直向兩人停身之處行來。

相距還有四、五尺遠，上官婉倩突然一揮手中長劍，冷冷喝道：「站住！再往前走一步，當心我手中長劍。」

王冠中冷漠地瞧了上官婉倩一眼，沉聲叫道：「徐元平，你睜開眼睛。」

徐元平緩緩睜開雙目，凝注在王冠中的臉上，肅然問道：「什麼事？」

王冠中冷笑一聲，道：「當今之世，有幾個徐元平？」

徐元平淡然一笑，道：「在下所知，只有一人。」

王冠中道：「我卻見兩個了……」

他微微一頓之後，又道：「可惜另一個徐元平已經死了！」

上官婉倩聽得微微一怔，回頭把目光盯注在徐元平的臉上，連眨也不眨動一下，似是要看穿徐元平的內腑，顯然，他兩人的談話，已引起她甚大的關懷。

徐元平微微一笑，道：「如若當今之世，真有兩個徐元平，只怕那活的一個，也不久於人世了。」

王冠中道：「很好，很好，一個人能預知自己的死期，可算得第一等聰慧之人。」

上官婉倩仔細地打量著徐元平，覺著眼下之人，和第一次相遇的徐元平，毫無不同之處，她心中曾經極端地厭恨過這個人，因此，她對他留下了深刻的印象，而這人和留在她腦際中的人，毫無不同。

她揮動一下手中的長劍，指著王冠中冷冷喝道：「你這人瘋瘋癲癲，胡說八道的什麼？」

只聽身後一個尖厲的聲音，說道：「此人與你無涉，最好不要惹火亡身。」

上官婉倩轉頭望去，只見一個白髮飄飄的老嫗，站在丈餘開外，手握竹杖，滿臉肅殺之氣，兩道目光盯在自己臉上，不禁心頭火起，一揮長劍，怒道：「你瞧什麼？」

那老嫗還未來得及答話，身後突然閃出來一個面垂黑紗的女子，接道：「瞧你長得有幾分人才……」

上官婉倩大怒，接道：「瞧了又怎麼樣？」玉腕一揚，登時有兩點寒星疾射而出。

徐元平深知她發暗器的手法，厲害無比，不自覺地竟然替那紫衣少女擔心起來，低聲喝道：「姑娘不可……」

只見梅娘手中竹杖一揮，立時幻起了滿天杖影，一陣乒乓之聲，那電射而去的寒芒，完全被擊落在地上。

上官婉倩吃了一驚，忖道：這老婆婆好快的手法。

徐元平目光一轉，只見駝、矮二叟，和一個身著紅衣，脅架鐵拐的人，分站成一個圓周，把兩人團團包圍起來。

徐元平忽然一挺而起，大聲說道：「諸位擺出這等陣勢，不知是何存心？」

上官婉倩放下平舉胸前的長劍，緩緩地走到徐元平的身側，說道：「你很想死嗎？」

徐元平道：「不死也不行啊！他們要我項上之頭，那有什麼法子？」

上官婉倩嗔道：「你的手呢？」

徐元平揚了雙手道：「長在雙臂之上。」

上官婉倩道：「要它做什麼用？人家要殺你，你就不會反抗嗎？」

徐元平低聲一歎，道：「就算我殺了他們幾個，我身上劇毒，亦將發作而死。」

上官婉倩怔了一怔，道：「那你是甘願被人殺死了？」

徐元平淡淡一笑，拱手對王冠中道：「你們如想我束手待斃，先請讓開一條路，放這位姑娘過去。」

王冠中轉向那面覆黑紗的紫衣少女望去，顯然，他是無法作得了主。

上官婉倩一揮手中長劍，道：「不用讓，我自己想走時，自然闖得出去。」

王冠中冷冷說道：「想向你討上一點東西！」

徐元平道：「不知你們要向我討什麼？」

王冠中道：「討取你項上人頭。」

徐元平神色如常地淡淡一笑，道：「只要你們能耐心等上一夜，這也不是什麼難事。」

這幾句話，大出王冠中意料之外，不禁微微一怔，道：「什麼？」

徐元平心平氣和地重又說了一遍，道：「我說只要你們能夠耐心的等到天亮，取我項上之頭，並非難事……」

他抬頭望望天色，又道：「現在已經初更時分了，距天亮的時間，並不太長。」

場中突然肅靜下來，那緩緩向徐元平逼行而來之人，也同時停下了腳步，似是所有的人，都爲徐元平這幾句話爲之一怔。

山風吹拂四外松枝，發出輕輕的沙沙之聲，充滿著淒涼的山野，更顯得淒涼了。

徐元平道：「你武功再高，也不是他們的敵手。」

上官婉倩道：「縱然非敵，我也不甘心坐以待斃，反抗而死，總要比任人屠殺的好。」

徐元平笑道：「人家要殺的是我，不知你急的什麼？」

上官婉倩呆了一呆，怒道：「難道別人能殺你，我就不能殺你嗎？」

徐元平道：「姑娘誤會了，在下之意是此事既與你無關，你似是不必捲入這次是非的漩渦之中。」

上官婉倩餘怒未息地說道：「我高興怎麼樣，就怎麼樣！哼！我爹爹都不管我的事，你是我什麼人？要你管我？」

徐元平怔了一怔，正色說道：「你的武功雖然不錯，但想憑藉一人之力，勝過數人之眾，絕對難以辦到……」

忽聽那紫衣少女大聲接道：「這位上官姑娘既然願以身陪葬，你們就快些動手啦！」

請續看《玉釵盟》（四）

臥龍生武俠經典珍藏版 7

玉釵盟（三）

作者：臥龍生
發行人：陳曉林
出版所：風雲時代出版股份有限公司
地址：10576台北市民生東路五段178號7樓之3
電話：(02) 2756-0949　　傳真：(02) 2765-3799
執行主編：劉宇青
美術設計：許惠芳
行銷企劃：林安莉
業務總監：張瑋鳳
出版日期：臥龍生60週年珍藏版 2022年3月
ISBN ：978-986-5589-60-8
風雲書網：http://www.eastbooks.com.tw
官方部落格：http://eastbooks.pixnet.net/blog
Facebook：http://www.facebook.com/h7560949
E-mail：h7560949@ms15.hinet.net
劃撥帳號：12043291
戶名：風雲時代出版股份有限公司

風雲發行所：33373桃園市龜山區公西村2鄰復興街304巷96號
電話：(03) 318-1378　　傳真：(03) 318-1378
法律顧問：永然法律事務所 李永然律師
　　　　　北辰著作權事務所 蕭雄淋律師

行政院新聞局局版台業字第3595號 營利事業統一編號22759935

定價：320元　

國家圖書館出版品預行編目資料

玉釵盟／臥龍生 著. -- 臺北市：風雲時代出版股份有限公司，2021.06- 冊；公分（臥龍生武俠經典珍藏版）

ISBN：978-986-5589-58-5（第1冊：平裝）
ISBN：978-986-5589-59-2（第2冊：平裝）
ISBN：978-986-5589-60-8（第3冊：平裝）
ISBN：978-986-5589-61-5（第4冊：平裝）

863.57　　　　　110007325